Nikolaus Thon

IKONE UND LITURGIE

SOPHIA
QUELLEN ÖSTLICHER THEOLOGIE

Herausgegeben von Julius Tyciak (†) und Wilhelm Nyssen

Band 19

Nikolaus Thon

Ikone und Liturgie

PAULINUS – VERLAG TRIER

1979

NIKOLAUS THON

IKONE
UND
LITURGIE

PAULINUS – VERLAG TRIER
1979

CIP-Kurztitelaufnahme der Deutschen Bibliothek

Thon, Nikolaus
Ikone und Liturgie
Nikolaus Thon — Trier:
Paulinus-Verlag, 1979
(Sophia; Bd. 19)
ISBN 3-7902-1403-5

VATER
ARCHIMANDRIT AVEL
UND DER BRUDERSCHAFT
DES RUSSISCHEN KLOSTERS ZUM
HL. PANTELEIMON
AUF DEM HEILIGEN BERGE ATHOS
IN DANKBARKEIT
GEWIDMET

Inhaltsverzeichnis

Textanhang:

„Das Gotteshaus ist der irdische Himmel, es ist die Berührungs-
linie, die den Himmel mit der Erde vereint; hier erfährt und fühlt
der Mensch, daß er die Ikone, das Abbild Gottes ist, . . . daß er ein
Kind Gottes ist. Hier im Gegensatz zur sündhaften Welt sieht er
nur Heiligkeit, Gerechtigkeit, Liebe und Barmherzigkeit in den
Personen, die auf den Ikonen abgebildet sind, und hier lobpreist er
zusammen mit den Engeln wie im Himmel den Herrn, seine ewige
Herrlichkeit, seine Milde, Menschenliebe, Wohltaten, seine Macht
und sein Reich.

Um dieser Bedeutung des Gotteshauses willen ist es ja auf jeden
Fall für den Christen sein unabdingbares Element, gleichwie für
den Fisch das Wasser das Element ist, für den Vogel die freie Luft,
in der er fliegt und in der er lebt und atmet; hier lernt er Wahrheit
und Gebet, denn nur hier wird ihn die wahre Erkenntnis Gottes
und seiner selbst gelehrt, . . . hier wird ihn gelehrt, das Zeitliche
und Verwesliche zu verachten und dem Unverweslichen und Ewigen in den Himmeln zuzustreben!"[1]

Vater Johann von Kronstadt
(Predigt zum Feste der
Einführung der Gottesmutter
in den Tempel)

Vorwort

Die der ostkirchlichen Kunst allgemein und spezifisch der Ikone gewidmete Literatur ist – vor allem seit den Sechziger Jahren unseres Jahrhunderts und dem beginnenden „Ikonenboom" des Kunsthandels – ins wahrhaft Unüberschaubare angewachsen. Kaum vergeht ein Jahr, in dem nicht neue Veröffentlichungen und Bildbände die Zahl der einschlägigen Editionen vermehren. Und doch will es manchmal (und gar nicht einmal so selten!) scheinen, als würde in allzu vielen dieser Werke bei noch so großer kunsthistorischer Exaktheit und Informationsfülle der eigentliche Seinsgrund der Ikonen fast übersehen; nur wenige dieser Editionen lassen ein wirkliches Verständnis für die zentrale Bedeutung der Ikonen im Gesamtgefüge des orthodoxen Glaubenslebens und seiner kultisch-liturgischen Verwirklichung erkennen oder zumindest erahnen.

So versuchen die Ausführungen dieses Buches hinzuweisen auf die enge und unlösliche Verbindung der orthoxoden Kultbilder[2] mit dem unteilbaren Ganzen ostkirchlichen Glaubenslebens, mit Theologie und Liturgie der orthodoxen Kirche. Denn nur von dieser Seite angegangen erschließt sich letztlich das „Innenleben" der Ikone, ihr tiefster Eigenwert, der alle kunstästhetischen Betrachtungsweisen weit hinter sich läßt, so wertvoll diese auch für sich genommen sein können und soviel sie gegebenenfalls auch zum Gesamtthema beizutragen vermögen. Aber die orthodoxen Ikonen sind eben kein Kunstwerk wie jedes andere auch: ihr innerstes Wesen entzieht sich der vordringlich kunsthistorischen und ästhetischen Sichtweise – sie bedürfen der theologischen Wertung und des Glaubens. Damit aber unterscheidet sich die Ikone essentiell von jedem anderen Kunstwerk, sowohl dem profanen, wie auch der abendländischen religiösen Malerei. Zumindest innerhalb des christlichen Raumes steht die Ikone somit einzigartig da. Hier ist

---

Fußnoten siehe Seite 230 f.

mehr zu konstatieren als ein einfacher Stilunterschied! Wer in den Ikonen nur Erzeugnisse eines fremden exotischen Genus sieht, der verfehlt folglich ihren Wesensgrund – und damit auch die Quelle, welche jene von ihm so bewunderte und geschätzte Schönheit erst sprießen läßt und am Leben erhält.

Mehr noch: ihm bleibt auch der Zugang zum Grund des orthodoxen Denkens, Fühlens und Glaubens verschlossen, ist doch die Ikone – nach einem Wort Vladimir Weidlés – „der vollkommene und unmittelbarste Ausdruck sowohl des religiösen als auch des ästhetischen Gefühls des orientalischen Christentums".[3] Durch und in der Ikone eröffnet sich uns damit der Zugang zum Essentiellen der Orthodoxie. Allerdings ist dies kein leicht und leichtfertig zu beschreitender Weg, sondern er erfordert vom Einzelnen die echte Bereitschaft zu einem tiefen geistlichen Engagement, zu einem sich Öffnen für die Offenbarungen, deren wir durch die Ikonen zuteil werden können. Diese Erkenntnis hat einer der christlichen Bekenner unserer Zeit, der die Tragik der christlich-geschichtlichen Existenz so tief erfaßte, Reinhold Schneider (1903–1958), in die Worte gefaßt: „Die Ikonen sind vielbewunderte Fremdlinge, angewiesen auf die Gastfreundschaft der Museen und Sammler, ausgeliefert der Wissenschaft, unterworfen dem Mißverständnis derer, die den Namen der Heiligen vergeblich führen. Das Los aller Kunst wie in Stellvertretung erleidend, strahlen sie aus in eine zerrissene Welt. . . . Die Ikonen befragen nicht allein Zeit und Geschichte, sie befragen auch die Kunst. . . . Und das ist die Frage der Ikonen: Ist christliche Kunst auf eine andere Weise möglich, als sie hier in Harren und Beten, in Entsagung und Schauen . . . möglich wurde?"[4]

Wir dürfen behaupten: nicht allein der in unseren Tagen erneut trotz aller Widrigkeiten so machtvoll angegangene Dialog zwischen den Christen des Ostens und des Westens, sondern auch „die spirituelle Verarmung des abendländischen Christentums ist ein wesentliches Stimulans für die Wiederentdeckung orthodoxer Frömmigkeitsformen geworden, unter denen ja die Ikonenverehrung einen besonderen Platz einnimmt."[5]

So wollen die folgenden Ausführungen mehr und anderes sein als nur eine weitere Nummer in der unendlichen Bibliographie theologiegeschichtlicher und kunsthistorischer Darstellungen zur Ikone. Sie wollen vielmehr hinweisen auf die zentrale Bedeutung der Ikone und ihrer liturgischen Verankerung für das Glaubensleben des östlichen Christentums, wie es immer von neuem aus der gesamten genuinen orthodoxen Tradition zu uns spricht. Damit wenden sie sich einmal an den abendländischen Christen, der sich um ein besseres Verständnis seiner orthodoxen Brüder und Schwestern bemüht, vor allem an jenen, der – sei er Sammler oder Kunstinteressent – bereits in Berührung mit der Ikone gekommen ist und sie zu begreifen sucht. Sodann aber denken wir auch an jene orientalischen Christen, denen – wie so manche Kirchenausstattung leider erweist – der unmittelbare Zugang zur Überlieferung der Väter verlorengegangen ist. Deshalb soll und kann die folgende Untersuchung bei allem Bemühen um eine wissenschaftlich haltbare Darstellung kein trockenes Theoretisieren sein: vielmehr möge man auch aus ihr die Stimme einer ungebrochenen urchristlichen Tradition heraushören, die hier im lebendigen Chor ihrer Vertreter durch alle Zeiten erklingt. Darum kommen sowohl die Väter der Kirche als auch heutige Theologen zu Wort, bei denen der spirituell suchende Mensch unserer Tage vielleicht eine Antwort zu finden vermag: nicht eine schulmeisterliche Belehrung vom hohen Katheder herab, sondern den erprobten Rat weiser Starzen, die sich als Diener der Kirche Christi wissen. In einer Zeit, in der im Abendland – trotz aller Reformversuche – oft ein gebrochenes Verhältnis des Gläubigen zu seinem Gottesdienst anzutreffen ist, darf man wohl das orthodoxe Glaubensleben nicht nur zur theoretischen Forschung empfehlen, denn „hier haben die Formen des Gotteshauses, des Altars, der heiligen Bilder und der kirchlichen Gewänder nicht die Fehlentwicklung des Abendlandes mitgemacht, wo man sich von der Gotik an, also nach dem großen Schisma mit der Ostkirche, noch mehr aber im Barock, weitgehend von den traditionellen, in Ost und West gemeinsamen Formen gelöst hat."[6]

Es versteht sich von selbst, daß damit dem Okzident nicht eine mechanische, seelenlos kopierende Übernahme der durch die speziell byzantinische Theologie und die griechische bzw. slawische Mentalität geprägten, historisch gewordenen Frömmigkeitsformen der Ostkirche angeraten werden soll und darf: aber ist nicht doch ein Umdenken der westlichen Kirchen notwendig und eventuell ein geistiges Zurückkehren zu den gemeinsamen Wurzeln der christlichen Spiritualität und des Kultverständnisses, welche in der orthodoxen Kirche so lebendig geblieben sind.[7]

Sollten diese Ausführungen einen kleinen Baustein beitragen können zum dringend notwendigen Werk einer Erneuerung der christlichen (vor allem auch der abendländischen) Spiritualität aus dem Geiste der ungeteilten Kirche Christi (und damit auch zur Wiederherstellung der Einheit aller, die den Namen des Herrn tragen, in seinem einen und unteilbaren mystischen Leibe, der heiligen Kirche, deren lebendiges Haupt Er selbst ist), wäre ihr eigentlichstes Ziel erreicht.

Am Feste
der hl. athonitischen Martyrer
Ignatios, Akakios und Euthymios
am 1. Mai 1979

Nikolaus Thon

Ikone und Liturgie – Mysterium fascinosum

„In jedem russischen Haus stehen an bevorzugter Stelle gemalte oder gegossene Heiligenbilder. Besucht nun ein Russe seinen Nachbarn, zieht er, sobald er das Haus betreten hat, seine Kopfbedeckung und blickt sich nach den Bildern um. Dann verneigt er sich dreimal mit den Worten ‚Herr erbarme dich unser‘ vor ihnen. Erst dann entbietet er dem Hausherrn selbst den Gruß, . . . Nach dem Abschluß der Verhandlung steht der Gast auf, tritt entblößten Hauptes in die Stubenmitte, verneigt sich dreimal vor den Heiligenbildern, bezeichnet sich mit den Kreuzzeichen und spricht die gleichen Worte wie bei seiner Ankunft. . . . Kein Mönch und kein Priester betet seine verordneten Gebete der sieben Tageszeiten ohne Heiligenbild. Ein solches Bild darf auch nur unter großer Ehrerbietung berührt werden.“[1]

So schildert – mit ehrlichem Erstaunen und doch gleichzeitiger Sympathie – einer der ältesten Berichterstatter des Abendlandes über Rußland, der kaiserliche Gesandte Sigismund zu Herberstein, im Jahre 1526 seine Erlebnisse beim Besuch des orthodoxen Rußland. Ein anderer berühmter Rußlandfahrer des XVI. Jahrhunderts, der Engländer Richard Chancellor, berichtet 1553 von seinen Eindrücken folgendermaßen:

„Sie dulden keine Skulpturbilder (graven images) der Heiligen in ihren Kirchen; aber ihre gemalten Holzbilder haben sie in großer Anzahl, welche sie anbeten und ihnen opfern (adore and offer unto), vor denen sie Wachskerzen anzünden und die sie mit heiligem Wasser besprengen. Sie sagen, daß unsere Bilder, welche in den Kirchen aufgestellt und geschnitzt sind, keine Göttlichkeit in sich tragen. In ihren Privathäusern aber haben sie Bilder ihrer Hauspatrone. . . . Wer nun seinen Nachbarn besucht, der grüßt zu allererst dessen Heilige. . . . So sind die dummen und kindischen Vernarrtheiten dieser bildungslosen Barbaren.“[2]

Fußnoten siehe Seite 232 ff.

Verwunderung und Unverständnis sind die ersten Empfindungen, welche wir normalerweise bei westlichen Autoren gegenüber der orthodoxen Ikonenfrömmigkeit konstatieren können. Ein Bemühen um das Begreifen der spezifischen Eigenart der Ikone fehlt größtenteils: wie die gottesdienstlichen Besonderheiten der orthodoxen Kirche werden auch die vom abendländischen Christentum abweichenden Charakteristika der Ikonenmalerei in der Regel mit einer angeblichen „Rückständigkeit" der östlichen Völker erklärt. So schreibt etwa einer der ältesten Übersetzer der orthodoxen Gottesdienstordnungen in westliche Sprachen, John Glen King, Ende des XVIII. Jahrhunderts: „Man wird sich nicht wundern, daß der Nationalgeschmack hätte so verderbt seyn können, solche elende Stücken ohne Malerey, Zeichnung oder Perspektiv zu dulden, und wohl gar ein Vergnügen daran zu finden, wenn man bedenket, daß dieses Volk vormals in Unwissenheit versunken war, und das Malen mehr für ein Handwerk, als für eine schöne Kunst ansah, welche die Anstrengungen höherer Talente erfordert."[3] Es wundert uns daher nicht mehr, wenn noch 1890 der protestantische Theologe Karl Schwarzlosen in einem immerhin dem Bilderstreit gewidmeten Werk zu dem Urteil kommt: „Unter den Bildern kämpfte sie (die griechische Kirche, N.T.) um ihre Eigenart und um ihre Freiheit. . . . Hat sich uns somit aus der eigentümlichen Denk- und Vorstellungsweise des Griechen heraus eine Erklärung seines Bilderdienstes ergeben, so werden wir doch mit unserem Urteil nicht zurückhalten, daß der Bilderdienst eine irregeleitete Frömmigkeit ist und weit entfernt von der erhabenen Anbetung Gottes im Geist und in der Wahrheit."[4]

Ähnlich vernichtende Urteile werden bis in unser Jahrhundert im Westen generell auch gegenüber der orthodoxen Liturgie geäußert; als ein besonders krasses Beispiel sei kurz Adolf von Harnack zitiert: „Nichts ist trauriger zu sehen als diese Umwandlung der christlichen Religion aus einem Gottesdienst im Geist und in der Wahrheit zu einem Gottesdienst der Zeichen, Formeln und Idole! . . . Wo aber ist in der Verkündigung Jesu auch nur eine Spur davon zu finden, daß man religiöse Weihen als geheimnisvolle Applikationen über sich ergehen lassen soll, daß man ein Ritual pünktlich befolgen, Bilder aufstellen und Sprüche und Formeln in vorgeschriebener Weise murmeln soll? Um diese Art von Religion aufzulösen, hat sich Jesus Christus ans Kreuz schlagen lassen; nun ist sie unter seinem Namen und seiner Autorität wieder aufgerichtet! . . . Dieses offizielle Kirchentum mit seinen Priestern und seinem Kultus, mit allen den Gefäßen, Kleidern, Heiligen, Bildern und seinem Kultus, mit seiner Fastenordnung und seinen Festen hat mit der Religion Christi gar nichts zu tun.''[5] Sicher ist das Urteil Harnacks von besonderer, herausragender Schärfe, sicher haben andere Autoren – vor allem katholische – sich wesentlich vorsichtiger geäußert – aber wir können doch ohne Übertreibung sagen, daß auch positivere Wertungen zumeist im äußerlichen Bereich stehengeblieben sind.

Schon Goethe hatte sich im Frühjahr 1814 um die Ikonenmalerei unter dem Gesichtspunkt einer besonderen Kunstrichtung bemüht und um Anschauungsmaterial gebeten. Interessanterweise erhielt er auf seine Anfrage übrigens keine befriedigende Antwort, da niemand im Rußland jener Zeit (auch nicht der angesprochene berühmte Historiograph Karamzin!) in der Lage war, Ikonen unter kunsthistorischen Gesichtspunkten zu werten.[6] Inzwischen wird man sagen können, daß die ästhetische Schönheit der Ikone, ihr künstlerischer Wert auch im Westen mehr und mehr akzeptiert worden sind – wovon die immer zahlreicheren Ikonensammler, Galerien und sehr erfolgreichen Auktionen (und leider auch etliche Diebstähle in orthodoxen Kirchen[7]) zeugen –, daß aber eigentlich immer noch gilt, was einer der Alt-Meister russischer Ikonendeutung, Fürst Evgenij Nikolaevič Trubeckoj (1863–1920) schrieb: ,,Die Schönheit der Ikone hat sich schon dem Blick geoffenbart, aber wir bleiben hier meistens auf halbem Wege. Die Ikone ist für uns häufig bloß der Gegenstand jener oberflächlichen ästhetisierenden Bewunderung, die in ihren geistigen Sinn nicht hineindringt!''[8]

Beredtes Zeugnis für dieses Kokettieren mit der Ikone als einem exotischen und einzig von daher (und natürlich noch vom Kapitalwert her!) interessanten Sammelobjekt ist etwa die Empfehlung des Ikonen-Sammelns als einer ,,Therapie für streßgeplagte Manager''[9], in der es heißt: ,,Kaum ein Sammelobjekt hat so viel von sich reden gemacht wie die Ikone. Das hat vielleicht damit zu tun, daß

alte Ikonen als ungewöhnlich stabile und stetig wachsende Geldanlage entdeckt wurden; Wertverluste wurden bisher nicht bekannt.
. . . Das Wissen um die Ikone ist für den Sammler eine unbedingt notwendige Stütze, um sich vor Fehlinvestitionen zu schützen!"[10] Und wirklich haben „Ikonen in den vergangenen Jahren überdurchschnittliche Wertsteigerungen erfahren", wenn man den Verkaufswert zugrundelegt.[11] Es braucht kaum eigens betont zu werden, daß dieses vordergründig auf finanzielle Aspekte ausgerichtete und bestenfalls kunstästhetische „Wissen" wohl nicht sehr geeignet ist, irgend jemandem – auch keinem Manager! – den Zugang zum Wesen der Ikone zu eröffnen – ein Hinweis auf eine irgendwie mythisch verstandene „russische Seele" hilft da auch nicht weiter![12] Wer die Ikone in erster Linie als Prestige- und Imageobjekt – etwa gar noch eines bestimmten Berufsstandes[13] – ansieht, wird niemals verstehen, daß Ikonen für den orthodoxen Christen mehr sind, als ein sekundärer, wenn auch noch so nützlicher Brauch seiner Religion, vergleichbar etwa dem römisch-katholischen Rosenkranz. Vielmehr stehen sie für ihn – neben dem liturgisch-gottesdienstlichen Leben und in fester Verbindung mit ihm – im Mittelpunkt seines religiösen Tuns und all seiner Glaubensvollzüge: vor der Ikone verrichtet er seine häuslichen Gebete, sie küßt er und vor ihr verneigt er sich, mit ihr segnet er seine Kinder zur Eheschließung und seine Nächsten vor Antritt einer Reise oder in sonstiger Gefahr, sie findet ihren Platz auch im kleinsten Gepäck, wird von Generation auf Generation vererbt, bis sie ganz unkenntlich geworden ist. Und auch dann wird sie nicht etwa weggeworfen, sondern – wenn irgend möglich – sorgfältig restauriert und notfalls übermalt. Sie wird bei den verschiedensten Prozessionen über Land getragen, zu ihr werden Wallfahrten gemacht und vor ihr Kerzen oder Öllampen entzündet. Sie schmückt Kirchen und Häuser, ja, „ein Gebäude ohne Ikonen erscheint einem Orthodoxen oft als leer. . . . Die Ikone gibt ihm das Gefühl der wirklichen Gegenwart Gottes"[14], sagte einer der schöpferischsten orthodoxen Theologen unseres Jahrhunderts, Erzpriester Sergij Bulgakov (1871–1944).

Dieser theologische Gesichtspunkt jedoch bleibt durch die zunehmende kommerzielle Bedeutung der Ikone im Westen weiterhin verborgen und wird sogar noch mehr als früher verdrängt, denn die Beliebtheit der Ikone als Sammelobjekt führt fast zwangsläufig zu jenen Auswüchsen eines gewinnträchtigen Handels, die mit Begriffen wie Betrug und Fälschung, wissentlicher Falschdatierung oder ähnlichem nur angedeutet sein können. Über der Kapitalanlage wird völlig vergessen, daß die Ikone eigentlich ein religiöser Kultgegenstand ist. Von diesem für den Gläubigen teilweise nur als skandalös zu bezeichnenden Ikonenhandel her haben sich Kriterien entwickelt, welche mit der Wertung der Ikone in der orthodoxen Theologie nichts mehr gemein haben: die Treue des Ikonenmalers zu den kanonischen Regeln wird hier in pervertiertester Weise zum Zwecke der Fälschung ausgenutzt; während jener der gleichbleibenden Wahrheit des Glaubens Ausdruck verleihen wollte, versucht diese, das theologisch begründete Abbildhafte zu benutzen, um über das Einmalige des jeweiligen Kunstwerkes hinwegzutäuschen. Folglich hat die ausschließlich vom Kunstmarkt und seinen Gesetzen diktierte Sicht viele Ikonensammler dazu geführt, unter dem Begriff einer „echten" Ikone nur solche Stücke zu erfassen, welche in früheren Jahrhunderten in den orthodoxen Heimatländern gefertigt wurden – ob unter getreuer Einhaltung der Malkanones oder nicht, ist dabei von zweitrangiger Bedeutung. Wenn diese Betrachtungsweise geflissentlich von sogenannten „Ikonenexperten" weiter kolportiert wird, so muß man doch den Verdacht hegen, daß hier eigene kommerzielle Interessen im Vordergrund stehen, d. h. man um der Eingrenzung des Marktes willen und aus Furcht vor einer eventuellen Schwankung im Preisgefüge die vom theologischen Standpunkt aus total unhaltbare und künstliche Unterscheidung zwischen alten und neuen Ikonen aufrechterhalten will. Anders ausgedrückt: wäre man bereit, auch gute neue Ikonen als solche zu akzeptieren, so ließe sich absehen, wenn eine ganze Reihe von minderwertigen Erzeugnissen des XIX. Jahrhunderts ihren Preis verlieren würden. So konnte es geschehen, daß in unserer Gegenwart – einer Zeit, in der mehr Ikonen als je zuvor in der Geschichte ihren Weg in den Westen und ihren Platz in einer Reihe von Haushalten fanden – trotzdem das eigentliche, nämlich das religiöse Verständnis für die orthodoxen Kultbilder eher noch weiter geschwunden ist. Es kommt eben nicht einfach darauf an, Ikonen zu besitzen – je mehr und je älter, desto besser! –, sondern ihre geistliche Kraft offenbart sich letztlich nur dem Glaubenden.

Für diesen allerdings hat dann die Ikone die oben benannte Bedeutung als Vermittlerin der göttlichen Gegenwart; so konnte der anglikanische Bischof Herbert Bury, der Rußland wenige Jahre vor der Oktoberrevolution besuchte, zu dem Schluß kommen: „Das gesamte Leben des russischen Volkes erinnert die Besucher immer wieder auf alle nur denkliche Art daran, daß sie in einem religiösen Land sind: denn allüberall gibt es eine Ikone, das heilige religiöse Bild. . . . Dies ist die erste charakteristische Erscheinung ‚Rußlands‘, die man vor seinen Augen beim Eintritt hat und die letzte vor der Ausreise wie an jedem öffentlichen Orte."[15]

Der große Lehrer und Hirte des russischen Volkes, Vater Johann von Kronstadt (Ioann Sergiev, 1829–1908), faßt die Empfindungen des orthodoxen Christen gegenüber seinen Ikonen in folgenden Worten zusammen:

„Wenn dich nun jemand fragt, warum du da vor leblosen Bildern betest, was für einen Gewinn du von ihnen hast, so sage ihm, daß wir einen viel größeren Gewinn haben als von allem, was wir auch von der besten und wohltätigsten Person erhalten könnten! Sage, daß eine segnende Kraft und Hilfe für unsere Seelen allezeit von ihnen zu uns kommt, welche uns von der Sünde, vom Schmerz und von der Krankheit rettet, vor allem von den Bildern des Erlösers und der Muttergottes; sage, daß ein einziger Blick voller Glauben auf sie als auf solche, die leben und uns nahe sind, uns von schrecklichen Leiden, von Versuchungen und geistlicher Finsternis rettet; sage, daß – wenn schon die Berührung des Gewandes unseres Erlösers und der Gewänder der Apostel die Heilung schenken konnte[16] –, um so mehr die Bilder des Erlösers und der Gottesmutter fähig sind, die Gläubigen in jeder Bedrängnis zu heilen, nach ihrem Glauben an den Herrn und an Seine Mutter!"[17]

Wie tief dieses Empfinden des gläubigen orthodoxen Menschen in bezug auf die Ikonen ist, dafür hat uns der Dichter Nikolaj Leskov (1831–1895) in seiner Erzählung „Der versiegelte Engel" ein bleibendes Denkmal hinterlassen; dort setzt ein Ikonenmaler seine Werke gegen die westliche bzw. westlich beeinflußte religiöse Malerei folgendermaßen ab (und deutet damit den tiefsten Sinn der orthodoxen Ikonographie an):

„In der neuen weltlichen Malerei ist die Darstellung hinge-schmiert und erscheint nur in einiger Entfernung natürlich, während hier (auf den Ikonen, N.T.) alles fließend und noch in der Nähe deutlich ist. Einem weltlichen Maler würde selbst die Wiedergabe der Zeichnung[18] *nicht gelingen, weil sie nur gelernt haben, den irdischen Körper abzubilden und das, was den irdischen Menschen ausmacht, während in der russischen Ikonenmalerei der verklärte Leib dargestellt wird, den sich der materielle Mensch nicht einmal vorstellen kann.“*[19]

Neben den theologischen sind es sicher auch psychologische Gründe – so vor allem die Kraft der Tradition, Kindheitserinnerungen, ein ästhetisches Sich-hingezogen-Fühlen usw. –, welche zur tiefen Verwurzelung der Ikonenverehrung in allen orthodoxen Ländern (vielleicht am innigsten in Rußland) ihr Teil beitragen[20], aber es bleibt doch festzuhalten, daß der tiefste Urgrund der Beziehungen des Orthodoxen zu seinen Ikonen eine theologische Fundierung besitzt, welche sich – vielleicht völlig unakzentuiert, ja sogar unbewußt – auch im Denken des einfachsten Gläubigen findet, nämlich das Wissen oder doch das Erahnen, daß diese Bilder mehr sind als nur Kunstwerke, daß sie Abbilder ewiger, überirdischer Wahrheiten bieten, die uns aber einen realen Zugang zu eben diesen Wahrheiten eröffnen, oder – wie es Vasilij Kandinskij (1866–1944) ebenso kurz wie treffend formuliert hat – „leibhaftig heilige Bilder“.[21] Und alle psychologischen Gründe der Ikonenverehrung mindern ja nicht etwa den Wert und die Bedeutung der theologischen Implikationen, im Gegenteil: sie eröffnen, gerade für den schlichten gläubigen Menschen, den Weg zu ihnen, oft vielleicht ohne daß es der Betreffende ahnt, zumindest aber, ohne ihn mit einer Lehre theoretisch zu belasten, die er noch nicht aus eigenem Erleben heraus begriffen hat. Es ist immer Wesensgrundsatz der Orthodoxie, zuerst dem Gläubigen das Erleben zu ermöglichen, aus dem heraus er dann auch theologisch abstrakt begreifen kann, aber nicht von ihm ein Begreifen fremder Erfahrungen zu fordern. So ist die Ikone tief eingebettet in die gelebte praktische Volksfrömmigkeit, wie es uns der Schriftsteller Gleb Uspenskij

(1843–1902), der selber durchaus nicht im kirchlichen Sinne gläubig war, sondern eher der radikalen Intelligenz angehörte, bei seiner Beschreibung der alljährlichen Prozession mit der Ikone der Gottesmutter von Tichvin schildert, wenn er einem der teilnehmenden Bauern diese Worte in den Mund legt:

„Man hat unsere allerheiligste Mutter aus der Kirche genommen, die Archimandriten grüßten sie tief und nahmen am Tor des Klosters voneinander Abschied und das Volk übernahm es, die Ikone zu tragen. . . . Am Eingang eines jeden Dorfes kam ihr die Geistlichkeit mit wehenden Bannern entgegen, und man brachte sie in die Kirche. Man trug sie sehr hoch, unsere Allerheiligste, über der Menge, und sie flammte in der Sonne wie ein Feuer . . . Nicht einen Moment hörte der Gesang auf, weder am Tag noch in der Nacht. Eine riesige Menge geht und singt. Und alles gibt es im Überfluß, wie durch ein Wunder. Wer hat all diesen Leuten zu essen und zu trinken gegeben? Sie, die Königin der Barmherzigkeit.“[22]

Und Ivan Kireevskij (1806–1865), einer der Mitbegründer der slawophilen Schule des XIX. Jahrhunderts, beschreibt sein eigenes religiöses Umdenken angesichts der berühmten Ikone der Gottesmutter von Iberien auf dem Roten Platz inmitten Moskaus folgendermaßen:

„Eines Tages befand ich mich in der Kapelle und betrachtete das wundersame Bild unserer Lieben Frau, wobei ich an den kindlichen Glauben des Volkes dachte, welches vor ihr betete. Mehrere Frauen und kranke Greise verneigten sich, knieend und sich bekreuzigend, bis auf die Erde. Mit glühendem Vertrauen betrachtete ich die heiligen Züge der Ikone und begann das Geheimnis dieser wundersamen Kraft zu begreifen. Ja, es ist nicht einfach ein Brett mit einem Bild darauf; . . . sie ist ein lebendiges Organ geworden, ein Berührungspunkt zwischen dem Schöpfer und den Menschen. Und wie ich an all das dachte, habe ich noch einmal auf die Alten und die Frauen mit ihren Kinder geblickt, die sich demütig vor der heiligen Ikone zur Erde niedergeworfen hatten. Und da habe ich gesehen, wie die Züge der Muttergottes sich belebten. Sie betrachtete diese armen Leute mit Liebe und Barmherzigkeit. . . . Da bin ich niedergekniet und habe demütig vor ihr gebetet.“[23]

Bezeichnend für die Stellung der Ikone im orthodoxen Denken ist die russische Ausdrucksweise „Es ist, um die Ikonen herauszutragen!", d. h. es geschieht etwas in diesem Hause, dessen Anblick man den Heiligen ersparen sollte, weil es Sünde ist.[24]

Wie die Ikonen, so ist aber auch der liturgische Gottesdienst Zentrum orthodoxen Glaubenslebens: „Der Orthodoxe versteht die Religion über die Liturgie, die Lehre ist eingeschlossen in den göttlichen Kultus und nicht aus Zufall drückt ja das Wort ‚Orthodoxie' zu gleicher Zeit den rechten Glauben wie auch den rechten Kultus aus, denn diese beiden Dinge sind untrennbar. . . . Jene, die die Orthodoxie kennenlernen möchten, brauchen nicht viele Bücher darüber zu lesen, sondern nur dem Beispiel der Gesandten des Prinzen Vladimir zu folgen und der Liturgie beizuwohnen. So hat es ja auch Philippus gegenüber dem Nathanael ausgedrückt: ‚Komm und sieh!' (Jo. 1,46)"[25] erklärt einer der modernen orthodoxen Theologen unserer Tage, Archimandrit Kallistos (Ware, geb. 1934). Er spielt dabei auf jenen Bericht an, der seit langem zum Beispiel par excellence für die orthodoxe Liturgieauffassung geworden ist, nämlich die Erzählung der Gesandten des Kiewer Großfürsten Vladimir von ihrer Teilnahme am Gottesdienst in der Hagia Sophia im X. Jahrhundert, so wie sie uns die altrussische Nestorchronik überliefert:

„Und wir kamen auch zu den Griechen, und sie führten uns dorthin, wo sie ihrem Gott dienen, und wir vermögen es gar nicht zu schildern! Nur eins wissen wir, nämlich, daß dort Gott bei den Menschen verweilt, und ihr Gottesdienst übertrifft den aller Länder. Wir können aber diese Schönheit nicht vergessen, denn ein jeder Mensch, der Süßes gekostet hat, will nicht mehr Bitteres zu sich nehmen."[26]

Im Gottesdienst erlebt der orthodoxe Christ selbst die Heilshandlungen Christi, sieht er sie – wie auf den Ikonen – mit eigenen Augen und gibt seine Antwort durch die tätige Mitfeier. Dieses Miterleben und dieses Mittun aber sind nach orthodoxem Verständnis wesentlicher als alles theologische Wissen, denn – nach den Worten Erzpriester Georgij Florovskijs (geb. 1893) – ist „das Christentum eine liturgische Religion. Die Kirche ist vor allem eine anbetende Gemeinschaft. Zuerst kommt der Kultus, erst dann kommen die Lehren und die Disziplin!"[27] – oder, wie es ein westlicher Beobachter formuliert hat: „Als Ausdruck der Glaubenslehre stehen die (orthodoxen, N.T.) Katechismen zur orthodoxen Liturgie gerade in einem umgekehrten Verhältnis wie die Katechismen der Reformation zum evangelischen Kirchenlied."[28] Von daher kommt die Konstanz orthodoxer Liturgieentwicklung, auf die manchmal abendländische Christen – gerade in der heutigen Zeit tiefgreifender Umwälzungen und mancher damit verbundener Verunsicherungen auf gottesdienstlichem Gebiete – mit gewissem Neid blicken.[29] Von daher kommt aber auch die volkstümliche Verwurzelung der orthodoxen Liturgie, wie sie uns beispielsweise in den Erzählungen des Dichters Ivan Šmelev (1875–1950) begegnet:

„Gründonnerstag . . . Ich trage die Kerze von den Passionsevangelien heim[30], schaue auf das flackernde Flämmchen: es ist heilig. Die Nacht ist still, doch ich fürchte, es könnte ausgehen. . . . Die alte Köchin ist glücklich, daß ich es bringe. Sie wäscht sich die Hände, nimmt das heilige Lichtlein, entzündet ihr Öllämpchen (vor den Ikonen, N.T.) und dann brennen wir Kreuze ein: über der Tür der Küche, dann des Kellers, des Kuhstalls . . . ,Der Teufel vermag jetzt nichts gegen das Kreuz. Rette uns Christus!', sagt sie, bekreuzigt sich dabei und bekreuzigt auch die Kuh mit der Kerze. . . . Mir scheint, daß in unserem Hofe Christus ist: im Kuhstall, im Pferdestall, und im Keller und überall. In dem schwarzen Brandkreuz von meiner Kerze kam Christus! Und alles, was wir tun – ist für Ihn! . . . So außergewöhnlich sind diese Tage – die Passionstage, Christi Tage. Ich habe jetzt keine Angst mehr, denn überall ist Christus!"[31]

Folgerichtig wird so in einem aus dem XI. Jahrhundert stammenden „Gedächtnis und Preiswort auf den russischen Fürsten Vladimir" vor allem die Kirchenbautätigkeit des Großfürsten betont:

„Du, seliger Fürst Vladimir, du hast gleich getan dem großen Konstantin. Wie er mit großem Glauben und Liebe zu Gott kämpfte, die ganze Erde im Glauben und in der Liebe festigte und mit der heiligen Taufe die ganze Welt erleuchtete und dem gesamten Erdkreis das Gesetz Gottes verkündete und die Götzentempel samt ih-

ren falschen Göttern zerstörte, heilige Kirchen aber auf dem ganzen Erdenrund errichtete zum Preise Gottes, . . ., die Götzentempel zerstörte, mit Kirchen die ganze Erde und alle Städte schmückte und in den Kirchen gebot, das Gedächtnis der Heiligen zu ehren mit Gesängen und Gebeten und die Feiertage zu feiern Gott zum Ruhm und Preis: so tat auch der selige Fürst Vladimir mit seiner Großmutter Olga. Er ließ sich selbst und seine Kinder taufen und taufte das ganze russische Land von einem Ende zum andern, die Götzentempel und Opferaltäre ließ er herausgraben und zerhauen und zerbrach die Götzenbilder, und im ganzen russischen Lande und in den Städten schmückte er die Kirchen mit ehrwürdigen Ikonen und hielt das Gedächtnis der Heiligen in den Kirchen mit Gesängen und Gebeten." [32]

Unter allen Taten wird hier die Förderung des Gottesdienstes als besonders preiswürdig hervorgehoben, denn für den gläubigen orthodoxen Christen sind es die Kirchen und ihre Liturgien und Ikonen, die ihm den Zugang zu Gott eröffnen:

,,Du mußt dich mit dem ganzen Volk über den wahren orthodoxen Glauben freuen, der über die ganze Welt leuchtet. Die Gnade Gottes liegt über uns wie ein Lichtmantel, und die Kirchen Gottes scheinen Blumen oder Sterne am Himmel oder leuchtende Sonnenstrahlen, herrlich geschmückt und von heiligen Chorälen erklingend!" [33]

ruft ein unbekannter Verfasser dem Großfürsten Vasilij II. dem Blinden (Temnyj) im XV. Jahrhundert zu, und der größte russische Starez, der hl. Serafim von Sarov (1759–1833), weist eine zur Sakristanin ernannte Nonne mit den Worten ein:

,,Alles, was in der Kirche gebraucht wird, ist wie Feuer, das lodert und in Flammen setzt. Es gibt nichts Größeres, als der Kirche zu dienen. Wenn ihr nur mit einem Scheuerlappen die Dielen im Hause Gottes wascht, so ist das mehr wert als jede andere Arbeit. . . . Was gibt es denn Schöneres und Lieblicheres als die Kirche? Wo könnten wir uns aus ganzer Seele und ganzem Herzen mehr freuen als in der Kirche? Hier thront doch unser Herr, umgeben von den Cherubim und Seraphim und allen himmlischen Geistern!" [34]

Orthodoxe Frömmigkeit ist niemals individualisierte Frömmigkeit, sie strebt immer auf die Gemeinschaft der ganzen Kirche hin.[35] Der ganzen Kirche – das heißt nicht nur der irdischen Gemeinde, sondern mit ihr auch der Heiligen, an ihrer Spitze der Gottesmutter, das heißt Gemeinschaft mit den Engeln und den Verschiedenen, das heißt letztlich Gemeinschaft mit Gott. Diese Gemeinschaft aber erfährt der Gläubige im Gottesdienst, im Raum der Kirche, angesichts der Ikonen!

„Der Gottesdienst der orthodoxen Kirche ist eine alle Tage währende, ununterbrochene Gemeinschaft der Glieder der irdischen Kirche mit dem Haupte der Kirche und gleichzeitig mit der Heiligen Dreifaltigkeit zusammen mit der Allheiligen Herrin, der Gottesgebärerin, mit den heiligen Engeln und den heiligen Gerechten Gottes – eine Gemeinschaft des Gebetes, der Buße, des Lobpreises und der Danksagung . . . Welch hohe Theologie ist doch eingeschlossen in unserem orthodoxen Gottesdienst, welche göttliche Vorsehung, welch flammendes Gefühl, welcher Geist der Buße, der Heiligkeit, der Wahrheit Gottes weht in den Gebeten, Psalmen, Hymnen, Gesängen und Kanones – welchen Reichtum und welche Fülle enthält der Gottesdienst, wie viele heilige Gesänge und Bitten voll des Geistes und des Lebens, wieviel Licht, Feuer und geistliche Kraft! Wieviel Worte wunderbarer göttlicher Schönheit! Welcher himmlische Geist wirkt in ihm, der Leben schafft, ein Geist der Demut, der Milde, des Heils, der Liebe und wieviel lehrt und flößt uns ein das orthodoxe Gotteshaus in all seinen Handlungen!"[36],

meditiert Vater Johann von Kronstadt. Hier im Gotteshaus erfährt der orthodoxe Christ das Heilshandeln Gottes an sich in greifbarer Form. „Russischer Gottesdienst wird für mich beherrscht von der wirklichen Gegenwart Gottes"[37], faßt Bischof Bury seine Eindrücke zusammen – und ist damit zugleich einer der wenigen westlichen Beobachter, die das tiefste Wesen orthodoxen Glaubenslebens erkannt haben. Die Erfahrung der Gegenwart Gottes, des Gnadenhandelns Gottes – und zwar in einer den menschlichen Sinnen möglichen Form – ist Grundlage orthodoxen Glaubenslebens. Hier wirken Kirchenkunst und Liturgie in harmonischer Weise zusammen, denn „Liturgie ist von jeher – nicht bloß im Christentum – mit der Kunst verschwägert; . . . wo kirchliche Kunst also den Geist der Liturgie in sich aufgenommen hat und daraus zu schaffen unternimmt, da trägt sie bei zu jenem Gesamtkunstwerk, . . . in dem Bau und Bild und Wort und Melodie und Kleid und Bewegung zusammenklingen zu einem großen Werk!"[38] – Diese Worte des großen Kenners der abendländischen Liturgie, Josef Andreas Jungmanns, gelten in noch weit stärkerem Maße für die Beziehung zwischen der orthodoxen Liturgie und der Ikonenkunst: beiden geht es nämlich nicht, wie so viele abendländische Kritiker es mißverstanden haben, um eine vordergründige Vorspiegelung irrealer, rein ästhethischer Schönheit und Pracht, um ein großartiges, psychologisch wirksames Schauspiel, das geeignet wäre, den Menschen in einen künstlichen Paradieseszustand zu versetzen, sondern um etwas ungleich Tieferes: es geht nicht „einfach um ein – in künstlerische Formen gefaßtes – Gedächtnis von Ereignissen aus dem Evangelium oder anderswoher, welche die Kirche betreffen. Es ist vielmehr die Aktualisation dieser Tatsachen, ihr Wiederwirksamwerden auf der Erde. . . . Der Herr fährt fort, in der Kirche zu leben in dem Bilde seiner irdischen Erscheinung, welches – einmal vollzogen – für alle Zeiten erhalten bleibt, und der Kirche ist es gegeben, die heiligen Gedächtnisse zu verlebendigen, sie mit Kraft auszustatten, so daß wir ihre neuen Zeugen und ihre neuen Teilnehmer werden."[39]

Ikone und Liturgie haben hier ihre gemeinsame theologische Verankerung, insofern beide – auf die ihnen je gemäße Art – Abbilder der göttlichen Wahrheiten sind und diese unserem irdischen Auge in wirkkräftiger Weise zugänglich machen. So gehen die eingangs zitierten abendländischen Kritiken am Eigentlichen vorbei, indem sie die äußeren Formen vom Wesen loslösen und entleeren, den Kern aber nicht begreifen. Sicher gibt es auch Entartungserscheinungen sowohl der Ikonenmalerei wie einer bestimmten Liturgieauffassung, gibt es bei beiden die Gefahr der Veräußerlichung und des Sinnverlustes durch die Überbetonung sekundärer Merkmale, aber jede adäquate Kritik kann nur von innen heraus erfolgen, das heißt vom Wesen der orthodoxen Bildertheologie her, welche sowohl die Kirchenkunst wie die Liturgie betrifft, denn letztlich ist nach orthodoxem Verständnis auch der Vollzug der Liturgie nichts anderes als das Schaffen einer lebendigen Ikone, ein Abbild der Heilsökonomie Gottes, wie es der Große Einzug der eucharistischen Liturgie zum Ausdruck bringt:

„Die wir auf geheimnisvolle Weise Ikone der Cherubim sind und der lebensschaffenden Dreifaltigkeit den dreimalheiligen Gesang darbringen, alles irdische Sinnen lasset uns ablegen, denn den König des Alls wollen wir empfangen, den Engelscharen unsichtbar geleiten . . .“

Die Ikonentheologie und ihre Entwicklung

„Aufgabe der Ikone ist es, sichtbar das Dogma der orthodoxen Kirche auszudrücken und von ihrer Erfahrung der Vergottung des Menschen durch die ungeschaffene Gnade des Heiligen Geistes zu zeugen. Sie ist also Zeugnis von der geistlich-körperlichen Verklärung des Menschen und durch ihn der ganzen sichtbaren Welt. Die Ikone ist eine sichtbare Vorwegnahme der Zukunft, des eschatologischen Reiches Gottes, die Offenbarung der Herrlichkeit Christi im Menschen."[1] Von daher bleibt die Ikone sowohl jenem Kunstästheten verschlossen, der von der Renaissance und ihren Kriterien herkommend, sich ihr zu nähern versucht, wie auch all jenen Ideologen, die von einer irdischen Machbarkeit des Menschen ausgehen. Für einen – wie auch immer gearteten – „Biologismus" ist hier kein Platz, und der Ikone „symbolische Sprache ist dem satten Fleisch unbegreiflich, unbegreiflich einem Herzen voller Streben nach materiellen Dingen."[2] Von daher erklärt sich auch das oftmals so grotesk anmutende Bemühen sowjetischer Kunsthistoriker, der Ikonenmalerei – und damit dem alt-russischen Kunstschaffen überhaupt – eine auch in den Augen des atheistischen und materialistischen Betrachters befriedigende Deutung zu geben, die dann etwa folgendermaßen aussieht: „Die russischen Ikonen sind in ihrer ursprünglichen und spezifischen Form ein Spiegelbild der sozialen Erscheinungen und der geschichtlichen Ereignisse, der Leiden und Leistungen des Volkes im Kampfe um seine nationale Unabhängigkeit, der Leidenschaft und des Schwunges, die die Schaffung eines mächtigen russischen Staates gekennzeichnet haben"[3], wie der „Maler des Volkes der Sowjetunion", Akademiemitglied Igor Grabar einmal schrieb. Wer aber solchermaßen von vornherein auf eine Interpretation der theologischen Zielsetzung als des eigentlichen Hauptzweckes der Ikone verzichten muß, der ist nicht nur zu Verkürzungen, sondern oftmals gar zu abenteuerli-

---

Fußnoten siehe Seite 236 ff.

chen Gedankenkonstruktionen bei der Einzelinterpretation gezwungen, wofür die sowjetische Kunstgeschichtsschreibung manches Beispiel liefert.[4]

Doch wenden wir uns der eigentlichen Ikonentheologie zu: wenn wir dabei zuerst – unter vorläufiger Verwendung der abendländischen sprachlichen Form – die Ikone als das „Heiligenbild der Ostkirche" definieren, so müssen wir uns gleich darüber im klaren sein, daß der Osten unter einem solchen „Heiligenbild" etwas durchaus anderes versteht als das Abendland. Das westliche Heiligenbild – oder sagen wir allgemeiner – westliche religiöse Malerei ist Kunst für die Religion. Das heißt, das Erleben dieser Kunst (wie jeder Kunst überhaupt!) ist primär ein ästhetisches, und erst diese Form des Erlebens erweckt dann ihrerseits religiöse Gefühle bzw. verstärkt sie. Konsequent weitergeführt bedeutet das, daß nur noch die künstlerische Qualität, nicht das Verhältnis zur Religion eigentlich maßgeblich erscheint. In der Ikonenmalerei sind solche Auffassungen eo ipso ausgeschlossen, denn die Gebiete Religion und Kunst stehen nicht nebeneinander, um sich hier nun einmal zu verbinden, indem die Religion das Motiv, die Kunst die Ausführung liefert, wie es bei der abendländischen Malerei der Fall wäre. Vielmehr sind beide in der Ikonenkunst zu einem Untrennbaren verschmolzen: die Schaffung einer Ikone und ihre Apperzeption ist quasi gottesdienstliche, ist liturgische Handlung, ein Mysterium – ein Sakrament – im eigentlichsten Sinne des Wortes, denn unter seinen äußeren Zeichen werden ja unsichtbare Gnadengaben vermittelt. Wieder stoßen wir auf die tiefreichende Verwandtschaft von Gottesdienst und Ikone; beide sind ja nichts anderes als zwei Zweige aus einer Wurzel. Der ästhetische Tatbestand der Ikone, der heute für viele Kunstsammler in den Vordergrund getreten ist, ist also ein zufälliger Tatbestand, jedenfalls ein Zug der Ikone, der dem gläubigen orthodoxen Christen ganz verborgen hinter dem Mysterium liegt und eigentlich unbewußt, zumindest aber zweitrangig und nebensächlich bleibt. Eine Betrachtung der Ikone als einer interessanten, nicht alltäglichen Kunstäußerung untersucht also eigentlich etwas, was nicht zum inneren Wesen der Ikone gehört. Mit dieser Blickrichtung nimmt man die Ikone gewissermaßen aus ihrem ureigenen Bereich heraus. Es ist von daher kaum verwunderlich, wenn es immer wieder zu Fehlurteilen kommt, denn das eben Gesagte darf nun nicht so verstanden werden, als entbehre die Ikone jeglicher Schönheit, als meide sie diese gar. Vielmehr geht es um ein anderes, tieferes Verständnis von Schönheit. ,,Verstehen wir das recht, so ist die Ikone für den orthodoxen Christen der Inbegriff und das Abbild jener stets neuen, unerschaffenen Schönheit, welche keiner Rechtfertigung bedarf, denn in ihr selber ist sie gerechtfertigt."[5] Anders ausgedrückt: es geht um die Schönheit des Ewigen, die nicht zeitlichen, irdischen Kriterien unterliegt, sondern die deshalb schön ist, weil sie wahr ist, weil sie von Gott ist: ,,Der Welt des Unvergänglichen, Geistigen steht die Welt des sinnlich Wahrnehmbaren und Vergänglichen gegenüber. . . . Die in sich ruhende, übersinnliche Welt kann nicht begriffen – aber sie kann erlebt und erschaut werden. Das heilige Bild vermittelt die mystische Schau des Göttlichen. Es macht das Unsichtbare sichtbar, es offenbart etwa Verborgenes, und wir können ,mit den Augen des Geistes' durch das Stoffliche hindurch zum Urbild vordringen, dem es seine Existenz verdankt. Das heilige Bild gleicht einem Siegelabdruck, der das Vorbild kenntlich macht! . . . Als Abbild hat es teil an dem Urbild, dem es gleicht, und so offenbart es eine heilige Wirklichkeit, die nicht von dieser Welt ist. Die Ikone ist somit niemals nur religiöse Darstellung, sondern immer ein von geheimnisvollem Sein erfülltes Bild!"[6], faßt einer der besten Kenner der Ikonentheologie, Aleksej Hackel (1892–1951) die orthodoxe Lehre von den heiligen Bildern zusammen.

Was heute Allgemeingut der orthodoxen Theologie ist, wurde in Jahrhunderten teilweise erbitterten theologischen Ringens erarbeitet und geformt. Werfen wir von daher einen Blick auf die Entstehung der Ikonentheologie!

Es gilt als allgemein verbreitete Meinung, daß das junge Christentum – insbesondere seine aus dem Judentum erwachsenen Gemeinden – aller Bilderverehrung feindlich gegenübergestanden habe[7], wobei man als Beweis die strengen Verbote der Anfertigung irgendwelcher Götterbilder anführt, wie sie uns das Alte Testament in den beiden Fassungen des Dekalogs überliefert:

,,*Du sollst dir kein Götzenbild machen, noch irgendein Abbild dessen, was oben im Himmel ist, noch was auf der Erde, noch was im Wasser unter der Erde ist!"* (Ex. 20,4)

„Ihr sollt euch nicht frevelhafterweise ein Götzenbild in Gestalt irgendeiner Figur verfertigen, sei es männlich oder weiblich, die Figur irgendeines Vierfüßlers auf Erden oder die Figur irgendeines geflügelten Wesens, das am Himmel fliegt, die Figur irgendeines Kriechtieres, das am Boden sich schlängelt, oder die Figur irgendeines Fischwesens, das im Wasser unter der Erde lebt." (Dt. 4,16f.)

Allerdings müssen wir gleich einschränkend sagen, daß hier von eindeutigen Götzenbildern die Rede ist, nämlich von Nachbildungen irdischer Wesen zum Zwecke ihrer Anbetung, während derselbe Gott, der diese Bildwerke verbietet, die Anfertigung der Cherubim auf der Lade anordnet (Ex. 25,17ff.) Derselbe Gott scheut sich auch nicht, in seinen Erscheinungen vor den Propheten Menschengestalt anzunehmen, wie es uns etwa Ezechiel berichtet:

„Und oberhalb des Firmamentes, das sich über ihren Häuptern ausbreitete, erschien wie ein Saphirstein das Gebilde eines Thrones; und oben auf diesem Throngebilde eine Gestalt wie ein Mensch . . . Dies war die Erscheinung des Bildes der Herrlichkeit des Herrn!" (Ez. 1,26 u. 2,1)

Wir dürfen also – wie es schon Johannes Damaskenos tat[8] – in diesen Verordnungen eher zeitbedingte pädagogische Maßnahmen sehen, welche vor der Verehrung irdischer Idole warnen, nicht aber jede bildliche Darstellung an sich verhindern sollen. Dies wird verdeutlicht durch die Begründung der Bilderablehnung im Buche der Weisheit:

„Der Anfang der Buhlerei ist das Ersinnen von Götzenbildern, und ihre Einführung ist Entartung des Lebens. Denn sie waren nicht von Anbeginn, noch werden sie ewig bleiben. Durch menschlichen Irrwahn sind sie in die Welt gekommen, und darum ward ein schnelles Ende für sie beschlossen. Denn von herber Trauer gebeugt, machte ein Vater sich das Bild eines ihm schnell entrissenen Sohnes, und fing nun an, denjenigen, der unlängst als Mensch gestorben war, als einen Gott zu verehren, und ordnete unter seinen Untergebenen heiligen Dienst und Opfer an. Als dann im Laufe der Zeit die gottlose Gewohnheit überhandnahm, wurde dieser Irrwahn wie ein Gesetz beobachtet, und auf der Gewalthaber Geheiß wurden Menschengebilde verehrt. Auch von denjenigen,

welche die Menschen nicht gegenwärtig verehren konnten, weil sie zu weit weg wohnten, ließ man sich die Gestalt von fernher bringen; und sie machten ein sichtbares Bild des Königs, den sie verehren wollten, auf daß sie ihn, den Abwesenden, ebenso eifrig verehrten, wie wenn er gegenwärtig wäre. Zur Förderung der Verehrung derselben aber trieb jene, welche nicht daran dachten, auch des Künstlers außerordentliche Sorgfalt, denn um jenem zu gefallen, der ihn in Dienst genommen hatte, wandte er alle seine Kunst an, die Ähnlichkeit zur höchsten Vollendung zu bringen. Der große Haufe aber, hingerissen durch die Schönheit des Werkes, hielt den, der kurz vorher noch als Mensch geehrt wurde, nun für einen Gott!" (Weish. 14,12–20)

Der Angriff richtet sich also keineswegs gegen Bildwerke allgemein, sondern gegen den Versuch, mit Hilfe möglichst künstlerisch vollkommener und getreuer Abbildungen eine göttliche Verehrung des abgebildeten Sterblichen zu erreichen. Von einer eventuellen Abbildung des wahren Gottes ist nicht die Rede. Sicher können wir aus diesen Texten nicht schließen, daß eine solche Darstellung Gottes im Alten Testamente existiert hätte – wir wissen, daß es sie nicht gab! –, aber andererseits hieße es ebenfalls die Texte mißdeuten, wenn man aus ihnen eine radikale Bilderfeindschaft ablesen wollte. Dieser Versuch wird auch durch die Existenz jüdischer Bildwerke mit religiöser Thematik zur Zeit Christi eindeutig widerlegt.[9] So beschreibt etwa Flavius Josephus (ca. 37–100) den Eingang zur Jerusalemer Tempelhalle:

„Das Tor, welches ins Gebäude führte, war – wie gesagt – vollständig goldverkleidet, ebenso die ganzen Wände. Mehr noch: darüber waren goldene Weinstöcke, von denen mannshohe Traubenbüschel hingen; die Tore waren golden, fünfzehn Ellen hoch und sechzehn breit. Davor hing ein Vorhang gleicher Länge von babylonischer Teppichwebarbeit, mit Stickerei aus Hyazinth, Byssos, Scharlach und Purpur, wunderschön gewoben mit sehenswerter Mischung der Stoffe. Doch war die Mischung der Materialien nicht ohne mystischen Sinn: sie symbolisierte das Universum. Denn der Vorhang beinhaltete das Hyazinth des Himmels, den Scharlach des Feuers, den Byssos des Erdreiches und den Purpur der See. . . . Auf dem Teppich aber war die Ansicht des Himmels dargestellt."[10]

Außerhalb Jerusalems finden wir in zahlreichen Synagogen Bildwerke verschiedenster Art. „Den Schmuck der frühen Synagoge bildeten hauptsächlich Steinreliefs mit Blumen und geometrischen Zeichnungen, vor allem Akanthusblättern, aber auch mit Figuren von Menschen und Gegenständen."[11] So finden sich in der Synagoge von Dura-Europos am Euphrat, deren Ausschmückung wohl aus dem Jahre 245 stammt, „Darstellungen verschiedener für die Juden wichtiger Ereignisse, darunter ist z. B. der Auszug der Juden aus Ägypten, die Krönung Davids zum König, Salomo auf dem Thron, Ezechiels Vision der dürren Gebeine, die wieder lebendig wurden[12], und der Aufstand der Hasmonäer."[13] Die Problemfrage stellte sich dem Judentum zur Zeit der jungen Christenheit also nicht in der Alternative „Bilder oder keine Bilder", sondern vielmehr „Götzenbilder oder erlaubte Darstellungen".

Wir dürfen von daher annehmen, daß selbst den aus dem Judentum stammenden Christen – erst recht natürlich den Heidenchristen – die Ausstattung von Kulträumen mit Bildern etwas durchaus vertrautes waren. Eine andere Frage ist natürlich, inwieweit die ersten Christen überhaupt nach einem Bilde, insbesondere einem Bilde Christi, verlangte, da ja „das Leben der Urkirche wesentlich von dem Wissen um die Gegenwart des erhöhten Christus bestimmt war."[14] Die Gemeinde gewinnt die Erkenntnis, daß Christi Erscheinung im Fleische, welche man mit den Mitteln der zeitgenössischen hellenistischen Kunst hätte darstellen können, nicht die Fülle der Wahrheit wiedergeben würde, denn – wie Paulus sagt –:

„Er (Christus) ist darum für alle gestorben, daß alle Lebenden in Zukunft nicht mehr sich selbst leben, sondern dem, der für sie gestorben und auferstanden ist. Darum kennen wir von nun an niemand mehr dem Fleische nach, und wenn wir auch Christus dem Fleische nach gekannt haben, so kennen wir ihn jetzt doch nicht mehr. Denn wenn jemand in Christo ist, so ist er eine neue Kreatur: das Alte ist vergangen, siehe, es ist alles neu geworden!" (2. Kor. 5,15–17)

Das Problem ist also die Darstellung der neuen Kreatürlichkeit, nicht aber die Erlaubtheit einer Darstellung an sich, wenngleich man in der allerersten Zeit kaum das dringende Bedürfnis verspürte, solche Bildwerke in großer Zahl zu realisieren. Doch dürfen uns diese äußeren Gegebenheiten, welche auch in den Verhältnissen der Verfolgungszeit begründet sind, nicht zu dem Trugschluß einer prinzipiellen Ablehnung des Bildes bei den ersten Christen führen. ,,Das Bestreben, dem Urchristentum . . . bilderfeindliche Tendenzen zur Last zu legen, haben die Denkmäler selbst längst widerlegt. Zeugnisse, welche man gewöhnlich für den ,Kunsthaß' der ersten christlichen Epoche anführt, sind entweder montanistisch oder arianisch gefärbte Äußerungen übereifriger Autoren, zuweilen nur Einwände gegen bestimmte Darstellungen."[15]

Wir dürfen besonders auf die Ausmalungen der Katakomben hinweisen, welche nicht nur bis in I. Jahrhundert zurückreichen[16], sondern als offizielle Kultorte mit Sicherheit auch kirchliche Billigung fanden und von daher nicht als private Sonderentwicklungen angesehen werden können. ,,Schon die Verteilung dieser Malereien zeugt von einer ganz bestimmten kirchlichen Leitung."[17] Allerdings bleibt ein Problem doch offen, jenes Problem, das sich dann zur Grundfrage der gesamten Ikonentheologie entwickeln sollte, nämlich die im Korintherbrief aufgeworfene Frage nach der neuen Kreatur des in und durch Christus umgestalteten Menschen. Eine Darstellung der menschlichen Schönheit war es ja gerade, die das Buch der Weisheit abgelehnt hatte, da sie zum Götzendienst führe. Menschliche Schönheit aber lehnte auch das Christentum mit aller Schärfe ab, denn sie ist durch Christi Heilswerk überwunden:

,,Wir alle, die wir mit unverhülltem Antlitz die Herrlichkeit (doxa) des Herrn widerspiegeln, werden verklärt in dasselbe Bild (eikona) von Herrlichkeit zu Herrlichkeit vom Geiste des Herrn." (2. Kor. 3,18)

Es geht also nicht mehr um irdische Vollkommenheit und Schönheit, deren Hinfälligkeit auch der heidnischen Welt, zumindest ihren besten Vertretern bewußt ist, wie Plotinos (ca. 205–270) schreibt:

,,Denn wer die körperliche Schönheit betrachtet, der darf sich nicht an sie verlieren, sondern er muß erkennen, daß sie ein Bild und eine Spur und ein Schatten ist, und fliehen dem, dessen Abbild sie darstellt. Denn wenn einer hinstürmte und das als etwas Wahres

erfassen wollte, was doch nur ein schönes Spiegelbild im Wasser ist,
dann wird es ihm ebenso ergehen, wie demjenigen, von dem ein
sinnvoller Mythos erzählt, daß er ebenfalls ein Spiegelbild ergreifen
wollte und dabei in der Tiefe des Gewässers verschwand; auf die-
selbe Weise wird der, der an der körperlichen Schönheit festhält und
nicht von ihr lassen will, nicht mit dem Körper, sondern mit der
Seele in finstere und dem Geiste grauenvolle Abgründe versinken,
wo er als Blinder im Orkus weilt."[18]

Nicht grundsätzliche Bilderfeindlichkeit bewegt also die Urkirche, sondern das Wissen um die Größe Gottes, welche – anders als
bei den zu Götzen gemachten menschlichen Heroen der Heiden –
jedes exakte Erkennen und Beschreiben, sei es im Bilde oder im
Worte, übersteigt, wie es einer der frühchristlichen Apologeten,
Aristides von Athen, Anfang des 2. Jahrhunderts formuliert:

,,Er (Gott) hat keinen Namen[19]*, denn alles, was einen Namen*
hat, gehört zum Geschaffenen. Er hat keine Gestalt und keine Zu-
sammensetzung von Gliedern; denn wer solches hat, gehört mit zu
den Gebilden."[20]

Wenn wir daher bei einigen frühen Vätern ikonoklastische Aussagen antreffen[21], so wird man darauf hinzuweisen haben, daß die
Situation der Urgemeinden inmitten ihrer heidnischen Umwelt
eine besondere Sorgfalt bei der Abwehr jeglicher Idololatrie erforderte. ,,Im Hinblick auf die abschreckende Erfahrung des Heidentums wollten viele Christen, sowohl jene, die aus dem Judentum
kamen, wie die vom Heidentum bekehrten, ihren Glauben vor der
Ansteckung des Götzendienstes, der sich auf dem Umwege über
das künstlerische Schaffen einschleichen konnte, beschützen und
lehnten deshalb die Bilder ab."[22]

Gerade die schärfsten Bilderfeinde unter den frühen Theologen
– nämlich Tertullian (160–240) und besonders Origenes (ca.
185–249)[23] – wurden jedoch in den Überspitzungen ihrer Lehre
trotz aller Hochachtung, die man ihnen entgegenbrachte, von der
Kirche als unannehmbar abgelehnt. Sie lassen sich also kaum als
Zeugen für die authentische kirchliche Tradition verwenden. Die
Aussagen des Klemens von Alexandrien (gest. 126) hingegen beziehen sich eindeutig auf die Anfertigung von Götzenbildern, denn
derselbe Vater gibt seinerseits Anweisungen, auf Siegeln nebst an-

deren Symbolen auch menschliche Gestalten zu verwenden.[24] Es hat also – trotz aller vorsichtigen Bedenken – in reicher Zahl Bildwerke im kirchlichen Gebrauch gegeben, die niemals von der alten Kirche als solche generell verurteilt wurden. Natürlich dürfen wir noch nicht ohne weiteres in diesen Darstellungen Ikonen im späteren Sinne des Wortes, das heißt mit dem heutigen theologischen Hintergrund, sehen, aber es bleibt doch die Tatsache festzuhalten, daß Bilder als solche ihren festen Platz im Christentum immer gehabt haben.[25] Ein gewiß unverdächtiger Zeuge hierfür ist Bischof Eusebios von Kaisarea in Kappadokien (265–340), den wir persönlich zu den Gegnern der Bilderverehrung zu rechnen haben, wie sein Brief an Konstantia, die Schwester des Kaisers Konstantin, zeigt, welche ihn um ein Bild Christi gebeten hatte, und der er antwortet, daß „*mit toten unähnlichen Farben und Bildern*" auch das irdische Aussehen Christi nicht darzustellen sei, da es vollkommen von der ihm innewohnenden Gottheit überstrahlt würde.[26] Eusebios berichtet nämlich in seiner „Kirchengeschichte" bei der Beschreibung der Stadt Paneas, dem alten Caesaréa Philippi:

„*Da ich diese Stadt erwähnt habe, halte ich es nicht für gut, eine Erzählung zu übergehen, welche auch für die Nachwelt wissenswert ist. Das blutflüssige Weib nämlich, von dem wir aus den heiligen Evangelien wissen*[27], *daß es durch unseren Heiland von seiner Krankheit befreit wurde, soll aus Cäsarea Philippi gekommen sein. Auch zeige man daselbst sein Haus und seien noch kostbare Denkzeichen an das Wunder vorhanden, das der Heiland an ihm gewirkt hatte. Auf hohem Steine vor dem Tor des Hauses, in dem das Weib gewohnt, stehe die eherne Statue einer Frau, die, ein Knie gebeugt, gleich einer Betenden die Hände vorne ausstrecke. Ihr gegenüber befinde sich aus demselben Metalle die stehende Figur eines Mannes, der, hübsch mit einem doppelten Obergewand umkleidet, die Hand nach der Frau ausstrecke. . . . Diese Statue soll das Bild Jesu sein; sie ist noch heute erhalten. Wir haben sie mit eigenen Augen gesehen, als wir in jener Stadt weilten. Man braucht sich nicht darüber zu wundern, daß die Heiden, denen unser Erlöser seinerzeit Wohltaten erwiesen hat, ihm solche Denkmäler errichteten. Denn wir haben auch die Bilder seiner Apostel Petrus und Paulus und sogar das Bild Christi selbst in Farben gemalt (tás eikónas . . . diá chromátōn en graphais) gesehen. War es doch zu erwarten, daß die Alten sie als Retter ohne Überlegung gemäß ihrer heidnischen Gewohnheit auf solche Weise zu ehren pflegten.*"[28]

Bildwerke Christi und der Heiligen waren also zur Zeit des Eusebios etwas durchaus Vertrautes – wenn sich auch der gestrenge Bischof nicht versagen kann, seinen eigenen Tadel an den Schluß des Berichtes zu stellen: für ihn ist es eben eine heidnische Art, den Erlöser zu ehren, die sicher auch von manchem synkretistisch denkenden Heiden praktiziert wurde. So wird etwa vom römischen Kaiser Alexander Severus (222–225) berichtet, daß in seiner Larenkapelle neben den ,,divos principes" auch ,,animas sanctiores" – unter ihnen aber neben Abraham und Orpheus auch Christus! – Verehrung erfahren hätten.[29]

,,Der erste christliche Denker, der die Frage der religiösen Bilder zu einem größeren Diskussionspunkt machte, war Epiphanios von Salamis"[30] auf Zypern (367–440). Von ihm stammt der Aufruf:

,,*Erinnert euch . . . und bringt keine Bilder in die Kirchen noch an die Ruhestätten der Heiligen*[31], *sondern erinnert euch immer an Gott in euren Herzen.*"[32]

Letztlich sieht Epiphanios in jeder religiösen Malerei eine Art Menschenvergötterung[33] und geht konsequenterweise sogar so weit, in der Dorfkirche von Anablatha in Palästina einen mit dem Bilde Christi bemalten Vorhang zu zerstören[34], weil es gegen die Schrift sei, das Bild des Menschen Christus zu verehren.[35] Interessant für uns ist weniger diese Tat eines einzelnen Fanatikers als vielmehr sein denkerischer Ansatz: Bilder Christi sind deshalb abzulehnen, weil sie nur die Menschlichkeit wiedergeben! Übrigens mußte Epiphanios zu seinem größten Mißvergnügen den zerstörten Vorhang bezahlen[36] – ein deutliches Zeichen für die Verankerung der Bilder im christlichen Gotteshaus der nachkonstantinischen Zeit. Die Schriften des Epiphanios beweisen uns damit, daß schon im IV. Jahrhundert die Grundfragen der Ikonentheologie – insbesondere die Beziehungen zwischen Christologie und Bilderfrage – diskutiert wurden, wobei die Argumente späterer Zeiten erstmals auftauchen.

Wann und wie aber kam es zur Gewinnung des Christentums für die Bilderverehrung im eigentlichen Sinne des Wortes, für den Ikonenkult? Alle bisher benannten Zeugnisse belegen zwar das Vorhandensein christlicher Bildwerke auch in den ersten Jahrhunderten der jungen christlichen Kirche, aber allein die Existenz von Bildern ist ja etwa wesensmäßig von ihrer Verehrung durchaus verschieden. Hier lag noch ein weites Feld für die nunmehr wachsende und immer komplexer werdende Theologie, aber auch für die sich vervollkommnende christliche Kunst, die nicht einfach in einer Kopie heidnisch-antiker Stile verharren konnte. Es ist – um es in einem Bilde auszudrücken – der Weg vom altchristlichen Typos des Christus-Apollon hin zur Pantokrator-Darstellung; sicher sind in der ersten Zeit dabei weitgehend vorchristliche Kunstformen weiter verwandt worden, aber „wenn auch die frühchristliche Kunst in mancher Beziehung an die Antike und insbesondere an deren spätere, vergeistigte Form anknüpft, so stellt sie sich doch trotzdem schon in den ersten Jahrhunderten ihrer Existenz einer Reihe eigenständiger Aufgaben. Sie ist keinesfalls eine christliche Antike. . . . Die neue Thematik der frühen christlichen Kunst war nichts rein Äußerliches, sie spiegelt vielmehr eine neue Weltanschauung, eine neue Religion, ein radikal neues Verstehen der Wirklichkeit. . . . Sie bedurfte eines Stils, der so gut als möglich die geistigen Ideale des Christentums verwirklichte."[37]

Die Erarbeitung dieses neuen „Stils" und vor allem auch seiner theologischen Fundierung ist das große Werk der nun anbrechenden Epoche: vor allem die allgemein verbreitete Verehrung der Martyrerreliquien und die damit verbundene Ausgestaltung und Schmückung der Grabstätten der Blutzeugen hatte hier einen bahnbrechenden Charakter (was uns die Typologisierung der ersten Heiligendarstellungen – zumeist als Oranten) ebenfalls erklärt. Man kann Andrej Grabar nur zustimmen, wenn er erklärt, der Streit um das Für und Wider christlicher Bildkunst allgemein sei nicht zuletzt auf den Friedhöfen entschieden worden.[38] Auf diese Ähnlichkeit der Ikonenmalerei und ihre mutmaßliche Prägung durch die Mumienbildnisse von Fajûm wird in einer Reihe von Untersuchungen fast als auf einen Allgemeinplatz hingewiesen[39] – und wirklich finden wir bei beiden die gleiche „Entmaterialisierung und Entsubstantialisierung der Körper" zugunsten einer Transponierung „in eine gleichsam außermenschliche, jenseits von Raum und Zeit bestehende Welt" vor. „Die Frage jedoch, die selbstverständliche Frage, ob diese formalen Gemeinsamkeiten auf einer gemeinsamen ikonographischen Bedeutung beruhen und ob sie Folge einer gleichen, im bedeutungsmäßigen liegenden Sinngebung sind, wurde nie gestellt."[40] Hier gilt es erst einmal unterscheidend festzuhalten, daß beide in bezug auf ihre Maltechnik keineswegs uniform sind[41], daß andererseits die Ikonen die Ansätze der Mumienmalerei entschieden weiterentwickeln und vor allem theologisch einordnen; es wäre also sicher verfehlt, in den Ikonen nicht mehr zu sehen, als bloße Fortsetzungen der ägyptischen Grabmalereien, vielmehr „läßt sich aus einer Reihe von spezifischen Formwerten, keimhaft ausgebildet beim Mumienbildnis und voll entfaltet in der Ikone, die endgültige Struktur dieser Bildwerke erkennen."[42]

Lange Zeit war man über die Verbindung von Ikonenmalerei und Mumienbildnissen auf Spekulationen mehr oder minder großer Wahrscheinlichkeit angewiesen, doch die Entdeckung einer Reihe vorikonoklastischer Ikonen in einer bislang vermauerten Kapelle des St.-Katharinen-Klosters auf dem Sinai zu Beginn des Jahres 1978 scheint endlich Licht in das Dunkel zu bringen. Zwar ist die wissenschaftliche Aufarbeitung und Auswertung der Funde noch abzuwarten, aber man wird vermuten können, daß sie die Verbindung herstellen zwischen der ägyptischen Mumienmalerei und den schon bekannten Ikonen desselben Klosters, die ins VI. Jahrhundert zu datieren sind. Für die ungeheure Zunahme christlicher Bildwerke im III. und IV. Jahrhundert allerdings die Existenz künstlerisch verwandter Mumienbilder verantwortlich zu machen, wäre sicher zu naiv gedacht: hier liegen die Gründe tiefer und müssen in einer zu dieser Zeit einsetzenden theologischen Reflexion gesucht werden. Bezeichnend dafür ist eine Notiz in den apokryphen Acta S. Johannis vom Ende des II. Jahrhunderts, in denen berichtet wird, daß Johannes den einen guten Maler genannt habe, der mit den Farben der Tugend ein Bild der Seele erstehen läßt, aber nicht jenen, der das Sichtbare „kindisch und unvollkommen" festhalte.[43] Hier liegt keimhaft die Geburt der Ikonentheologie, welche – nach ihrer Umsetzung in die ihr gemäße künstlerische Ausführung (wobei ihr die Mumienmalerei zu Hilfe kam) – auch keine Scheu mehr zu haben braucht, selbst Christus darzustellen. So treffen wir alsbald schon auf eine Fülle von Christusbildern[44] (zuerst vor allem solcher, welche den Herrn – in Anlehnung an die römischen Herrscherbilder – als Triumphator zeigen[45]), besonders nachdem die christologischen Streitigkeiten des V. Jahrhunderts in einem klaren Bekenntnis auch zur vollen menschlichen Natur Christi geendet hatten.

Inzwischen war demnach Entscheidendes geschehen: man erblickte weitestgehend in den Bildern nicht mehr unsachgemäße Versuche, etwas Undarstellbares in Farben und Formen zu pressen; man sah in ihnen aber auch mehr als bloße Illustrationen, als Schmuck oder gar Ornamentik, sondern würdigte die Darstellungen als „heilige Schau", wie es sogar einer der weniger bilderfreundlichen Bischöfe dieser Zeit, Asterios von Amasia (ca. 330–410), tat[46], der einen „sehr erwünschten Einblick in die Bildverhältnisse des nordöstlichen Kleinasiens zu seiner Zeit gegeben" hat.[47] Er geißelt nämlich nicht etwa die Bilder an sich, sondern ihren Mißbrauch, „vor allem den schamlosen Luxus der Reichen, und deren mit zahlreichen Bildern der Passion Christi geschmückte Kleider, die er nicht ohne einen gewissen bitteren Sarkasmus beschreibt."[48] Diesen Ansatzpunkt einer moralischen Kritik, die sich nicht so sehr gegen die Bilder richtet, als vielmehr gegen ihre Verwendung als Ersatz für ein wahrhaft christliches Leben statt zu dessen Förderung, finden wir häufiger in der Literatur des IV. Jahrhunderts, so etwa bei Amphilochios von Ikonion (ca. 345–403), einem Vetter des hl. Gregorios des Theologen und späteren Metropoliten von Lykaonien, der schreibt:

„Es ist doch nicht unsere Aufgabe, die physische Gestalt der Heiligen auf Tafeln darzustellen, wofür wir keinen Bedarf haben, sondern ihre Lebensweise auf dem Wege der Tugend nachzuahmen!"[49]

Andererseits hatte schon Klemens von Alexandrien um 200 gerade diesen moralischen Nutzen der Bilder betont:

„Um die Fülle der Erkenntnis zu erlangen, . . . wird er alle Vorteile dessen benutzen, der die wahre Erkenntnis besitzt; so betrach-

tet er die wunderbaren Ikonen, denkt an die vielen Patriarchen, die
vor ihm die Vollkommenheit erlangten, die unzähligen Propheten
und die zahllosen Boten und an den Herrn aller, der lehrte und
zugänglich machte das Leben solcher Führer."[50]

Jetzt ist endgültig die Zeit der Ikonen angebrochen: nicht zuletzt
unter dem Einfluß des ägyptischen Mönchtums[51], vor allem aber
der Styliten[52], spricht sich die Frömmigkeit des Volkes eindeutig
für die Bilder aus. So wissen wir um frühe und ausführliche Zeugnisse von einer Darstellung aus dem Leben des Protomartyrers
Stephanos in der Kirche von Uzala in Nordafrika[53] oder von einer
Ikone des hl. Apostels Andreas, des Erstberufenen in Sinope am
Pontus[54], und von manchen anderen Bildwerken an verschiedenen, oftmals sehr weit verstreuten Orten. Vor allem war es die spätestens Ende des IV. Jahrhunderts von Syrien aus verbreitete
Überlieferung vom ,,Acheiropoietos"-Bild Christi, welche sich
bald größter Beliebtheit erfreut.[55] Diese Überlieferung, um die
sich alsbald ein ganzer Legendenkranz rankte[56], besagt – zusammengefaßt – folgendes:

,,*Zur Zeit des irdischen Lebens Christi kam der Ruhm seiner*
Wunder auch in die Stadt Edessa am Euphratfluß. Der Herrscher
jener Stadt, mit Namen Abgar, sandte daraufhin einen Maler na-
mens Ananias zum Erlöser mit einem Brief, in dem der Fürst den
Herrn bat, zu ihm zu kommen und ihn zu heilen. Außerdem trug
Abgar dem Ananias auf, ein Bild Christi zu malen. Christus ver-
sprach dem Fürsten, einen von seinen Jüngern zu senden, doch alle
Anstrengungen des Ananias, ein Bild Christi zu erstellen, waren
vergeblich. Da drückte unser Erlöser sein Angesicht in ein Tuch und
auf diesem bildete sich wunderbar sein göttliches Antlitz ab. Abgar
empfing in tiefer Ehrfurcht dieses Nicht-von-Menschenhand-ge-
machte Bild Christi und wurde sofort von seinem Aussatz geheilt.
Während der Regierungszeit des Kaisers Konstantinos VII. Por-
phyrogennetos wurde am 16. August 944 dieses Bildtuch in die Kai-
serstadt Konstantinopel übertragen und an diesem Tage sein Fest
eingesetzt. Es ist überliefert, daß zur Zeit der Okkupation von
Byzanz durch die Kreuzritter das Bild mit diesen nach Venedig ver-
schifft wurde, doch das Schiff mit ihm in den Fluten des
Marmara-Meeres unterging."[57]

Diese Überlieferung, die sich auf den historisch belegten Abgar V. (9–46) bezieht, gewinnt dadurch an Gewicht, daß Edessa, das heutige türkische Urfa, „als das erste Königreich berühmt geworden ist, in dem das Christentum zur Staatsreligion erhoben wurde, vielleicht unter dem König Abgar IX., dem Großen, im frühen 3. Jahrhundert."[58] Hingegen berichtet Eusebios in seiner Kirchengeschichte zwar von dem Briefwechsel zwischen Jesus und Abgar, jedoch nicht von der Übersendung eines Bildes.[59] Trotzdem wurde dieses Bild als authentisch angesehen: „In dieser Frage ist der Standpunkt der orthodoxen Kirche klar und kategorisch. Für sie gibt es keinen Zweifel daran, daß die ikonographische Darstellung Christi sein authentisches Gesicht zum Ursprung hat und bis auf die Zeit seines irdischen Lebens zurückgeht. Was nun die wissenschaftlichen Hypothesen über das Fehlen eines echten Bildnisses Christi betrifft, so muß man zugeben, daß diese Frage trotz oftmaliger kategorischer negativer Behauptungen wissenschaftlich offen bleibt."[60] Auf jeden Fall hat diese Überlieferung wie kaum eine andere das orthodoxe Verhältnis zur Ikone geprägt, und zwar so stark, daß sie sogar in das Weihegebet der Christus-Ikonen aufgenommen wurde, welches in der russischen Fassung mit folgenden Worten darauf anspielt:

„Den Umriß seines allreinen Bildes zeichnete Er (Christus) durch Anlegen eines Tuches an sein allheiliges Antlitz und übersandte ihn dem Abgar, Fürsten von Edessa, und diesen heilte er so von der Krankheit, und allen gläubig dorthin Kommenden und es Verehrenden gab er unzählige Heilungen und viele wunderbare Wohltaten!"[61]

Dieses Bild dürfte schon recht früh eine weite Verbreitung gefunden haben: wir kennen sogar eine dem VI. oder VII. Jahrhundert angehörige enkaustische Ikone des Typus aus Georgien.[62] In diesem Zusammenhang sei erwähnt, daß auch die abendländische Legende der Veronika sehr wahrscheinlich auf dieses Abgar-Bild zurückgeht, indem man es zusammengezogen mit dem Namen Veronica (d. h. vera icona) bezeichnete, wie es etwa Gervasius von Tilburg und Matthäus von Paris (beide um 1210) tuen.[63] Da jedoch die ältesten Darstellungen der Veronika auf dem Kreuzwege des Herrn dem XIV. Jahrhundert angehören, dürfte es sich um eine nachträgliche abendländische Legendenbildung handeln.[64] Auch die besonders nach 451 stark zunehmenden Marienikonen werden in ihrem Urbild auf die apostolische Zeit zurückgeführt und seit dem VI. Jahrhundert eindeutig auf den Evangelisten Lukas bezogen.[65] Dieses Bemühen um eine authentische Darstellung kommt nicht von ungefähr, denn es spielt eine tragende Rolle in der nunmehr einsetzenden ersten theologischen Fassung der Bilderlehre, welche wir – wie so manchen Fortschritt der christlichen Theologie – mit den großen kappadokischen Vätern verbinden können.

Wie oben erläutert, besaß – neben Ägypten – vor allem Syrien eine alte christliche bilderfreundliche Tradition. So ist es nur natürlich, daß der erste große Kirchenvater, welcher den Ikonen eine Apologie widmete, ein Syrer war: der hl. Johannes Chrysostomos (344–407)! Er soll selbst eine Ikone des hl. Paulus besessen haben, um sich mit ihrer Hilfe besser in fromme Kontemplation zu vertiefen, wie uns Johannes Damaskenos berichtet[66], und in einer Rede auf den hl. Meletios fordert er die Gläubigen auf, das Abbild des Heiligen, das sie sowohl auf öffentlichen Plätzen wie auf allerlei kleineren Hausgeräten sehen, stets vor Augen zu haben.[67] Vor allem aber finden wir in seiner 3. Homilie zum Kolosserbrief folgende Gedanken zum Problem der Abbildlichkeit:

„Von einem Abbild als solchem verlangen wir auch, daß es völlig gleich sei, z. B. die Züge und die Ähnlichkeit unverändert wiedergebe. Hier auf Erden aber ist das durchaus unmöglich, denn menschliche Kunst schlägt vielfach, ja in allem fehl, wenn es auf strengste Genauigkeit ankommt.“[68]

Ein akzeptables Bild muß also ein „Abbild“ sein, das heißt, es muß dem Urbilde ähnlich sein. Deshalb richtet der Freund und Zeitgenosse des „Goldmundes“, der hl. Basilios der Große (330–379) an die Maler die Aufforderung, ihr ganzes Können einzusetzen, um den Glaubenshelden in seinem Siegeskampf für Christus als den „Agonotheten“, den Sieger über den Tod, wiederzugeben:

„Steht nun vor mir, ihr ruhmreichen Maler der asketischen Tugenden. Ergänzt durch eure Kunst meine Darstellung des Heerführers. Mit den Blumen eurer Weisheit ziert den von mir so unvollkommen dargestellten Träger der Siegeskrone. Möge ich besiegt

werden durch eure malerische Darstellung der Heldentaten des
Martyrers: glücklich werde ich sein, anzuerkennen, daß ihr mich
jetzt in einem gleichen Sieg eurer Stärke niedergeworfen habt. Ich
schaue auf diesen Kampf der Hand mit dem Feuer, den ihr genauer
als ich dargestellt habt. Ich schaue auf diesen Kämpfer, den ihr
lebendiger dargestellt habt als ich es vermochte. Es weinen die Dä-
monen, die jetzt geschlagen sind durch die Heldentaten des Marty-
rers, die ihr abgebildet habt, denn so werde ihnen immer wieder die
brennende und darob siegende Hand gezeigt. Und es soll auch der
Anführer im Kampfe, Christus, auf dem Bilde dargestellt werden,
der gerühmt sei in die Äonen der Äonen. Amen!"[69]

Die Maler tuen also dasselbe – sogar noch vollkommener – wie
die Homileten, und beide dienen dem gleichen Ziel, wie es Basilios
in einer Homilie auf die hll. vierzig Martyrer ausdrückt:

„Geschichtsschreiber und Maler, die große Heldentaten darstel-
len, die einen in herrlicher Schilderung, die anderen in ihren Bil-
dern, haben ja schon viele zum tapferen Mut angespornt. Was näm-
lich die geschichtliche Erzählung unserem Ohr vermittelt, das zeigt
uns ohne Worte das Bild in seiner Wiedergabe. Auf gleiche Weise
wollen wir darum die Anwesenden an den Heldenmut dieser
Männer erinnern."[70]

Basilios sieht auch keine Gefahr einer Vergötzung der Bilder,
denn die Darstellungen sind eben „Bilder", sie haben keine eigen-
ständige Kraft, sondern dadurch, daß sie eben einen anderen
abbilden:

„Auch das Bild des Königs wird ‚König' genannt und man spricht
doch nicht von zwei Königen. Weder spaltet sich die Macht, noch
zerteilt sich die Ehre. Denn wie die Herrschaft und die Macht über
uns eins sind, so ist auch der Lobpreis ein einziger und nicht mehr-
fach, weil die Ehrung des Bildes auf das im Bild Dargestellte über-
geht."[71]

Interessanterweise überträgt nun Basilios diesen Vergleich auf
das Verhältnis von Gott-Vater und dem Logos:

„Was hier das Bild in der Weise der Nachahmung ist, das ist dort
in der Weise der Natur der Sohn. Wie es in der Kunst Ähnlichkeit
hinsichtlich der Form gibt, besteht die Einheit bei der göttlichen
und einfachen Natur in der Gemeinschaft der Göttlichkeit."[72]

Somit hat Gott aber sogar im Menschen ein Bild geschaffen – und deshalb steht für Basilios fest: *„wer den Menschen, der ein Bild des Schöpfers ist, schmäht, der tut auch dem Schöpfer Schmach an"*.[73] Damit ist die grundsätzliche Rechtfertigung auch einer Ehrung des Bildes implizite ausgesprochen! Zwar argumentiert Basilios hier eigentlich über die Frage der Dreifaltigkeit Gottes, aber das dort Gesagte läßt sich auf jedes Bild übertragen: als Abbild ist es fähig, zum Urbild zu führen, wie es der Kirchenvater selbst empfiehlt:

„Wenn wir in einer uns erleuchtenden Kraft unverwandt auf die Schönheit des Bildes des unsichtbaren Gottes sehen und durch das Bild zur über die Maßen schönen Schau des Urbildes emporgeführt werden, ist dabei der Geist der Erkenntnis untrennbar anwesend, der denen, die die Wahrheit schauen wollen, in sich die Kraft, das Bild anzuschauen, gewährt, wobei er sie nicht von außen her aufzeigt, sondern in sich in die Erkenntnis hineinführt."[74]

So steht am Beginn der theologischen Reflexion über die Bilderverehrung die Diskussion über die Inkarnation des göttlichen Logos – nicht nur bei Basilios, sondern ebenso bei anderen Autoren, etwa beim hl. Athanasios von Alexandrien (328–373).[75] Weiter noch als Basilios geht in seiner Argumentation der hl. Gregorios der Theologe (330–390), welcher uns begeistert von der Bekehrung einer Sünderin beim Anblick einer Ikone berichtet[76] und sogar im Maler den besten Lehrer des Christentums sieht.[77] Für ihn ist die Verehrung der Bilder durchaus der Anbetung Gottes angemessen, ja, in gewisser Weise sogar durch diese bedingt, denn

„alle Herrscher bedürfen der Anbetung, um sie noch höher erscheinen zu lassen, und zwar nicht allein der ihnen persönlich erwiesenen Verehrung, sondern auch jener, die ihren Bildern und Darstellungen dargebracht wird, um ihnen so noch größere und vollkommenere Ehre zukommen zu lassen."[78]

Lassen wir noch einige Väter dieser Zeit zu Wort kommen: der hl. Gregorios von Nyssa (335–394) berichtet uns in einer ergreifenden Szene seine Meditation angesichts der Darstellung der Opferung Isaaks, welche ihn zu Tränen gerührt hat: *„Oft habe ich das packende Bild dieses Ereignisses gemalt gesehen, und niemals ging ich daran vorbei, ohne Tränen zu vergießen, denn so eindring-*

lich und so genau hat uns die Kunst der Malerei diese Begebenheit vor Augen gestellt."[79] Und in seiner Lobrede auf den Großmartyrer Theodoros schreibt derselbe Vater über die Ausmalung der Grabkirche des Heiligen: *,,Der Maler, . . . der auf dem Bilde die Heldentaten des Martyrers dargestellt hat, . . . konzipiert ein menschliches Bild des Mitstreiters Christi, und zeigt uns alles künstlerisch in seinen Farben; wie in einem erklärenden Buche, so erzählt er klar die Tugenden des Martyrers. . . . Denn die Malerei vermag doch ohne Worte auf den Wänden zu sprechen und so allergrößten Nutzen zu erringen.*"[80]

Unter den abendländischen Autoren müssen wir an dieser Stelle den hl. Paulinus, Bischof von Nola (ca. 353–431) erwähnen, der die Ausmalung mehrerer Kirchen seines Sprengels anordnet, bezeichnenderweise allerdings unter Hervorhebung der pädagogischen Bedeutung der Bilder für die Katechumenen und Neophyten, denen die Darstellungen mehr sagen könnten als Bücher.[81] Diese vorrangig pastorale Schau der Bilder sollte ja im folgenden Streit die typisch abendländische Position werden.

Aus dem Anfang des V. Jahrhunderts besitzen wir das charakteristische Zeugnis eines der Schüler des hl. Johannes Chrysostomos, des hl. Nilos vom Sinai (gest. ca. 440) – auch bekannt unter dem Namen Nilos von Ankyra –, nämlich das Antwortschreiben dieses Mönchsvaters an einen gewissen Präfekten Olympiodoros, welcher eine neuerrichtete Kirche mit verschiedenen Jagd- und Fischfangszenen ausschmücken lassen wollte. Nilos bezeichnet dieses Vorhaben als ,,kindisch" und fährt dann fort:

,,Möge die Hand des hervorragendsten Malers die Kirche auf beiden Seiten mit Darstellungen des Alten und des Neuen Bundes ausschmücken, auf daß jemand, der schreibunkundig ist und der die göttlichen Schriften nicht lesen kann, beim Betrachten der malerischen Darstellungen, sich ausrichte auf das Gedenken der mannhaften heldenmütigen Tugenden jener, die wahrhaft Gott dienten, und angespornt werde zur Nachahmung der rühmenswerten und stets im Gedächtnis bleibenden Ruhmestaten, so daß sich die Erde zum Himmel wandele und das Unsichtbare dem Sichtbaren vorgezogen werde."[82]

Zwar wird auch hier das predigthafte Element der bildlichen

Darstellung erwähnt, darüber hinaus aber taucht expressis verbis der Grundgedanke der Ikonentheologie auf: durch die Bilder wird der irdische Mensch vom sinnenhaft Sichtbaren zum Eigentlichen, wenn auch den irdischen Augen Unsichtbaren, geführt. Es geht nicht um die künstlerisch vollkommene ästhetische Schönheit, sondern um die theologische Aussage. ,,Dieser dogmatische Charakter kommt der kirchlichen Kunst zu allen Zeiten zu. So sehen wir schon im IV. Jahrhundert Beispiele dafür, daß die Kirche nicht nur mit Hilfe der Bilder lehrt, sondern auch mit dem Bilde die Häresien bekämpft.``[83] Bestes Beispiel dafür ist das Aufkommen zahlreicher Darstellungen der Gottesmutter auf dem Throne – bzw. selber als Thronsitz für Christus – nach dem Konzil von 431.[84] ,,In dem Augenblick, wo man das Bild und seinen Sinn nicht nur als förderlich für die religiöse Betrachtung oder als erbauende Gemütserweckung ansieht, sondern als einen Weg, Gott näherzukommen durch das Schauen, ist die Grundlage für ein verändertes und vertieftes Bildverständnis gegeben.[85] Ein typischer Vertreter dieser Zeit des Übergangs ist der Erzbischof von Ephesos, Hypatios (gest. 538), welcher zwar einerseits betont:

,,Was uns persönlich betrifft, so haben wir absolut kein Vergnügen an Skulpturen oder Bildern. Aber wir erlauben diese doch einfachen Leuten, die weniger vollkommen sind, damit sie auf diesem Wege der Initiation über diese Dinge durch das Anschauen lernen, was ihrer natürlichen Entwicklung gemäßer ist.``[86]

Andererseits aber führt er aus:

,,Wir lassen den Schmuck in den Kirchen . . ., weil wir behaupten, daß jede Schicht der Gläubigen auf ihre Weise zum Göttlichen emporgehoben wird, und das einige sogar von diesem Schmuck zu einer geistigen Schönheit und von vielen Kerzen im Sanctuarium zu dem geistigen und unkörperlichen Lichte hinaufgeführt werden.``[87]

Die Lehre vom Bilde verbindet sich in der Sicht der Kirche nunmehr organisch mit der Lehre von der göttlichen Heilsökonomie, insbesondere von der Menschwerdung des Logos. Hier liegt die Geburt der Ikonentheologie im eigentlichen Sinne des Wortes; eine radikale Bilderfeindlichkeit der frühen Christenheit jedoch kann nach unseren heutigen Erkenntnissen nicht mehr akzeptiert werden, dafür sprechen die Zeugnisse eine zu eindeutige Sprache. Auch der berühmt gewordene Kanon 36 des Konzils zu Elvira (Concilium Liberitanum) von 306, welcher lautet:

„Placuit picturas in ecclesia esse non debere, ne quod colitur et adoratur in parietibus depingatur"[88],

widerspricht dem nicht, denn ebensogut wie eine ikonoklastische Auslegung ist die Interpretation möglich, welche diese Vorschrift im Sinne der Arkandisziplin versteht: zur Zeit der scharfen Christenverfolgungen dieser Zeit, die sich laut dem ersten diokletianischen Edikt besonders gegen die Kulträume richteten und deren Zerstörung vorsahen, mochte es nur geraten erscheinen, nichts, „was verehrt und angebetet wird", auf Kirchenwänden geradezu dem heidnischen Pöbel zur Verhöhnung und Vernichtung anzubieten. Und – noch einmal sei es wiederholt – den stringentesten Beweis für die vielfache Bedeutungslosigkeit dieser Bestimmung (die sich ja auch nicht gegen Darstellungen des Anzubetenden an sich, sondern nur an bestimmten Orten wendet!) liefern die Denkmäler selbst. „Nur ausgeprägter Kunstsinn läßt es ferner verstehen, wenn die junge, allmählich in den Besitz von Gewalt und Majorität gelangte Macht so schonend mit den Denkmälern des Heidentums umging, daß es verhältnismäßig selten zu vandalischer Zerstörung derselben kam"[89], ja, daß wir von einigen Kirchenvätern – etwa den Kappadokiern – sogar lobende Worte für die Künstler der Antike, z. B. für Phidias, finden.[90] Aber die Ikonentheologie geht noch weit über eine bloße Bilderfreundlichkeit hinaus. Wir können daher mit Leonid Uspenskij sagen: „Die Wahrheit, um die es sich handelt, wurde von den ersten Christen mehr tätig, durch ihr Leben selbst, als durch theoretische Formulierung bekannt."[91] Das Schweigen einiger Väter bzw. das Fehlen deutlicher dogmatischer Aussagen muß also nicht ein Fehlen dieser Glaubensüberzeugung bedeuten; vielmehr ergab sich die Notwendigkeit einer theologischen, klar durchdachten und formulierten Aussage erst, nachdem verschiedene Irrlehren aufgetreten waren. Dies gilt ganz allgemein für die theologische Lehrentwicklung der Kirche, es gilt auch für die Ikonenmalerei! So ist man nun, im Zeitalter der Reichskirche, vor die Frage gestellt, welche Rolle die allseits in immer reicherem Ausmaße auftretenden Bilder spielen sollen, vor allem aber, ob denn eine jede Darstellung auch dem christlichen Glauben gemäß ist, ob eine bestimmte Darstellung auch zu Gott führt. Es ist dies die Zeit des ungeheuren zahlenmäßigen Anwachsens der Kirche, deren neugewonnene Mitglieder der Festigung im Glauben durch das Wort und das Bild bedurften. Beide werden zunehmend dogmatisch geformt. So erscheinen – um nur ein Beispiel zu nennen – etwa als Antwort auf den Arianismus im IV. Jahrhundert neben den Bildern Christi in Anlehnung an Offenbarung 22,13 die Zeichen Alpha und Omega als Hinweis auf die Wesenseinheit des Sohnes mit dem ewigen Vater.[92] In dieser Zeit werden auch die ikonographischen Grundtypen ausgebildet, wie sie im wesentlichen bis heute existieren.[93] Auch kommt es zu den ersten offiziellen, kirchenamtlichen Entscheidungen über ikonographische Themen, etwa im Kanon 82 des Trullanischen Konzils:

„Auf einigen heiligen Ikonenbildern stellt man ein Lamm dar, auf das der Vorläufer (Johannes) hinweist, ein Lamm, welches die Typologie der Gnade ist, und uns im Gesetze[94] *das wahre Lamm, Christus unseren Gott, vorgebildet hat. Wenn wir nun auch die alten Typen und die Schatten nach der Tradition der Kirche als überlieferte Sinnbilder und Ankündigungen der Wahrheit verehren, ziehen wir doch die Gnade und die Wahrheit selber vor, die wir als Erfüllung dieses Gesetzes ehren. Damit also wenigstens im Bilde diese Erfüllung allen vor Augen gestellt werde, ordnen wir an, daß von nun an auf den Ikonen an die Stelle des alten Lammes die menschlichen Züge Christi unseres Gottes gemalt werden, des Lammes, das die Sünden der Welt auf sich nimmt. Denn so verstehen wir die Tiefe der Demut des Wortes Gottes, und so werden wir dazu geführt, uns seines Lebens im Fleische zu erinnern, seines Leidens, seines rettenden Todes und der dadurch bewirkten Erlösung der Welt!"*[95]

Die eigentliche Bedeutung dieser Bestimmung liegt darin, daß hier die Menschwerdung Christi zur Norm für ein ikonographisches Schema gemacht wird, und zwar so weitreichend, daß die Darstellung von Symbolen für nicht ausreichend erklärt wird. Wenn dies aber schon auf das immerhin zum legitimen alttestamentlichen Zeichen erklärte Motiv des Lammes zutrifft, um wieviel mehr dann auf rein symbolische Darstellungen wie etwa den altchristlichen Fisch oder das Christus-Monogramm. Zugleich weist das Trullanum auch die Zielrichtung der Ikonenmalerei auf: die adäquate Darstellung soll zur Widerspiegelung der göttlichen Herrlichkeit werden. ,,Das Sinnbild geht von der Ikonographie, von dem, was dargestellt wird, in das, wie es dargestellt wird, über."[96] Das ikonographische Sinnbild wird zum Hilfsmittel, denn wichtig ist nunmehr die Übereinstimmung der Ikone mit der Schrift, oder genauer gesagt, mit der in der Schrift in besonders verdichteter Weise erhaltenen heilsgeschichtlichen Wahrheit. So ist die Ikone der Schrift verwandt als eine andere Form der Offenbarung und der Erkenntnis Gottes. Sie ist nicht nur Illustration der Heiligen Schrift für die des Lesens Unkundigen, sondern hat vergleichbare dogmatische und pastorale Bedeutung, ist eine Verkündigung mit anderen Mitteln. Ihre Funktion ist nicht mehr eine bloß dienende, sondern sie spricht den Menschen direkt an – und zwar jeden Menschen, den Gebildeten wie den Ungebildeten, und gibt allen durch die Schau Erkenntnisse, welche ihm sonst verborgen wären. So kann der Bischof Leontios von Neapolis auf Zypern (ca. 950–650) feststellen:

,,*Wenn du dem Buche des Gesetzes deine Verehrung erweist, so tust du das doch nicht gegenüber dem Pergament oder der Tinte, sondern du verehrst die Worte Gottes, die in ihnen enthalten sind. Und so ist es auch bei der Verehrung der Ikone Gottes, denn wenn ich die leblose Darstellung Christi in meinen Händen halte, so vermeine ich dadurch Christus selbst zu halten und zu verehren. So wie Jakob den Mantel des Joseph küßte[97] und fühlte, daß er ihn in seinen Armen hielt, so denken wir Christen, daß wir Christus oder seine Apostel und Martyrer in den Armen halten, wenn wir ihre Bilder tragen.*"[98]

Unter den Materialien von Form und Farbe befindet sich mehr als ein totes, mit ihnen gemaltes Bild. Die Ikone ist nicht nur Abbild, sie hat vielmehr Anteil am Sein der göttlichen Person selbst. ,,Damit ist die Ikone kein bloßes Symbol mehr, in religions-philosophischer Ausdrucksweise kein rationalistisches Symbol mehr. Die in der Ikone symbolisierte Sache – also eine religiöse Wirklichkeit – ist damit im Symbol selbst wirklich geworden, und somit hat die Ikone nunmehr auch selbst Anteil an der religiösen Wirklichkeit."[99] Die Ikone geht weit über ein Symbol im alttestamentlichen Sinne hinaus, denn durch die Fleischwerdung des Wortes Gottes ist ja die Erfüllung dieser Symbole geschehen: die Schatten des Gesetzes sind dem „Licht aus der Höhe" gewichen. „Wenn Ziel und Aufgabe der alttestamentlichen Symbole die Ankündigung Christi war, so ist es Ziel und Aufgabe der christlichen Kunst, Zeugnis abzulegen von der schon geschehenen Erfüllung ‚des Gesetzes und der Propheten' (d. h. der Erschließung dieser Symbole des Alten Bundes), und von der göttlichen Offenbarung in der Welt durch die Wiedergabe des Antlitzes des menschgewordenen Gottes."[100] Folgerichtig mußte der Alte Bund die Schau Gottes als unmöglich verneinen: „*Kein Mensch wird leben, der mich sieht!*" (Ex. 23.20), spricht der unnahbare Gott zu Moses, doch nunmehr hat derselbe Gott in seinem Sohn sich den Menschen geoffenbart, sich unmittelbar schauen lassen. Aus diesem Wissen kann Johannes Damaskenos später sagen:

„*Ich sah Gottes menschliches Angesicht, und meine Seele ward gerettet!*"[101]

Dieser Gott hat sich den Menschen zu erkennen gegeben in der Menschwerdung seines Sohnes:

„*Würdet ihr mich kennen, würdet ihr auch meinen Vater kennen!*" *(Joh. 8,19)*

Jetzt ist erfüllt, was der Psalm versprach:

„*Wie wir gehört haben, so sehen wir es nun in der Stadt des Herrn der Heerscharen!*" *(Ps. 47,9)*

In diesem Sinne sind alle irdischen Dinge Bilder oder Symbole einer ewigen Wirklichkeit, wie es jener Kirchenvater gesehen hat, dem die Ikonentheologie – wie auch die Theologie der Liturgie – die entscheidenden Formulierungen verdankt, ohne daß er auch nur ein einziges Werk zur Bilderverehrung geschrieben hätte; nämlich jener Autor des VI. Jahrhunderts, der uns unter dem Namen des Paulus-Schülers Dionysios vom Areopag entgegentritt. Er ist der Theologe, dem es gelingt, auch die Werte der griechischen Philosophie für das Christentum fruchtbar zu machen, gemäß der Losung des Klemens von Alexandrien:

„*Die griechische Philosophie erzog das griechische Volk für*

Christus wie das Gesetz die Hebräer. Also bereitete die Philosophie vor, indem sie demjenigen, der von Christus erleuchtet wird, den Weg bahnt. Sie ist Erzieherin auf Christus hin."[102]

Schon Gregorios von Nyssa hatte gefragt:

,, Was ist Christsein denn anderes als das Gestaltetwerden nach dem Bilde Christi?"[103]

und gefolgert, daß der seiner Natur nach eigentlich unbegreifliche Gott[104] nur auf einem Wege erkennbar wird, nämlich durch das Betrachten der eigenen gereinigten Seele:

,, Wer sein Herz von der Anhänglichkeit an das Geschaffene freigemacht hat, der sieht in der eigenen Schönheit das Bild des göttlichen Wesens . . . seine eigene Reinheit betrachtend, sieht er im Abbilde das Urbild."[105]

Hier nun setzt der Areopagit an, hier baut er die Lehre des Gregorios aus, wie ja überhaupt die Überlegungen ,,für die Behandlung des Problems der Gotteserkenntnis im eigenen Innern der Seele und ihres Verhältnisses zur rationalen und zur empirischen Erkenntnis . . . im östlich-griechischen Denken auch weiterhin in den Bahnen verlaufen, die durch die Kappadokier, und insbesondere Gregor von Nyssa, ein- für allemal vorgezeichnet waren.''[106]

Ps.-Dionysios folgert weiter:

,,Die äußeren Symbole mögen für die Unreifen ein Vorstadium jener Seelenführung sein, welche die Geheimnisse der Hierarchie nach ihrem einheitlichen Sinne der großen Menge, wie es sich gebührt, vorenthält und die harmonische Emporführung in denselben den einzelnen Stufen entsprechend zuweist. Wir jedoch richten in heiligen Aufstiegen unsern Blick zu den Urquellen der Sakramente empor und werden, heilig in sie eingeweiht, die Kenntnis der geistigen Typen, deren äußere Abprägungen uns vorliegen, und der unsichtbaren Welt, deren sichtbare Bilder uns entgegentreten, zu gewinnen vermögen, . . . sind (doch) die geheiligten Dinge aus dem Bereich der Sinnenwelt Abbilder des Geistigen und eine Handführung und ein Weg zu ihnen."[107]

Also nicht nur der Mensch als Abbild Gottes, nicht nur Christus als Abbild des Vaters, sondern auch andere

,,Abprägungen geistiger Typen, geheiligte Dinge aus dem Bereich der Sinnenwelt''

vermögen uns zur geistigen Wahrheit zu führen, ja, müssen uns in diesem irdischen Status dorthin führen; denn:

„Dereinst, wenn wir in die Unsterblichkeit und Unvergänglichkeit zurückgekehrt sind, wenn wir zur allerseligsten Ruhe bei Christus gelangt sind, werden wir immerdar mit dem Herrn vereint sein, wie die Schrift sagt[108], werden wir ganz erfüllt von der heiligen Schau seiner uns wieder sichtbar gewordenen Theophanie sein; wir werden wieder in seinen lichtesten Strahlen aufgefangen wie ehedem in seiner heiligen Gegenwart die Jünger aufglänzten. . . . So werden wir, wie die Schrift sagt[109], in Wahrheit engelgleich sein, und Söhne Gottes, weil Söhne der Auferstehung. In diesem Leben aber müssen wir uns geeigneter Symbole zur Erkenntnis des Göttlichen bedienen, nach unseren Möglichkeiten, kraft heiliger Analogien: wir können uns von diesen Symbolen dann Stufe für Stufe zur einfachen Wahrheit erheben, zur höheren Einheit geistigen Schauens. Und nach jeder Erkenntnis der göttlichen Dinge, wie sie unserem Fassungsvermögen entsprechen mag, müssen wir unsere Suche nach gedanklichen Auslegungen bezähmen und die Ratio ruhen lassen, sobald uns der Strahl getroffen hat, der von jenseits der geschaffenen Welt kommt. . . . Nur auf völlig unaussprechliche Weise kann uns dies unmittelbar zu erkennen verstattet sein, obschon es gewöhnlich für endliche Wesen und Geister und Sinne unkennbar und unausdrückbar und unschaubar bleibt."[110]

Was hier in der überkommenen Sprache der Mysterienreligionen ausgedrückt wird[111], ist nichts anderes als der Grundgedanke der Ikonentheologie (wie auch der orthodoxen Liturgieauffassung): nicht durch ein reflektierendes Betätigen der Ratio werden wir uns den göttlichen Wahrheiten nähern, sondern

„nur auf völlig unaussprechliche Weise kann uns dies unmittelbar zu erkennen verstattet sein", d. h. durch die Benutzung *„geeigneter Symbole zur Erkenntnis des Göttlichen"*.

Einst, in der völligen Einheit mit Gott wird das nicht mehr vonnöten sein, hier aber, in unserer Sinnenwelt, sind wir auf diese *„geeigneten Symbole"* – auf die unseren irdischen Erkenntnismöglichkeiten zugänglichen Abbilder – angewiesen. „Aus der Schau dieses Denkens heraus, das schon in der Generation nach Dionysios begierig von den Verehrern der Bilder aufgenommen worden ist, läßt sich schnell der Weg finden, der die heiligen Bilder nicht mehr in ihrer Wirkung auf den Betrachter und in ihrer Nützlichkeit für ihn sieht, sondern als Wege zum Urbild. . . . Die Bilder erhalten eine anagogische Funktion, sie werden aus der Sphäre des Gebrauchsmäßigen und Verwendbaren enthoben und bekommen einen eigenen Status in der göttlichen Ordnung des Weltalls."[112] Man hat aufgrund der von Dionysios verwandten Sprache gegen ihn (und jede in seiner Nachfolge stehende Theologie) den Vorwurf erhoben, er vertrete einen dem wahren Christentum feindlichen Neuplatonismus.[113] Offenbar wurde diese Anklage bereits von Zeitgenossen des Areopagiten geäußert, denn er selbst stellt in seinem VI. Briefe fest, daß man – statt Bannflüche gegen die Heiden zu schleudern – lieber beginnen sollte, sie in ihrer Terminologie *„die Wahrheit zu lehren, und zwar in solcher Weise, daß deine Darlegungen vollkommen und unangreifbar sind."*[114]

Dionysios tauscht also nicht das Christentum gegen die heidnische Philosophie bzw. ein orientalisch geprägtes Hellenentum ein, sondern „der Rahmen wird übernommen, um dem Grundprinzip des Neuplatonismus desto wirksamer entgegenzutreten."[115]

Was für die Ikonen gilt, trifft nach Dionysios aber in gleicher Weise auch auf die liturgischen Handlungen zu: auch hier sieht der noch nicht vollständig Eingeweihte nur die äußeren Symbole – allerdings schon zu seinem Nutzen und zu weiterer Erkenntnis! Ziel aber ist es, durch die Sinnbilder hin zum Urtypus vorzudringen: *„Während die große Menge nur auf die göttlichen Symbole in gebeugter Haltung zu blicken weiß, erhebt er (der Hierarch) sich selbst in urgöttlichem Geiste immerdar in seligen und geistigen Betrachtungsbildern, wie es seiner hierarchischen Würde in der Reinheit des gottähnlichen Zustandes entspricht, zu den heiligen Urquellen der Sakramente. Wohlan, . . . nach den Bildern nun in Ordnung und Frömmigkeit hin zur gottähnlichen Wahrheit der Urtypen! Nur eines sei noch für die, welche sich erst auf dem Wege der Vollendung befinden, zum Zwecke einer harmonischen Seelenleitung bemerkt, daß nämlich auch die mannigfaltige und heilige Zusammenstellung der äußeren sinnbildlichen Zeichen für sie nicht des Sinnes entbehrt, selbst wenn sie bloß nach den äußeren Formen in die Erscheinung tritt."*[116]

So kann also die Schau der Abbilder nicht der Endpunkt sein, denn einmal werden wir – so hoffen wir – der Schau Gottes von Angesicht zu Angesicht gewürdigt werden, werden wir Gott „gleich" werden in unserer Theosis[117]; andererseits aber dürfen wir die Bilder, welche uns jetzt leiten und hinweisen auf das Ziel, welche uns dieses schon in unserem unvollkommenen Zustand aufzeigen, nicht als reine pädagogische Hilfsmaßnahmen abtun, denn in ihnen wird ja offenbar, was uns erwartet, was tiefste und eigentliche Wirklichkeit des Seins ist.

Basierend auf den Aussagen des Areopagiten wird in den folgenden Jahrhunderten die orthodoxe Lehre über die Ikone entwickelt, wobei wir ohne Übertreibung sagen können, daß gerade jene Bewegung, welche die Bilderverehrung zutiefst in Frage stellte, ihr letztlich nicht nur den endgültigen Sieg und den Beweis ihrer Rechtgläubigkeit brachte, sondern ihr vor allem auch die dazu notwendige theologische Durcharbeitung und dogmatisch unangreifbare Fassung abnötigte; nämlich der Ikonoklasmus des VIII. und IX. Jahrhunderts.[118]

Über die möglichen geistigen Ursachen und Beweggründe der Bilderstürmer ist viel gerätselt worden, ohne daß sich hier eine letzte Klarheit ergeben hätte: angefangen vom Einfluß des Islam über jüdische Ratgeber und den Wunsch einer stärkeren Abgrenzung zum Abendland bis hin zu dem Versuch einer Deutung als quasi oströmischer Entsprechung zum westlichen Investiturstreit (wobei das Sacerdotium nicht so sehr im Patriarchen als vielmehr im mächtigen Mönchtum verkörpert wäre) hat man die unterschiedlichsten Motive angeführt. So etwa berichtet Theophanes in seiner „Weltchronik":

„In diesem Jahr (723) kam ein jüdischer Gaukler aus Laodikeia an der phönikischen Küste zu Jezid (Kalif von Bagdad) und verhieß ihm, er werde 40 Jahre über die Araber herrschen, wenn er in seinem Reiche die von den Christen verehrten heiligen Bilder zerstöre. Der törichte Jezid ließ sich bereden und gab einen allgemeinen Erlaß gegen die heiligen Bilder heraus. Aber durch die Gnade unseres Herrn Jesus Christus und die Fürbitten seiner makellosen Mutter und aller Heiligen starb Jezid im selben Jahr. . . . Diese abscheuliche und frevelhafte Irrlehre übernahm Kaiser Leon, er *wurde dadurch an vielem Unheil schuld.*"[119]

Halten wir fest: zu dieser Zeit waren Ikonen bereits zu einem festen Bestandteil des öffentlichen Leben in Konstantinopel geworden, gehörten sie zur Ausstattung aller Kirchen und „wenn wir versuchen, den Stimmungszauber eines altchristlichen Gotteshauses nachfühlend zu erfassen, so dürfen wir uns nicht der Vorstellung ergeben, sein reicher Schmuck sei nur auf das Gefühl und die Sinne berechnet gewesen. Die christliche Kunst war damals, wie immer in den Zeiten ihres Glanzes, darin dem Glauben verwandt, daß sie zwar die tiefsten Gefühle erregte, aber indem sie, ja, weil sie zugleich große Gedanken aussprach."[120] Jedoch gab es zweifelsohne auch abergläubische Entartungen des Bilderkultes, die um so stärker empfunden wurden, je näher wir dem immer noch latent vorhandenen (und durch den Islam wieder gestärkten) Geist des Monophysitismus kommen. „Es ist bezeichnend, daß der Bilderstreit das Reich in zwei ethnisch und geographisch zu umreißende Teile spaltete."[121] Neben der vordergründigen Frage nach der Rechtmäßigkeit der Bilderverehrung stand noch eine andere Alternative zur Diskussion, nämlich jene der christologischen Auseinandersetzungen des V. Jahrhunderts: wenn Christus wirklich zu seiner göttlichen Natur auch die volle menschliche angenommen hatte, dann war auch die Bilderverehrung rechtens! Wenn man aber die Ikonen Christi ablehnte, so sprach man sich implizite auch gegen die Dogmen von Ephesos und Chalzedon aus; denn es ging den Ikonoklasten ja keineswegs um die Ablehnung aller Bildwerke überhaupt – im Gegenteil: gerade zu dieser Zeit werden die weltlichen Darstellungen aufs Neue stark belebt, so stark, daß Papst Gregor II. in seinem berühmt gewordenen Brief an Leon III., dem Kaiser vorwirft:

„Alle zeigen mit den Fingern auf die Bilder der Heiligen Geschichte, erbauen sich daran und erheben Sinn und Herz empor zu Gott. Ihr aber habt dies alles dem schlichten Volke verboten. Statt dessen sucht Ihr sein leeres Herz auszufüllen mit öden Predigten und unnützem Unterricht, mit Zitherspiel und Klapperschellen und Paukengedröhn. Statt zu Dankliedern und heiligem Gotteslob habt Ihr sie zu den heidnischen Mythen zurückgeführt. . . . Seht, darum beschwören wir Euch heute: Tut Buße, kehrt um und

kommt heim zur Wahrheit!"[122]

Wir können sogar zur Zeit der Hochblüte des Bildersturmes gegen die Ikonen ein Wiederaufleben der an antiken Vorbildern orientierten Kaiserbildnisse konstatieren.[123] Der Bilderstreit ist also keine Auseinandersetzung um verschiedene Kunstauffassungen oder auch um unterschiedliche theologische Richtungen, sondern die Ikonoklasten haben in ihrem Widerstand gegen die Bilderverehrung „in gleicher Weise die Grundwahrheiten des Glaubens angegriffen".[124] Wenn man die Bilderstürmer gar als Verteidiger eines urchristlichen Geistes (gegenüber dem als heidnisch-hellenistisch verketzerten Neuplatonismus) aufzuwerten sucht, übersieht man, daß ja „die Urkirche keine neue Kunstgattung in die Religion eingeführt hat. Sie hat bereits vorhandene Formen ihren neuen Zwecken angepaßt. So wurde für liturgische Zwecke ein neuer Symbolismus geschaffen, der im Dienste einer mystischen Weltschau steht und den Menschen von dieser vergänglichen Welt zu den Schönheiten des ewigen Lebens erhebt."[125]

Der Streit wurde – besonders von seiten der Herrscher – mit rigoroser Strenge, ja, vielfach mit blutiger Grausamkeit geführt. Besonders richtete sich der Zorn gegen die Mönche, die das Rückgrat der Bilderfreunde bildeten:

„Seit dieser Zeit wütete er (der Kaiser) noch wahnwitziger gegen die heilige Kirche. Denn er schickte nach Petros, dem ehrwürdigen Säulenheiligen, trieb ihn von seinem Sitz herab und ließ ihn, da er sich seinen Irrlehren nicht unterwarf, an den Füßen fesseln, auch durch die Mittelstraße schleifen und lebend auf den Schindanger werfen. Andere ließ er, in Säcke gebunden und mit Steinen beschwert, in das Meer versenken, nachdem er sie geblendet, ihnen die Nase abgeschnitten und sie ausgepeitscht und jede erdenkliche Art von Martern an den Frommen vollzogen hatte. . . . Im selben Jahre ließ der Pseudopatriarch Niketas die Bilder im Patriarchensitz zerstören: Die Mosaiken im kleinen Sitzungssaal ließ er abkratzen, die Bilder der Nische des großen Sitzungssaales, die auf Holz gemalt waren, abnehmen und bei den übrigen Bildern die Gesichter übertünchen."[126]

Es kam zur Zerstörung fast aller Ikonen im Einzugsbereich der kaiserlichen Macht, so daß wir heute vorikonoklastische Ikonen in größerer Anzahl eigentlich nur noch im Kloster der hl. Katharina auf dem Sinai finden, das sich damals bereits unter der Herrschaft der Muslim befand und somit von der ikonoklastischen Willkür unbehelligt blieb. Wichtiger für uns aber als die Darlegung des historischen Ablaufes ist die Untersuchung der geistigen Verankerung der Ikonoklasten, welche ihren Ausdruck in der Synode von Hiereia am Bosporus fand, in der 754 Kaiser Konstantin V. ,,Kopronymos" ihm willfährige Bischöfe, 338 an der Zahl, versammelte. Kurz zusammengefaßt lautet die Argumentation der Bilderfeinde folgendermaßen: ein wahrhaftiges Bild muß mit dem abgebildeten Gegenstand wesensgleich sein, also kann man die beiden Naturen Christi nicht im Bilde darstellen, ohne dem Nestorianismus oder dem Monophysitismus zu verfallen, indem man ja entweder die menschliche Natur allein darzustellen versuche oder aber das unmalbare Göttliche. Die göttliche Natur aber ist – so folgern die Bischöfe – doch unumschreibbar (aperigraptos) und daher der Versuch ihrer Darstellung frevelhaft. Außerdem wäre ein Versuch der Abbildung beider Naturen nichts anderes als eine Vermischung und damit wieder gegen Chalkedon gerichtet.

,,Was erdreistet sich der törichte Sinn des Schattenzeichners, der aus erbärmlicher Gewinnsucht das darzustellen sich erkühnt, was durch keine Kunst erreicht werden kann, wenn er es unternimmt, mit seinen ungeweihten Händen das in Gestalt zu bringen, was nur im Herzen geglaubt und mit dem Munde bekannt werden kann?"[127],

fragten deshalb die Väter der ikonoklastischen Synode. Doch ,,sie merkten nicht, oder wollten nicht merken, daß ihre eigene Lehre in den wichtigsten Punkten auf monophysitischen Grundlagen beruht, da sie einseitig die göttliche Natur Christi betonten und die Fleischwerdung nicht berücksichtigten."[128]

Hier setzen auch die Fürsprecher der Ikonenverehrung an, welche uns jene Bilderlehre entwickeln, die bis zum heutigen Tag für die Orthodoxie ihre Gültigkeit nicht nur verbal, sondern auch in der tagtäglichen Glaubenspraxis behalten hat.

,,In alter Zeit wurde Gott, der keinen Körper und keine Gestalt besitzt, bildlich überhaupt nicht dargestellt. Jetzt aber, da Gott im Fleische sichtbar wurde und mit den Menschen umging, kann ich

das an Gott sichtbare Bild darstellen. Ich bete nicht die Materie an, sondern ich bete den Schöpfer der Materie an, der um meinetwillen selbst Materie wurde und es auf sich nahm, in der Materie zu leben, der mittels der Materie meine Rettung ins Werk setzte. Und ich werde nicht aufhören, die Materie zu verehren, durch die meine Rettung bewirkt ist. Ich verehre sie aber nicht als Gott: keine Spur! . . . Das Kreuzesholz, das überglückliche und überselige, ist es vielleicht nicht Materie? . . . Und ist nicht vor allem anderen der Leib und das Blut unseres Herrn Materie? Schaffe also die Verehrung und Anbetung all dieser Dinge ab oder überlasse der kirchlichen Überlieferung auch die Verehrung der Bilder, die durch Gottes und seiner Freunde Namen geweiht und auf diese Art durch die Gnade des göttlichen Pneumas beschattet sind. – Mach' die Materie nicht schlecht! Sie ist nämlich nicht ehrlos. Denn nichts ist ehrlos, was von Gott kommt. . . . Ehrlos ist nur, was nicht seinen Ursprung in Gott hat, sondern unsere (eigene) Erfindung ist, indem wir freiwillig vom Natürlichen abweichen und unseren Willen dem Widernatürlichen, nämlich der Sünde, zuneigen."[129],

argumentiert der hl. Johannes von Damaskos und an einer anderen Stelle ruft er den Bilderfeinden zu:

„Du verehrst keine Ikonen, also verehrst du auch nicht Gottes Sohn, der das lebendige Bild des unsichtbaren Gottes und sein unwandelbares Zeichen ist. Ich hingegen verehre Christi Bild, denn Er verkörpert ja Gott in menschlicher Gestalt."[130]

Johannes geht also davon aus, daß der in die Welt gekommene, menschgewordene Gott dadurch auch die angenommene Natur erhöht und den Menschen zum Teilhaber seiner göttlichen Natur gemacht habe.[131] Der von Christus angenommene Leib wurde göttlich, allerdings ohne die von Chalkedon abgelehnte Vermischung, denn so wie das fleischgewordene Wort doch das Wort des Vaters blieb, so blieb auch das Wort gewordene Fleisch doch Fleisch: beide bilden eben die eine hypostatische Union.[132] Man kann es also wagen, ein Bild des an sich unsichtbaren Gottes zu malen, nicht als des unsichtbaren, sondern als des um unseretwillen in der Menschwerdung aus der Jungfrau Maria Fleisch und Blut, und damit sichtbar gewordenen Gottes; er male daher, fährt Johannes fort, kein Bild des unendlichen, unsichtbaren Gottes – was schon

Paulus in der Areopagrede von sich gewiesen habe (Apg. 17,29) –, sondern er male das sichtbare Fleisch Gottes, denn wenn es schon unmöglich sei, etwa die Seele bildlich darzustellen, um wieviel mehr dann, Gott abzubilden, der die Seele belebte. Das muß in Abgrenzung zu allen Götzendienern immer wieder eingeschärft werden: die Christen jedoch sind über das Stadium der Götzendiener weit hinaus, sie besitzen die Fülle der Gotteserkenntnis; diese Gefahr ist also nicht mehr gegeben, aber trotzdem stellt sich die Frage:

,, Wie soll man das Unsichtbare abbilden? Wie soll man das malen, was doch bildlich nicht darstellbar ist? Wie kann man das beschreiben, was keine Menge, keine Größe und keine Grenze hat? Wie kann man dem Gestaltlosen eine Gestalt geben? Wie kann man mit Farben das malen, was körperlos ist?" [133]

Die Antwort ist für Johannes klar: wir können es nicht, nicht aus eigener Kraft, das wäre frevelhaftes Übersteigen unserer Kompetenzen. So ist es uns verboten, den Vater, den niemand gesehen, im Bilde darzustellen [134], aber doch ist es uns möglich, Gott abzubilden, denn er selbst hat uns in seiner Menschwerdung den Weg gewiesen:

,, Wenn der Körperlose um deinetwillen Mensch wird, dann darfst du auch das Bild seiner menschlichen Gestalt malen. Wenn der Unsichtbare im Fleisch sichtbar wird, dann darfst du ein Bild des sichtbar Gewordenen machen. Wenn er, der ohne Gestalt und Grenze ist, unermeßlich in der Grenzenlosigkeit seiner eigenen Natur, er, der als Gott existiert, die Gestalt eines Knechtes in Wesen und Statur auf sich nimmt, und dazu noch einen Körper aus Fleisch, dann darfst du auch sein Abbild malen und es einem jeden zeigen, der es betrachten will. Male also die unnennbare Herablassung, male die Geburt aus der Jungfrau, die Taufe im Jordan, die Verklärung auf dem Tabor, die Leiden, welche die Leidenschaftslosigkeit vermittelten, male den Tod und die Wunder, male die Beweise seiner Gottheit, die Taten, die er im Fleische durch göttliche Kraft bewirkte, male das heilbringende Kreuz, das Grab und die Auferstehung und die Himmelfahrt – das alles beschreibe, sowohl durch das Wort als auch durch Farben." [135]

Dies ist der erste wichtige Gedanke, dem Johannes die endgültige Formulierung verleiht, der andere ist nicht weniger bedeutsam: die Unterscheidung zwischen den verschiedenen denkbaren Formen einer Verehrung[136]:

„Wenn wir uns niederwerfen, so verehren wir nicht das Holz, sondern den dargestellten Inhalt, wie wir ja auch nicht das Material des Evangelienbuches oder des Kreuzes verehren, sondern das, was in ihm geschrieben steht oder ihm eingeprägt ist. Die Verehrung der Ikone bezieht sich also auf das eigentliche Vorbild bzw. Geheimnis."[137]

Es gibt eine Art der Verehrung, die allein Gott zukommt: da aber Gott die Materie heiligte, indem er sie annahm, ist auch diese grundsätzlich einer – wenn auch anders gearteten! – Verehrung würdig geworden[138]; dies zu leugnen wäre für Johannes nicht anderes als Manichäismus.[139]

„Die Anbetung ist ein Zeichen der Unterwerfung und Verehrung; wir kennen verschiedene Arten. Die erste in Form des Dienstes, den wir nur Gott erweisen, dem von Natur aus Anbetung gebührt. Ferner die Anbetung, die wir um Gottes willen, der von Natur aus anbetungswürdig ist, seinen Freunden und Dienern erweisen. . . . Ich kenne auch die ehrenhalber erfolgende Verehrung . . . Schaffe also entweder jede Verehrung ab oder lasse sie alle gelten mit dem jeweils erforderlichen Sinn und der besonderen Art und Weise."[140]

Die Bilder führen also durch göttliche Kraft zu göttlichen Dingen[141], und diese Kraft bleibt nicht allein auf Christus beschränkt, sondern gilt logischerweise auch für die Ikonen der Heiligen: alles andere erscheint Johannes inkonsequent:

„Wenn du nämlich ein Bild Christi dir anfertigst, jedoch keines der Heiligen, so ist klar, daß du im eigentlichen nicht das Bild verbietest, sondern die Verehrung der Heiligen an sich. Denn von Christus, dem Ruhmreichen, fertigst du ja Bilder, die Darstellung der Heiligen aber verwirfst du, als ob sie keinen Anteil am Ruhm hätten, und so bezichtigst du die Wahrheit der Lüge. . . . Nicht gegen die Bilder hast du also den Krieg begonnen, sondern gegen die Heiligen. . . . Die Heiligen aber waren schon bei Lebzeiten voll des Heiligen Geistes, und nach ihrem Tode wohnt die Gnade des Heiligen Geistes unauslöschlich in ihren Seelen, in ihren Leibern in den

Gräbern, in ihren Standbildern und heiligen Ikonen, nicht der Wesenheit, wohl aber der Gnade und Wirksamkeit nach."[142]

Johannes sucht aber die Rechtmäßigkeit der Bilderverehrung nicht nur aus ihrer zwingenden Logik heraus zu beweisen, sondern er führt darüber hinaus die Tradition der Kirche ins Feld.[143] So wie es andere ungeschriebene, aber deshalb nicht weniger lebendige und unbezweifelbare Traditionen in der Kirche gibt (etwa die dreifache Tauchung bei der Taufe, die Ostung der Kirchen etc.)[144], so gehört es zur lebendigen Tradition der Kirche, den inkarnierten Christus-Logos und seine Heiligen bildlich darzustellen.[145] Zur Untermauerung dieser These führt Johannes nicht nur in reichem Maße Zeugnisse des großen Basilios an, sondern auch den tiefsten Grund der christlichen Bilderverehrung, wenn er sagt:

,,Weil einige uns tadeln, da wir dem Bilde des Herrn und unserer Herrin, dann aber auch der übrigen Heiligen und Diener Christi Ehrfurcht und Ehre erweisen, so sollen sie hören, daß am Anfang Gott den Menschen nach seinem Bild geschaffen hat. Weshalb bezeigen wir einander Ehre? Doch nur, weil wir nach dem Bilde Gottes geschaffen sind."[146]

Gott selbst also hat sein Abbild in der Materie geschaffen, da er den Menschen schuf. Höchstes Ziel des Menschen ist es – wie schon der hl. Gregorios der Theologe einst bemerkte[147] – für den Menschen, Gott immer ähnlicher zu werden, das Abbild immer ähnlicher dem Urbild werden zu lassen. Das Abbild steht immer in inniger Beziehung zum Urbild, von dem es ja sein Sein empfängt, so wie der Mensch auf Gott, sein Urbild orientiert ist. Damit ist aber alles, was dem Abbild erwiesen wird, zugleich auch immer auf das Urbild gerichtet, wie der Damaskener unter Anspielung auf das berühmte Wort des großen Basilios sagt:

,,Denn die Ehre des Abbildes geht, wie der göttliche Basilios sagt[148], auf das Urbild über. Urbild aber ist das, dem etwas nachgebildet, von dem ein Abbild gemacht wird."[149]

Dieser Theologie hatten die Ikonoklasten nichts gleichwertiges entgegenzusetzen, und nach dem Tode Konstantins V. im Jahre 775 setzte langsam ein Umschwung ein:

,,Die Anhänger der rechten Frömmigkeit bekamen allmählich wieder Zuversicht, das Wort Gottes begann, sich auszubreiten . . .

der Lobpreis Gottes nahm zu, die Klöster wurden wiederhergestellt und alles Gute durfte sich offen zeigen."[150]

Bereits 769 hatte sich auf einem Laterankonzil die abendländische Kirche unter Papst Stephan III. und unter Berufung auf die Kirchenväter für die Verehrung der Ikonen ausgesprochen und die Patriarchen von Alexandria, Antiochia und Jerusalem waren ihnen mit einem gemeinsamen Brief an eben diese römische Synode sogar noch vorangegangen.[151] Nachdem die Kaiserin Irene für ihren unmündigen Sohn die Regentschaft übernommen hatte, war auch in Konstantinopel die Möglichkeit gegeben, offiziell und in der feierlichen Form eines Ökumenischen Konzils die Rechtmäßigkeit der Bilderverehrung festzustellen: die Bemühungen und Leiden der Bilderfreunde sollten Frucht tragen!

Tagungsort dieses im Jahre 787 zusammentretenden Konzils war wiederum die kleine Stadt Nikaia nahe Konstantinopel, deren Namen Erinnerungen an das I. Ökumenische Konzil des Jahres 325 weckte. Noch keine sechzig Jahre waren vergangen, seit ein Ökumenischer Patriarch, Germanos, *,,der seine teure und heilige, von den Engeln geliebte Seele für die Verehrung der ehrwürdigen und heiligen Ikone Jesu Christi hingegeben hat*"[152], von Kaiser Leon ermordet worden war, da eröffnete ein anderer Konstantinopler Patriarch, Tarasios, im Beisein der kaiserlichen Stellvertreter und der Legaten aller übrigen vier Patriarchate (an ihrer Spitze zweier römischer Presbyter) dieses Konzil, welches bis auf den heutigen Tag als das siebente und zugleich letzte ökumenische von Ost und West anerkannt wird.[153] ,,In Anwesenheit von etwa 350 Bischöfen und einer großen Anzahl von Mönchen wurden hier vom 24. September bis zum 13. Oktober in rascher Aufeinanderfolge sieben Sitzungen abgehalten, was ein Beweis für die gründliche Vorbereitung des Konzils ist. . . . Mit kluger Mäßigung nahm das Konzil die ehemaligen Ikonoklasten, nachdem sie ihrer Häresie vor der Kirchenversammlung abgeschworen, in die Kirchengemeinschaft auf. . . . Nachdem eine lange Reihe von Zeugnissen aus der Heiligen Schrift und aus den patriatischen Werken als Beweismaterial für den Bilderkult zitiert und einerseits die Beschlüsse der ikonoklastischen Synode von 754, andererseits aber eine eingehende, anscheinend aus der Feder des Patriarchen Tarasios stammende Widerlegung der Beschlüsse verlesen worden war, verurteilte das Konzil die Bilderfeindschaft als Häresie, ordnete die Vernichtung des bilderfeindlichen Schrifttums an und stellte die Bilderverehrung wieder her."[154] Dabei stützte man sich in erster Linie auf die Schriften des hl. Johannes von Damaskus, vor allem auf seinen Ansatz einer Verbindung von Inkarnation und Bilderlehre und den Grundsatz, daß jede Verehrung des Bildes auf das Urbild übergehe „und mit der Gott allein gebührenden Anbetung nichts gemein habe. Eine feierliche Schlußsitzung, die am 23. Oktober in Konstantinopel stattfand, bestätigte die Bestimmungen des Konzils, die von der Kaiserin und dem jungen Kaiser (Konstantin VI.) unterzeichnet wurden."[155]

Auch das Konzil begründet die Bilderlehre von der Menschwerdung Christi her, die ihm gleichzeitig eine Wiederherstellung des in Adam verdorbenen Abbildes Gottes im Menschen bedeutet, „deshalb bedeutet in den Augen der Kirche die Ablehnung der Ikone Christi auch die Ablehnung der Wirklichkeit und Unwandelbarkeit Seiner Menschwerdung, und dadurch des ganzen Heilsplanes Gottes. Indem sie die Ikone gegen den Bildersturm verteidigte, kämpfte die Kirche nicht nur für deren erzieherische Rolle und noch weniger für ihre ästhetische Bedeutung; sie kämpfte für die Grundlage des christlichen Glaubens, für das sichtbare Zeugnis der Menschwerdung Gottes, als Grundlage unserer Rettung."[156] In diesem Sinne heißt es in den Akten der 6. Sitzung des Konzils:

„Wir bekennen eines Herzens, daß wir die kirchlichen Traditionen erhalten wollen, seien sie nun schriftlich oder kraft der Überlieferung gültig und angeordnet; von daher ist die bildhafte Darstellung der Geschichte der evangelischen Verheißung entsprechend, nämlich im Sinne einer leichteren Erfaßbarkeit der wahren und nicht erdachten Fleischwerdung Gottes . . .

Es sollen ja durch die Anschauung der Bilder alle, welche sich in sie versenken, zum Gedächtnis und zur Verlebendigung der Prototypen gelangen wie auch zu dem Verlangen nach ihnen, welchen sie Gruß und volle Verehrung erweisen, nicht jedoch die eigentliche Anbetung, welche unserem Glauben gemäß allein der göttlichen Natur zukommt. . . . Die dem Bilde erwiesene Ehre geht auf den Prototyp, das Urbild, über; wer also ein Bild verehrt, der verehrt, was in ihm umschriebener Gehalt ist."[157]

Unschwer erkennen wir hier die Argumentationen des „berühmtesten Bilderapologeten der katholischen Kirche bis auf den heutigen Tag"[158], des heiligen Johannes Damaskenos, wieder; wie er betont das Konzil, daß

„die Augenzeugen und Diener des Wortes die kirchliche Ordnung nicht nur schriftlich, sondern auch in den ungeschriebenen Überlieferungen tradiert haben. . . .

Wo denn hast du im Alten Testament oder auch im Evangelium ausdrücklich die Begriffe ›Dreifaltigkeit‹ oder ›wesensgleich‹ oder ›eine göttliche Natur‹ oder wortwörtlich ›drei Personen‹ oder ›die eine Person Christi‹ oder buchstäblich ›zwei Naturen‹ entdeckt? Da jedoch die heiligen Väter all diese Lehren aufgrund der gleichbedeutenden Worte der Schrift definiert haben, nehmen auch wir sie an und anathematisieren alle jene, die sie nicht annehmen."[159]

Für Johannes wie für das Konzil steht daher außer Zweifel, daß Bildwerke nicht nur im Alten Testament dem Wollen Gottes entsprachen[160], sondern von alters her kirchliche Tradition sind.[161] Dabei wird das Wort Ikone durchaus mehrschichtig verwandt: Erste, „physische" Ikone (physikē eikōn) Gottes ist natürlich Christus, sodann dem „Ebenbilde nach" (katà mímēsin) aber auch der Mensch. Weiter jene „geprägten sichtbaren Dinge und körperlichen Gestalten, die das Unsichtbare und Unabprägbare andeuten, z. B. die Andeutung und sozusagen Verdeutlichung der hl. Trinität mit dem Bild: Sonne, Licht, Strahl (týpos tōn atypōtōn)"[162]. Hierher gehören auch die alttestamentlichen Symbole, welche bildhaft die kommende Herrlichkeit vorbildeten (ainigmatōdēs). Und schließlich sind als Ikonen eben die Bilder zum Gedächtnis vergangener Taten (pròs mnēmēn tōn gegonótōn) zu nennen, welche unsere Kultbilder miteinschließen. Sie haben die gewichtige Aufgabe, Gotteserkenntnis zu vermitteln:

„An allen Orten stellen wir seine (Christi) Gestalt den Sinnen sichtbar dar, und damit heiligen wir den ersten Sinn, denn der Sinne erster ist ja das Sehen, wie wir in den Worten das Hören heiligen. Die Ikone ist eine Erinnerung . . . was das Wort dem Hören ist, das ist die Ikone für das Sehen. . . .

Indem wir seine körperliche Gestalt schauen, begreifen wir auch

– soweit als dies möglich ist – die Glorie seiner Gottheit."[163]

In der Schau der Sinne (aisthētē theōría) „erfährt und erkennt man das Christusgeschehen . . . Die Sinnenschau ist der einzige Weg, der zur geistigen Schau führt."[164] Durch die Ikone werden die geistigen Wahrheiten in derselben Weise sichtbar und dem Menschen zugänglich, wie ihm im fleischgewordenen Logos Gott begegnete: sowenig die Fülle der Gottheit die Menschlichkeit überlagerte und damit letztlich wieder unerkennbar gemacht hätte, sowenig zeigt die Ikone schon die göttliche Wirklichkeit an sich. Aber wie in Christus, obgleich in der Fleischesgestalt, doch der wahre Gott gegenwärtig – und damit sichtbar! – war, so auch in der Ikone die göttliche Realität: die Ikone wird damit selbst ebensowenig Gott wie es Christi Menschheit wurde. Aber verklärt von der ihnen innewohnenden Gottheit zeigen beide den Weg zur Göttlichkeit selbst und sind von daher auch verehrungswürdig, nicht um ihrer selbst willen, sondern um dessentwillen, das ihnen einwohnt.

„*Mit Gott, dem Könige, bete ich auch das Purpurkleid seines Leibes an, nicht als das Kleid, oder gar als eine vierte Person, die Natur des Leibes ist ja nicht zur Gottheit geworden, sondern so, wie der Logos ohne sich zu wandeln (atréptos) Fleisch annahm und doch blieb, was er war, so wurde auch der Leib Logos und verlor doch nicht, was er ist: vielmehr wurde er eins mit dem Logos in einer Person. Darum wage ich es auch, den unsichtbaren Gott abzubilden – nicht in seiner Unsichtbarkeit, sondern als den Sichtbaren, der er für uns geworden ist und der an Fleisch und Blut teilgehabt hat. Nicht die unsichtbare Gottheit stelle ich dar, sondern das sichtbar gewordene Fleisch Gottes. . . .*

Die Purpurschnecke und die Seide und das aus ihnen gefertigte Gewand sind für sich genommen ja etwas recht wenig ehrbares; wenn aber ein König es anzöge, so würde er die Ehre, die dem An-gekleideten gebührt, auch mit auf das Kleid übertragen. So ist es auch mit der Materie; sie ist für sich allein genommen, nicht der Ehre würdig, wenn aber die abgebildete Person voll der Gnade ist, wird die Ikone dieser Gnade teilhaftig in einer Analogie."[165]

Nicht umsonst nennt deshalb das VII. Ökumenische Konzil in seiner feierlichen Schlußdefinition noch einmal namentlich alle wichtigen Irrlehrer der Kirchengeschichte und verweist betont auf die eigene Treue zu den Definitionen der vorangegangenen Synoden, besonders aber den Lehrsätzen zur Christologie: der Ikonoklasmus steht für die Väter des II. Nicänum in einer Reihe mit den früheren christologischen Häresien, denn nur der hat einen logischen Grund, die Ikonen abzulehnen, der auch die Definitionen über Christi Person und seine zwei Naturen in der einen oder anderen Weise anzweifelt. Wer hingegen an die wahre Fleischwerdung des Logos und die damit ermöglichte Verklärung der Materie glaubt, der muß folgerichtig auch der Möglichkeit zustimmen, durch die Schau der verklärten Materie den Zugang zur geistigen Schau Gottes zu erlangen. Dies erklärt die erneute Aufzählung aller früheren Anathematisierungen und ihre Wiederholung durch die Konzilsversammlung. Erst mit der Definition dieser Synode, mit dem Sieg der Ikonenverehrung, ist auch der christologische Streit endgültig abgeschlossen. Nicht ein frommer Brauch wird bestätigt, nicht eine besondere rituelle Ausprägung gebilligt, sondern das Konzil besiegelt letztgültig das Dogma über die Menschwerdung des ewigen Logos. Wenn man sich ,,dazu an alles erinnert, was bereits über die Beziehung von Urbild und Ikone angeführt wurde, dann läßt sich auch leichter verstehen, warum die Ikonenverehrung unbedingt zum christlichen Glauben gehört. In diesem Zusammenhang gewinnt die Entscheidung des VII. Ökumenischen Konzils ihr Gewicht. Wer in diesem Konzil bloß eine Entscheidung des kirchlichen Gehorsams zu sehen geneigt ist, verkennt nach orthodoxer Auffassung den tiefen Sinn der Ikonentheologie und die einmalige Bedeutung der Ikonenverehrung im religiösen Leben.''[166]

Nun, trotz aller feierlichen Definitionen und Anathema-Rufe war der Streit noch nicht begraben: außer der unerwarteten fränkischen Reaktion – von der noch zu handeln sein wird – erhob auch in Konstantinopel selbst der Ikonoklasmus noch einmal sein Haupt. Im Oktober 802 nämlich empörte ,,*sich der Patrizier und Großschatzmeister (Logothetis tou genikou) Nikephoros gegen die fromme Irene als Usurpator. Gott ließ dies zu nach seinem unerforschlichen Ratschluß wegen der Menge unserer Sünden*''[167], berichtet uns Theophanes. Allerdings sollte die Regierung Nikephoros I.

schmählich enden: 811 fiel er in einem Hinterhalt gegen die Bulgaren; auch weiterhin war den Byzantinern das Kriegsglück nicht gerade hold. So „hielt es Kaiser Leon, ‚der Armenier‘, für an der Zeit, die ikonoklastische Bewegung wieder in Gang zu setzen. Nicht nur er, sondern auch große Teile des Offizierskorps waren der Meinung, daß die unglücklichen Kriegsläufe der letzten vierzig Jahre, die in so krassem Gegensatz zu den militärischen Erfolgen der Ikonoklastenkaiser standen, nur auf die Ungnade des Himmels wegen der Wiederherstellung des Bilderkultes zurückzuführen seien."[168] Bei Leon V. (813–820) dürfen wir aber auf Grund seiner armenischen Herkunft einen noch direkteren Einfluß des Monophysitismus annehmen, zumal der Kaiser als sehr frommer Mann, also keineswegs als Freigeist – wie teilweise Leon III. – zu werten ist. Mit einigen auf seiner Seite stehenden Bischöfen bereitet er für das Jahr 815 eine zweite ikonoklastische Synode vor, welche nun ihrerseits das Ökumenische Konzil von 787 annullierte und jene Synode von 754 wieder in Kraft setzte[169]:

„Dieses Konzil (von 754) hat bestätigt und befestigt die göttliche Lehre der heiligen Väter und ist den sechs heiligen Ökumenischen Konzilien gefolgt, da es die allerfrömmsten Kanones formulierte. Daraufhin blieb ja auch die Kirche Gottes unbehelligt für viele Jahre und das Volk lebte in Frieden, bis es das Kaiseramt aus den Händen von Männern in jene einer Frau (d. h. Irene) übergehen ließ und die Kirche Gottes so weiblicher Zügellosigkeit ausgesetzt wurde: denn, geleitet von völlig unfähigen Bischöfen, berief sie eine gedankenlose Synode (von 787) und trug die Lehre vor, daß der unfaßbare Sohn und Logos Gottes durch die Mittel ehrloser Art und Weise gemalt werden solle, wie er bei seiner Inkarnation zu sehen war. Gleichermaßen sollten die leblosen Bilder der allheiligen Muttergottes und der Heiligen, die an Christus Anteil haben, aufgestellt und verehrt werden, . . . sie wagte es zu behaupten, daß diese Bilder mit göttlicher Gnade gefüllt wären, und – indem sie ihnen Kerzen und süßduftenden Weihrauch darbrachte, ebenso wie erzwungene Verehrung – führte sie die Kleingeistigen in den Irrtum."[170]

Wir begegnen hier genau jener Argumentation, die schon auf dem II. Nikänum widerlegt worden war, wenn man dort – in Anlehnung an Johannes von Damaskos[171] – durchaus zwischen einem Bild der rein irdischen Gestalt und einer Ikone unterschied; ein Leugnen der Darstellbarkeit Christi ist so immer zugleich ein Zweifeln an seiner wirklichen Menschwerdung, wie es Theodoros Studites (759–826) unter bewußter Benutzung der Werke des Johannes[172] ausführt:

„Wir alle können dargestellt werden, denn, wer nicht dargestellt werden kann, der ist auch kein Mensch, sondern eine Art von Frühgeburt; ja wirklich, jedes lebende Wesen, das das Tageslicht gesehen hat, ist von Natur aus darstellbar. Also muß auch Christus darstellbar sein, selbst wenn die Gottlosen (d. h. die Ikonoklasten) anders denken und so das Mysterium der rettenden Menschwerdung verneinen. Wie könnte denn sonst der Sohn Gottes als ein Mensch wie wir akzeptiert werden – er, der unser Bruder genannt werden wollte! – wenn er nicht, wie wir, umschrieben werden kann? Wie könnte er dem Gesetze der Natur gemäß geboren worden sein, wenn er seiner eigenen Mutter nicht ähnlich sähe? Denn wenn nicht umschrieben wäre, denn hätte er jedenfalls nicht aus ihrem jungfräulichen Blute sich einen Tempel errichtet, sondern besäße einen im Himmel gemachten Körper, . . . dann folgt aber auch, daß seine Mutter nicht seine wahre Mutter war, sondern fälschlicherweise so genannt wird, daß er uns nicht gleich war, sondern von verschiedener Natur, das aber heißt letztlich, daß Adam nicht erlöst wäre. Wie wäre nämlich dann ein irdischer Körper durch die Auferstehung zu einem Körper anderer Art geworden, wenn bewiesen wird, daß das Gleiche vom Gleichen erlöst worden ist? Also ist dann auch folglich der Tod nicht verschlungen und der Gottesdienst nach dem (alten) Gesetze noch nicht abgeschafft, einschließlich der Notwendigkeit der Beschneidung und allem anderen."[173]

Der Zweifel an der Bilderverehrung ist alles andere als ein Deuteln an sekundären Frömmigkeitsformen: hier geht es um das Essentielle der Erlösung, wie der hl. Paulus formuliert hat, den Theodoros seiner obigen Beweisführung zugrunde legt:

„Dies Verwesliche muß anziehen die Unverweslichkeit, und dies Sterbliche muß anziehen die Unsterblichkeit." (1. Kor. 15,54)

Deshalb kann Theodoros folgern, daß die Ikonoklasten den Boden des Christentums verlieren: „Siehst du nun, in welchen Ab-

grund des Unglaubens die Bilderstürmer gefallen sind, da sie glaubten, Christus solle nicht auf Bildern dargestellt werden? Sicher ist der jüdische Glaube der ihre geworden."[174]

Im Ikonoklasmus haben wir wohl die letzten Züge des Monophysitismus in Konstantinopel vor uns, verstärkt durch die Einflüsse der wieder zu einem gewissen Einfluß gelangten streng monotheistischen Religionen des Islam und des Judentums; deshalb sieht auch die Orthodoxie bis heute die Anerkennung der Bilderverehrung als eine wichtige Bedingung möglicher Unionsverhandlungen an, wie dies jüngst die Gespräche mit den Anglikanern gezeigt haben; denn es geht hier – noch einmal sei dies wiederholt – nicht um einen speziellen Zug ostkirchlicher Devotion, sondern „Ikonenverehrung ist ein Ausdruck des Glaubens an die Inkarnation".[175]

In der Ikonentheologie des VIII. und IX. Jahrhunderts gelingt es darüber hinaus den byzantinischen Theologen „den antiochenischen Beitrag zur chalzedonensischen Theologie wieder zu sichern als eine willkommene Rückkehr zu den historischen Fakten des Neuen Testamentes."[176] Indem man nämlich fest auf der Menschwerdung Christi und seiner daraus folgenden Individualität beharrte, klärte man endgültig den Begriff der hypostatischen Union. Diese Hypostasis als letzte Quelle der individuellen, persönlichen Existenz aber ist in Christus sowohl göttlich wie auch im vollen Sinne menschlich!

Daher mußte trotz aller erneuten Anstrengungen die ikonoklastische Bewegung unterliegen, denn „sie stellte einen klaren Bruch mit der Vergangenheit dar und hatte so keine Hoffnung auf einen endgültigen Sieg, wenn sie auch von starken und fähigen Herrschern ebenso unterstützt wurde wie von anderen Elementen der byzantinischen Bevölkerung. Die ikonoklastischen Kaiser unterschätzten die Bedeutung der Ikonen für das gewöhnliche Volk, welches – wie so oft – subtil die traditionelle Kultur in seiner Geisteshaltung widerspiegelte. Die Ikonentheologie, wie sie von den bilderfreundlichen Denkern entwickelt wurde, war nichts anderes als der Ausdruck dieser Kontinuität."[177]

Am Ende dieser zweiten Phase des Bilderstreites steht denn auch der nunmehr endgültige Sieg der Ikonen: obschon Kaiser Theophilos (829–842) und ein ihm höriger Patriarch mit allen Mitteln die ikonoklastische Bewegung aufzufrischen suchten, und selbst vor neuen grausamen Verfolgungen nicht zurückschreckten, offenbart sich immer deutlicher ihre Ohnmacht: sofort nach dem Tode des Kaisers am 20. Januar 842 brach der Ikonoklasmus zusammen und unter den neuen Herrschern Michael III. (842–867) und seiner (in Wahrheit regierenden) Mutter Theodora proklamierte eine Synode im März 843 die Wiederherstellung des Ikonenkultes, die erneute Bekräftigung des VII. Ökumenischen Konzils. Der Glaube der Väter war gerettet, „für das kirchlich-staatliche Verhältnis aber bedeutete der Zusammenbruch des Ikonoklasmus, daß der Versuch einer restlosen Unterordnung der Kirche unter die Staatsgewalt gescheitert war."[178]

Es ist nur logisch, daß seither das Gedächtnisfest des Sieges der Ikonenverehrung (am 1. Fastensonntag jeden Jahres) als „Sonntag der Orthodoxie" bezeichnet wird. An ihm erklingen von neuem jene Hymnen, welche der Überlieferung nach zumeist auf die großen Apologeten der Bilderverehrung, den hl. Johannes von Damaskos, den hl. Abt Theodoros von Stoudion oder den Patriarchen Tarasios zurückgehen. Auch hier steht im Mittelpunkt der Betrachtung die enge Verbindung von Menschwerdung, Erlösung und Ikonenverehrung:

„Vor deinem allerreinsten Bilde fallen wir nieder, o Gütiger, bittend um die Vergebung unserer Sünden, Christus, Gott! Denn freiwillig wolltest du im Fleische das Kreuz besteigen, um die, die du erschaffen hast, aus der Knechtschaft des Widersachers zu erlösen. Deshalb rufen wir dir dankbar zu: mit Freude hast du das All erfüllt, unser Heiland, der du kamst, die Welt zu retten!"[179]

Im Sieg der Ikonen wird der Triumph des Glaubens an den wahrhaften Gottmenschen Jesus offenbar:

„Nun liegt über allen ausgebreitet das Licht der Gottesfurcht, nachdem der Gottlosigkeit Lug wie eine Wolke zerstreut wurde, . . . kommt alle, laßt uns niederfallen, in frommer Gesinnung, rechtgläubig, laßt uns niederknien vor Christi heiligen Bildern. Nun ziert sich mit heiligen Bildern Christi Kirche, bräutlich geschmückt . . .

Freue dich, Weltall, denn siehe: Christus hat in unsagbarer

Weisheit der Gottlosigkeit Macht aus der Höhe gestürzt . . .

Zum Urbilde trägt empor, so sagt Basilios, die Verehrung des Bildes. Darum laßt uns beharrlich verehren Christi, des Heilandes, und aller Heiligen Bilder, damit wir, uns an sie klammernd, nicht durch die Gottlosigkeit verlockt werden.

Durch seine anfanglose, göttliche Natur ist er unsichtbar, dennoch trat er sichtbar, du Braut, aus deinem heiligen Geblüt hervor, als Gipfel der Erbarmung.''[180]

Daß die Ikonenverehrung nicht bloße Frömmigkeitsform ist und weit mehr als pädagogische Verwendung des Bildes zur Unterweisung derjenigen, welche desselben zur Stützung ihrer unzulänglichen Phantasie bedürfen, oder gar nur Hilfe für die geistig Niedrigstehenden, die des Lebens unfähig sind (also im Sinne der ,,Biblia pauperum''), zeigen diejenigen der Festgesänge, welche im eigentlichen Sinne dogmatische Aussagen machen:

,,*Durch deine göttliche Natur bist du zwar unbegrenzt, doch wolltest du in der Zeiten Fülle, o Herr, mit einer Fleischeshülle dich umgrenzen. Denn durch die Annahme des Fleisches nahmest du auch all seine Eigenschaften an. Darum prägen wir uns das Bild der Ähnlichkeit ein, halten es fest, verehren es und erheben uns so zu deiner Liebe. . . .*

Herrlichen Schmuck erhielt die Kirche Christi durch die hehren und heiligen Bilder des Erlösers Christus und der Gottesmutter und aller Heiligen, Denkmale wunderbaren Glanzes. Durch ihre Gnade wird sie hell und herrlich, verscheucht, vertreibt das Heer der Irrlehrer. . . .

Aufgeleuchtet ist der Wahrheit Gnade: was einst in Schattenrissen vorgebildet war, ist jetzt vor aller Welt erfüllt. Denn schau: es bekleidet sich die Kirche mit Christi körperlichem Bild wie mit einem Schmuck, der jeden Schmuck überragt. Sie stellt im Bilde des Martyriums Zelt dar, hält fest am rechten Glauben, damit auch wir das Bild dessen festhalten, den wir verehren, und nicht in die Irre gehn. Hüllen sollen sich in Schande, die nicht also glauben. Denn uns ist ein Ruhm des Fleischgewordenen Bild, das gläubig wir verehren, jedoch nicht zum Gott erheben!''[181]

Besonders zeichnet den Sonntag der Orthodoxie in der liturgischen Festfeier aber der sog. ,,Ritus der Orthodoxie'' aus, welcher in den Ländern griechischer Tradition vielfach mit einer Ikonenprozession verbunden ist[182], bei der man den vom hl. Theodoros Studites stammenden Kanon singt:

"Warum doch, dreimal Unseliger, haßtest du der Menschheit Christi und all seiner Heiligen strahlendes Bild? Denn nicht vor kraftlosen Götzenbildern sinken wir Gläubigen hin.[183]

Arm war er, das Wort: gehungert, gedürstet hat ihn im Fleische. Das sind die Zeichen seiner Menschennatur, durch die er umgrenzt ist. Doch als Gott ist er einfach und von keiner Grenze umschlossen."[184]

Diese Prozession dürfte etwa in der Mitte des X. Jahrhunderts aufgekommen sein, wie uns Josephos Genesios, der um 950 wirkte[185], beschreibt[186] und in seiner Nachfolge nur wenig später auch Theophanes Continuatus.[187] Beide nennen als Urheber der Zelebration dieser Festfeier den Patriarchen Methodios I. (842–846), in dessen Vita[188] aber keinerlei Hinweise auf eine unmittelbare Einrichtung des Sonntag nach 843 zu finden sind. Auch andere Codices dieser Zeit schweigen sich aus[189] und in dem berühmten Typikon der Großen Kirche (Agia Sophia) zu Konstantinopel vom Beginn des X. Jahrhunderts[190] finden wir unter dem 1. Fastensonntag nur die alte Festfeier der alttestamentlichen Propheten Moses, Aaron und Samuel verzeichnet. Ihre Festtexte haben sich auch heute noch erhalten, sei es in Anspielungen der neu eingeführten Gesänge zum Sonntag der Orthodoxie, sei es in vollständiger Bewahrung des Wortlautes, der natürlich nun eine weiterreichende Sinngebung erfährt:

"Auch der Chor der Propheten mit Moses und Aaron, in Freude jubelt er heute. Denn der Weissagung Erfüllung vorführend, leuchtet das Kreuz, an dem du uns errettet hast. Auf ihre Bitten, Christus, Gott, sei unsrer Seelen Erretter!"[191]

Wahrscheinlich kommen wir der Wahrheit am nächsten, wenn wir annehmen, daß sich dieses besondere Festgedächtnis zuerst in den Klöstern entwickelte, die ja die unermüdlichen Streiter für die Ikonen (und damit die eigentlichen Sieger) gewesen waren, um erst relativ spät auch in die Kathedralkirchen eingeführt zu werden, wie es auch Symeon von Thessaloniki bezeugt.[192] Seine feierlichste Ausgestaltung allerdings erfuhr dieser Siegesgottesdienst in den Bischofskirchen, besonders in denen Rußlands, wo er (wohl seit dem XII. Jahrhundert eingeführt) im Laufe der Jahrhunderte zu einem der eindrucksvollsten Riten überhaupt werden sollte[193]: nach den Einleitungsgebeten, der Friedensektenie (welche einige besondere Fürbitten für die Einheit der Kirche und die Abwehr der Häresie enthält), den Festtroparien und Lesungen (Röm. 16,17–21 bzw. Mt. 10,10–19) stimmt der Bischof dieses Gebet an:

„Allerhöchster Gott, Herr und Bildner der ganzen Schöpfung, der du alles mit deiner Herrlichkeit erfüllst und durch deine Macht erhältst: wir, deine unwürdigen Knechte, bringen dir unseren Dank dar, unserem Herrn, dem Geber aller Dinge, daß du dein Angesicht nicht abgewandt hast von uns wegen unserer Sünden, sondern uns zuvorkommst mit deiner Gnade: du hast zu unserer Errettung deinen einziggeborenen Sohn gesandt, und so deine unermeßliche Güte zum Menschengeschlecht kundgemacht, denn du willst und erwartest ja, daß wir uns alle bekehren und gerettet werden.“[194]

Der Chor antwortet dann im Wechsel mit dem Diakon mit dem Gesang des „großen“ Prokimen:

„Wer ist ein großer Gott wie unser Gott? Du bist der Gott, der Wunder wirkt!“ (Ps. 71,18)

und nach der feierlichen Rezitation des Glaubensbekenntnisses der Ökumenischen Konzilien von Nikaia und Konstantinopel fährt der Diakon fort:

„Dies ist der apostolische Glaube, dies ist der Glaube unserer Väter, dies ist der orthodoxe Glaube: dieser Glaube begründet das All! So nehmen wir an und bekennen die Konzilien unserer Väter und ihre Traditionen und Schriften, welche mit der göttlichen Offenbarung übereinstimmen.

So preisen wir nun selig und rühmen hoch jene, die ihren Verstand dem Gehorsam gegen die göttliche Offenbarung unterworfen und dafür gestritten haben. Jene aber, die dieser Wahrheit widerstreiten, . . . wollen wir . . . der Heiligen Schrift und den Überlieferungen der Urkirche gemäß ausstoßen und anathematisieren!“[195]

Und es folgt nun die ausdrückliche Nennung der gravierendsten Häresien:

„*Denen, die das Dasein Gottes leugnen, und die behaupten, daß
die Welt von selbst bestehe, und daß alle Dinge darinnen durch
einen Zufall gemacht sind ohne die göttliche Vorsehung:
Anathema! Anathema! Anathema!
Denen, welche sagen, daß Gott nicht ein Geist, sondern Fleisch
ist – oder, daß er nicht gerecht, gütig, weise und allwissend ist:
Anathema! Anathema! Anathema!
Denen, welche zu sagen wagen, daß der Sohn Gottes und der
Heilige Geist nicht wesensgleich und von gleicher Ehre mit dem
Vater sind, und daß der Vater und der Sohn und der Heilige Geist
nicht ein Gott sind:
Anathema! Anathema! Anathema!
Denen, die in sträflicher Weise behaupten, daß die Ankunft des
Sohnes Gottes in die Welt im Fleische, und sein freiwilliges Leiden,
Tod und Auferstehung zu unserer Seligkeit und Versöhnung der
Sünde nicht nötig wären:
Anathema! Anathema! Anathema!
Denen, welche behaupten, daß die gebenedeite Jungfrau Maria
nicht eine Jungfrau war vor ihrer Niederkunft, in der Niederkunft
und nach ihrer Niederkunft:
Anathema! Anathema! Anathema!
Denen, welche die heiligen Bilder verwerfen, welche die heilige
Kirche annimmt, . . . und denen, welche sagen, daß sie Götzen
sind:
Anathema! Anathema! Anathema!*"[196]

Daraufhin aber wird

„*allen, welche gestritten haben für den rechten Glauben durch
ihre Worte, durch ihre Schriften, durch ihre Lehre, durch ihre
Leiden und gottseliges Leben wie auch den Beschützern und Ver-
teidigern der Kirche Christi*"

ein

„*immerwährendes Gedenken*"[197]

dargebracht.

Einige Texte kennen hier sogar eine Aufzählung der großen Verteidiger der Ikonen, nämlich der hll. Patriarchen von Konstantinopel Germanos, Tarasios und Methodios, des hl. Theodoros von
Stoudion, des hl. Symeon des Styliten u.a.m., ebenso wie eine na-

mentliche Bannung der wichtigsten Häretiker.[198] So wird durch die alljährliche Feier des Sieges über die Feinde der Ikonenverehrung immer wieder ins Gedächtnis gerufen, daß hierbei ein Sieg über die Feinde der Orthodoxie errungen wurde: der Glaube an das Erlösungswerk Christi war gefährdet, damit aber das Vertrauen in unsere eigene Theosis erschüttert. Hier haben die Synoden von 787 und 843 die Grundfesten des Glaubens wieder gestärkt – und seit dieser Zeit ist auch keine andere Häresie mehr im Bereich der Orthodoxie gefährlich geworden! Alle weiteren theologischen Irrlehren – so die krypto-calvinistischen Einflüsse zur Zeit des Kyrillos Lukaris – waren mehr Geplänkel am Rande: das Zentrum der Orthodoxie aber blieb unerschüttert. Es bekannte den Glauben an die Lehren der Väter, an die Menschwerdung und Erlösung unseres Geschlechtes und an die Öffnung der göttlichen Welt, die uns in den Ikonen zugänglich wird, wie es die Konstantinopler Synode von 869/70 formuliert hat:

„Die heilige Ikone unseres Herrn Jesus Christus ist in gleicher Weise zu ehren wie das Buch der heiligen Evangelien. Denn wie alle die Erlösung erlangen durch die in diesem zusammengefügten Silben, so werden durch die Ikonographie der Farben alle, die Weisen wie die Unweisen, von dem, was sie sehen zu ihrem Nutzen erfreut. Denn was in Silben die Rede, das kündet und empfiehlt auch die Schrift, die aus den Farben besteht. Wer daher die Ikone unseres Erlösers Christus nicht verehrt, der soll auch bei seiner zweiten Parousie nicht seine Gestalt schauen. Auch malen wir die Ikone seiner allreinen Mutter und die Ikonen der heiligen Engel, wie diese ja auch die Heilige Schrift in ihren Worten charakterisiert, und weiter die aller Heiligen, und wir verehren sie und fallen nieder vor ihnen. Wer aber dies nicht annimmt, der sei ausgeschlossen!“[199]

Beenden wir hier unseren Überblick über die Entwicklung der Ikonentheologie bis zu ihrer endgültigen Formulierung mit dem liturgischen Lobpreis, den die Kirche zu Ehren der Väter des VII. Ökumenischen Konzils bei der alljährlichen Festfeier im Oktober anstimmt:

„Allgepriesen bist du, Christus, unser Gott, der du unsere Väter als Leuchten auf Erden bestellt und durch sie uns alle zum rechten Glauben geführt hast, Allerbarmer, Ehre sei dir!“[200]

Die künstlerische Realisation der Ikonentheologie

„Indem die Ikone die Hypostase des mensch-gewordenen Gott-Wortes darstellt, zeugt sie von der Unwandelbarkeit und Fülle seiner Menschwerdung; andererseits bekennen wir durch diese Ikone, daß der auf ihr dargestellte Menschen-Sohn wahrhaftig Gott ist – eine geoffenbarte Wahrheit. Der Auftrieb des Menschen zu Gott, die subjektive Seite des Glaubens, begegnet hier der Antwort Gottes an den Menschen, der Offenbarung, dem objektiven, erfahrenen Wissen, das im Wort oder Bild ausgesagt wird. . . . Solchermaßen empfangen wir durch die Ikone wie durch die Heilige Schrift nicht nur Kunde von Gott, sondern lernen ihn gewissermaßen kennen."[1] Dieses Kennenlernen aber gilt einer ganz konkreten Person, nicht etwa einem Typus, so wie ja auch Christus nicht einfach irgendwie das Menschliche annahm, sondern ganz konkreter Mensch wurde, wie Theodoros Studites betont: „*Es ist unorthodox, zu sagen, daß er nicht ein Individuum unter den Menschen (ton tina anthropon), sondern das Gesamte, die Gesamtheit dieser Natur, geworden wäre. Man muß vielmehr sagen, daß diese ganze Natur in einer ganz individuellen Weise ins Auge gefaßt werden muß, denn wie sonst könnte man sie gesehen haben? Es war aber ein Weg, der sie sichtbar machte und beschreibbar, . . . der erlaubte, zu essen und zu trinken . . .*"[2]

Einerseits kommt daher der Ikone ein gewisser Porträtcharakter zu[3], der auch bei aller erlaubten Abstraktion niemals ganz verschwinden darf.[4] Damit ist es ausgeschlossen, die Ikone durch reine Symbolzeichen zu ersetzen, vielmehr sollen diese der Ikone weichen, wie es der schon erwähnte 82. Kanon des Trullanums forderte. „Das Trullanische Konzil festigt den in der Ikonographie schon eingebürgerten heilsgeschichtlichen Realismus und hebt den archaischen Symbolismus der alttestamentlichen ‚Symbole und

---

Fußnoten siehe Seite 249 ff.

Typen' auf. Die Voraussetzungen sind erfüllt und verwirklicht, ,die Gnade und Wahrheit' ist erschienen."[5] Es ist somit eine vollkommene Fehldeutung, in der Ikonenmalerei eine rein schematische Symbolkunst zu sehen: keine echte Ikone darf die Beziehung zum Urbild um einer symbolischen Aussage willen verändern. So sind nur jene Ikonen malbar, welche auf Abbilder der himmlischen Wirklichkeit zurückgehen, die uns Menschen gezeigt wurden, und nicht eigene Phantasieprodukte des Malers. Deshalb wurden auch wiederholt Darstellungen von der Kirche verboten: das Moskauer Konzil von 1666/67 zum Beispiel spricht die folgende Mahnung an die Ikonenmaler aus:

,,*Möge sich niemand unterstehen, eine falsche Lehre zu malen, welche er für sich ausgedacht hat, ohne daß ein Zeugnis dafür existiert: so etwa des Herrn Sabaoth Bildnis in verschiedenen Ansichten . . . zu malen; wir ordnen vielmehr an, daß von nun an des Herrn Sabaoth Bildnis nicht mehr gemalt werden soll: denn niemand hat ja je den Sabaoth, d. h. den Vater, im Fleische in solchen Erscheinungen gesehen, sondern als Christus kam er im Fleische; so soll er auch dargestellt werden, nämlich im Fleische soll er abgebildet werden . . . Den Herrn Sabaoth, d. h. den Vater, mit grauem Barte und den eingeborenen Sohn in seinem Schoße und die Taube zwischen ihnen auf Ikonen zu malen, ist kein leichtes Vergehen und es ist nicht gebührend, denn wer sah je den Vater der Gottheit nach . . .*"[6]*

Auch andere um einer symbolischen Aussage willen ersonnene Darstellungen – etwa der hundsköpfige Christophoros oder die Abbildung der Dreifaltigkeit als Mensch mit drei Köpfen – werden expressis verbis verworfen. Aus dem gleichen Geiste hatte 1551 die Moskauer Hundertkapitelsynode verfügt, daß von der Dreifaltigkeit – und damit von Gott Vater überhaupt! – nur eine ikonographische Form zulässig sei, nämlich das Bild der Erscheinung der drei Engel bei Abraham (Gen. 18,1 ff.) – und zwar ohne Unterscheidung der Drei; also nur jene Abbildung ist erlaubt, die ein Urbild hat; nur so darf die Trinität dargestellt werden, wie sie sich dem Auge des Menschen gezeigt hat.[7]

Nun, warum ist dies so bemerkenswert? Hier in diesen Vorschriften wird vollends klar, daß wir in den Personen auf den

Ikonen immer unserer eigenen menschlichen Natur begegnen, allerdings in ihrer verklärten Form:

„Die Darstellung Christi darf nicht den Anblick eines verweslichen Menschen wiedergeben, das wird ja vom Apostel getadelt, sondern das Aussehen des unverweslichen Menschen, wie Christus selbst es gesagt hat, . . . denn Christus ist ja nicht nur ein Mensch, sondern der menschgewordene Gott!"[8]

Es geht nicht um eine irdische Portrait-Ähnlichkeit, sondern um die Möglichkeit, dem Urbilde durch die genaue Einhaltung der Abbildlichkeit ähnlich zu werden. So wie der Mensch in seiner Verklärung nicht den Leib verliert, sondern die Durchdringung der ganzen geistigen und materiellen Verfassung des Menschen mit dem unerschaffenen Licht der göttlichen Gnade gleichsam die Rückverwandlung des Menschen in eine lebendige Ikone Gottes bewirkt, so ist die Ikone in dieser Welt die äußere Darstellung dieser Verklärung. Die Ikone darf daher auf der einen Seite nicht mißverstanden werden als die Darstellung der Gottheit an sich, denn sie zeigt ja nicht das Unerfaßbare, sondern sie gibt einen Hinweis auf die Teilhabe des betreffenden Menschen am göttlichen, auf die Heiligung der irdischen Materie durch Gott, welche sich am vollkommensten und letzthin unüberbietbar in Christus realisierte, da Gottheit und Menschheit zu einer unvermischten und doch untrennbaren Einheit wurden. Damit dringt die Ikone über das sinnenhaft Zugängliche weit hinaus – hin zu einer zweiten Wirklichkeit, welche uns nur so sichtbar wird. „Ein bloßes Porträt im gewöhnlichen Sinne ist also noch keine Ikone, denn es zeigt nur das Menschliche. Um eine Ikone zu sein, muß ein Bild gleichzeitig mit der geschichtlichen Wirklichkeit einer Person oder eines Ereignisses die göttliche Wirklichkeit wiedergeben. Eben darin besteht die Hauptaufgabe der christlichen Kunst, wie sie von der orthodoxen Kirche verstanden wird."[9]

Hier liegt aber zugleich auch das Problem, denn wie kann eine solche Abbildlichkeit erreicht werden, die einerseits das Specificum der Heiligkeit an sich, nämlich die Verklärung des Menschen wiedergibt, andererseits aber auch die eigentümlichen Züge des Dargestellten nicht unterschlägt? Gewiß, „nicht das Individuum steht im Vordergrund, sondern die Demut des Menschen vor dem, dessen Träger er ist."[10] Aber andererseits ist eine Ikone nie Darstellung der Personifizierung einer Idee oder Tugend, und jede Allegorie, die wir auf Ikonen etwa in Gestalt eines Mondes, der Sonne oder eines Flusses vorfinden mögen, ist doch niemals zu verwechseln mit dem eigentlichen Thema der Ikone. Daher bleibt es nicht der Phantasie des Malers überlassen, wie er den jeweiligen Heiligen zu gestalten wünscht (erst recht nicht der Ähnlichkeit mit einem lebenden Modell), sondern die Ähnlichkeit wird durch die typische Treue zum Urbilde bewahrt, welches niemals willkürlich ersetzt werden darf. Mag auch die Kunstfertigkeit des Malers gering sein, so wird er sich doch niemals über die ikonographischen Regeln ohne schwere Schuld hinwegsetzen können, da diese Treue zum Urbild der Ikone erst ihren Charakter gibt, wie Theodoros sagt:

„Wenn wir auch nicht erkennen, daß die Ikone ein dem Urbilde vollkommen ähnliches Bild darstellt, weil es an Kunst mangelt, so wird doch selbst in diesem Fall unsere Rede nicht unsinnig. Denn der Ikone wird ja nicht deshalb eine Verehrung erwiesen, weil sie an Ähnlichkeit vor dem Urbilde zurücksteht, sondern weil sie trotz allem Ähnlichkeit mit ihm aufweist."[11]

Hier liegt einer der Gründe für die oftmals behauptete „Starrheit" und das angebliche jahrhundertelange „Kopieren" der Ikonenmalerei: nicht Unfähigkeit der Künstler ist es, welche das Aufrechterhalten der Ikonentypen bewirkt, sondern das Wissen um ihre letztliche Unveränderlichkeit, denn bei einer rein individualistischen Gestaltung würde die Ähnlichkeit mit dem Urbilde verlorengehen. Noch etwas anderes aber kommt hinzu: „die zweite Wirklichkeit, die Gegenwart der alles heilenden Gnade des Heiligen Geistes, die Heiligkeit, kann durch keine menschlichen Mittel wiedergegeben werden, wie sie auch für das äußerliche sinnliche Auge nicht sichtbar ist."[12] Somit gelten die Worte des hl. Theodoros:

„Wenn das, was wegen seiner Abwesenheit nur geistig geschaut werden kann, nicht auch in bildlicher Darstellung sinnlich sichtbar wird, verschließt es sich auch dem geistigen Blick."[13]

Dieser Wiedergabe dieser göttlichen Wahrheiten kann nach orthodoxer Auffassung keine naturalistische Malerei dienen, son-

79

dern einzig und allein die „realistische Symbolik" der Ikone. Nur diese Bildersprache vermag den gestellten Anforderungen gerecht zu werden und läßt, voll der Gnade des Heiligen Geistes, den Christen teilhaftig werden der Heiligkeit des Urbildes. Sie vermag den realen Kontakt durch die Sinne herzustellen zum eigentlich Unsichtbaren und Unzugänglichen, das aber durch seine Verbindung mit der Materie und der daraus resultierenden Verklärung erfaßbar wird, so wie es das Kondakion des Sonntags der Orthodoxie ausdrückt:

„Das unumschreibbare Wort des Vaters nahm aus dir, o Gottesgebärerin, Fleisch an und wurde so umschrieben: das verdunkelte Antlitz (des Menschen) hat es umgebildet ins Urbild und verband es mit göttlicher Schönheit. Wir bekennen das Heil im Werk und Wort und stellen im Bilde es dar."

Durch die Inkarnation Christi ist die menschliche Natur wieder mit der göttlichen versöhnt: das einstige Urbild der Menschennatur in Adam ist im neuen Adam, Christus, wieder aufgerichtet. Es zeigt sich nun in den Heiligen, welche die Ikone darstellt. So bezeichnet sie „die Teilhabe des Menschen am göttlichen Leben. Gleichermaßen realisiert ja die Heiligkeit die Möglichkeit, welche dem Menschen durch die göttliche Inkarnation gegeben ist . . . So zeigt auch die Ikone diese Realisation, sie ‚erklärt sie' durch das Bild. Die Ikone ist das, was wir sein müssen"[14], und was wir – zumindest nach unserer Möglichkeit! – einst sein werden. Nicht eine Idealisierung ist es daher, wenn der Ikonenmaler den Dargestellten als Person höchster Ordnung zeigt, nicht Unfähigkeit zu realistischer Darstellung, wenn die Züge des Heiligen sein verherrlichtes Antlitz wiedergeben und nicht das irdische. Selbstverständlich verliert er nicht das Körperliche, nicht einmal seine eigenen individuellen Züge gehen verloren, sondern – in den Worten des Areopagiten:

„Alles, was in ihm in Unordnung war, wird Ordnung, was ohne Form, nimmt Form an und sein Leben . . . wird durch volles Licht erhellt."[15]

Die Ikone vermeidet zwei Extreme: weder wird sie der Welt gemein, indem sie das Heilige in rein irdische Formen und Darstellungsweise zu pressen sucht, noch reißt sie es von der Welt los, sondern sie verweist immer wieder auf die Verklärung der Materie als das Ziel der Welt. ,,Die Ikone ist demnach ein Lebensweg und ein Mittel; sie ist selbst Gebet.''[16] Dies hat natürlicherweise einen zwingenden Einfluß auf die Darstellungsweise: diese wird aus der persönlichen Verfügbarkeit des Künstlers herausgenommen, so wie ja auch der Verkünder der Heiligen Schrift nicht über dem Text steht und diesen willkürlich benutzen kann, sondern ihm dient und seine Bedeutung in Worte fassen, aber nicht die Schrift uminterpretieren darf. Die Ikonenmalerei ist gleich unveränderlich wie die Schrift: ,,darum können sie über Jahrhunderte hinweg dieselbe Botschaft verkünden, ohne der Erstarrung zu verfallen.''[17]

Dies verlangt vom Ikonenmaler ein völliges Zurücktreten hinter seine Verkündigungsaufgabe, denn einzig um den Inhalt der Botschaft geht es, nicht um ihren Künder und seinen eigenen Ruhm. Er ist nur Werkzeug; nicht seine Konzeption ist das Bild, sondern er gibt weiter, was Generationen vor ihm überliefert haben. Da Gottes Heilstaten zeitlos den Menschen jeder Generation betreffen, sind auch die Ikonen zeitlos, ebenso wie das Evangelium zeitlos ist. Anders als die westliche Kunst, welche sich der jeweiligen Epoche verhaftet fühlt und dies auch zum Ausdruck bringt, will die Ikonenmalerei nichts anderes tun, als in möglichst großer Vollkommenheit und malerischer Fähigkeit das Abbild weiterzugeben, das ebenso unveränderlich in seinem Wesen ist, wie das Urbild. Ja, gerade weil das Urbild keiner Veränderung unterliegt, ist auch das Abbild in seinem Innersten unveränderlich. Die verschiedenen Malschulen der orthodoxen Ikonographie sind somit verschiedenen exegetischen Richtungen vergleichbar: beide bleiben immer an die Norm dessen gebunden, was ihnen vorgegeben ist. Hier liegt die große Verpflichtung des Ikonenmalers, eine Verpflichtung, die sein eigenes Vermögen weit übersteigt: deshalb überliefert er seine individuellen Fähigkeiten ganz der Kirche, indem er zum betenden und schweigenden Diener der Geheimnisse wird. So ist es schon ein Bruch mit der genuinen Tradition der Ikonographen, eine Ikone zu signieren. Und in der Tat kennen wir namentlich nur wenige Ikonenmaler, und wissen wir von noch weniger Ikonen, wessen Hand sie einst schuf.

Groß ist die Verantwortung des Ikonenmalers; um ihn zu entlasten, hat die Kirche die Visionen begnadeter Seher unter den Ikonenmalern zum Kanon erhoben, so wie sie einst aus der Fülle der Schriften des Neuen Bundes jene zum Kanon erhob, die wir heute als die Heilige Schrift ehren und deren normativen Charakter wir anerkennen. Damit unterliegt der Ikonenmaler – neben der immer wieder zu betonenden Pflicht, auch durch sein persönliches Leben sich zur Schau des Göttlichen zu bereiten – streng der Pflicht, die vorgeschriebene Technik und die von der Kirche approbierten Formen und Vorwürfe einzuhalten. Seine persönliche Aufgabe ist es, diesen authentischen Vorbildern durch seine Malkunst neues Leben zu geben. Oftmals verbindet sich mit diesen modellhaften Ikonentypen die Erzählung ihrer wunderbaren Entstehung. Man sollte diese nicht leichtfertig als sekundäre Legenden abtun, denn je ferner uns mit der Zeit diese Vorbilder der eigenen Sehweise vielleicht auch sein mögen, um so tiefer werden wir beeindruckt von der geistigen Größe ihrer Aussagen, denn – wie Leonid Uspenskij einmal sagte: ,,Wenn diese Sprache der Ikone für uns fremd geworden ist und uns ,naiv' oder ,primitiv' vorkommt, so ist es nicht deshalb, weil die Ikone sich überlebt oder ihre Lebenskraft und Bedeutung verloren hätte, sondern deswegen, weil das Wissen selbst von der Fähigkeit des menschlichen Leibes, geistig geheiligt zu werden, bei den Menschen verlorenging."[18]

Und begegnen uns in vielen Ikonentypen nicht Darstellungen, deren geistliches Ausmaß wir gar nicht in seiner Fülle zu erfassen vermögen? Sollten wir da aus unserem Erahnen heraus nicht bereit sein, eine wunderbare Offenbarung anzunehmen, mag diese sich nun in der von der Legende überlieferten Form oder anders abgespielt haben. Ein reiner Rationalismus wird sich jedenfalls schwertun, zu erklären, warum Bilder von solch geistlicher Tiefe und packender theologischer Aussage nicht bei hochgebildeten akademischen Malern entstanden, sondern bei schlichten Malermönchen, deren künstlerisch handwerkliche Fähigkeiten sicher hinter denen ihrer westlichen Konkurrenten zurückstanden. Oder gehen wir noch einen Schritt weiter: wie kommt es, daß selbst die durchschnittliche Ikone, ja, die unbeholfene Bauernmalerei immer noch einen tieferen religiösen Charakter trägt als die Madonnen der Renaissance? Müssen wir hier nicht wirklich eine wunderbare Prägung der Ikonenmalerei anerkennen!

Als ein Beispiel für einen solchen Bericht von der wunderbaren Entstehung eines Ikonentypus sei hier jener der Gottesmutter-Ikone der Paramythia des Klosters Watopedi vom Heiligen Berge wiedergegeben:

„In alter Zeit fiel eine Räuberbande auf dem Heiligen Berge Athos ein mit dem Vorhaben, am Morgengrauen, wenn nur eben die Tore geöffnet würden, eines der größten Klöster, Watopedi, zu überfallen, die Mönche zu ermorden und den Klosterschatz zu rauben. . . . Aber die Aufseherin des ganzen Heiligen Berges, die allreine Jungfrau und Gottesgebärerin, ließ nicht zu, daß die barbarischen Gedanken dieser Gottlosen Wirklichkeit wurden. Am folgenden Tage, als nach Beendigung des Morgengottesdienstes alle Brüder sich zu einer kurzen Ruhe in ihre Zellen begaben, blieb der Vorsteher des Klosters noch in der Kirche, um seine morgendliche Gebetsregel zu absolvieren; plötzlich hörte er eine Stimme von der Ikone der allheiligen Gottesmutter her: ‚Öffnet heute nicht die Pforten des Klosters, geht auf die Klostermauern und vertreibt die Räuber!' Der verwirrte Abt erhob seine Augen zu der Ikone der Mutter Gottes und erblickte ein erschütterndes Wunder: er sah, wie sich das Gesicht der Gottesmutter belebte und ebenso auch das Antlitz des Kindes auf ihrem Arme. Das vor allen Ewigkeiten seiende Kind streckte seine Rechte aus und hielt damit seiner göttlichen Mutter den Mund zu, da er zu ihr sagte: ‚Nein, meine Mutter, sage ihnen dies nicht: denn sie erleiden die gerechte Sühne!' . . . Erfüllt von Schrecken ob dieses Wunders, versammelte der Abt sofort die Bruderschaft, erzählte ihnen das Vorgefallene, . . . und alle sahen mit großem Staunen, daß die Gesichter der Gottesmutter und des Herrn Jesu wie auch die ganze Anordnung der Ikone anders waren als zuvor, vor allem aber das Antlitz des Kindes einen gestrengen Zug aufwies. Im Gefühl lebendiger Dankbarkeit lobpriesen sie den Beistand und die Vorsehung der Allheiligen für sie und den um Seiner Mutter willen erbarmenden Herrn. Dann gingen sie auf die Klostermauern und da sie Waffen im Kloster hatten, schlugen sie den Angriff der Räuber ab. Seit jener Zeit aber nennt man jene wundertätige Ikone der Mutter Gottes in diesem Kloster die Fürsprecherin; die Antlitze aber der Gottesmutter und Jesu Christi

verblieben in jener Weise . . . Man kann sagen, daß für den Pinsel des Ikonenmalers es nahezu unmöglich wäre, mit gleicher Genauigkeit die charakteristischen Züge der göttlichen Personen wiederzugeben, des Vorewigen Gotteskindes als des Richters aller Lebenden und Toten und der liebevollen Beschützerin und Behüterin aller, die gläubig ihren himmlischen Schutz und machtvollen Beistand suchen."[19]

Um zu gewährleisten, daß die Ikonenmaler die verschiedenen Bildtypen auch in korrekter Weise „schrieben" – denn interessanterweise spricht man im Griechischen wie im Russischen vom „Schreiben" einer Ikone (pisat' ikonu) – wurden ab dem XVI. Jahrhundert Handbücher eingeführt, welche die bereits vorher existierenden Unterlagen zusammenfaßten und damit dem einzelnen Künstler eine Auswahl der kanonischen Ikonen boten. Wir finden in diesen Malbüchern entweder Umrißzeichnungen der verschiedenen Ikonentypen, wie z. B. in dem berühmten Handbuch (Podlinnik) der Moskauer Stroganov-Schule[20], oder aber genaue, detailreiche Beschreibungen der jeweils vorgeschriebenen Darstellung dieses oder jenes Ereignisses, dieses oder jenes Heiligen, so in dem wohl bekanntesten Malerhandbuch überhaupt, der „Hermeneia" des athonitischen Mönches Dionysios von Fourna (ca. 1670–1746)[21], welcher aber auf weit ältere Vorlagen zurückgriff, die vor allem auf dem Heiligen Berge mit seiner ungebrochenen Malertradition lebendig waren. „Es ist so nicht überraschend, daß in dem den technischen Materialien gewidmeten Teil vom Werke des Dionysios Teile bis ins IX. oder X. Jahrhundert, bis zum Lucca-Manuskript[22], zurückverfolgt werden können, . . . während andere besonders auf den berühmten Panselinos bezogen werden."[23] So dürfen wir im Handbuch des Dionysios wirklich einen Zeugen für die in allen wesentlichen Punkten unverändert tradierte byzantinische Ikonenmalerei sehen; sicher gilt das in besonderer Weise für die Mahnung an die Ikonographen, die der Malermönch an den Beginn seiner Unterweisung stellt:

„Zuvor aber bete und flehe zu dem Herrn Jesus Christus und vor der Ikone der Mutter Gottes: . . . ,Herr Jesus Christus, unser Gott, unumschreibbar in deiner göttlichen Natur, bist du auf unsagbare Weise Fleisch geworden aus der Jungfrau und Gottesmutter Maria,

um den Menschen von den letzten Dingen zu retten. So wurdest du umschreibbar! Du, der du das heilige Abbild deines allreinen Antlitzes auf das Tuch gedrückt hast, und so von seiner Krankheit den Herrscher Abgar geheilt und Erleuchtung seiner Seele gebracht hast zur vollen Erkenntnis unseres wahren Gottes, und der du durch deinen Heiligen Geist die Weisheit dem hl. Apostel und Evangelisten Lukas eingegeben hast, deine allreine Mutter abzubilden, ... du selbst, Gott und Herr aller Dinge, erleuchte Seele, Herz und Verstand deines Dieners und gib ihm Weisheit, daß er ohne Verfälschung und in vollkommener Weise deine Person und jene deiner unbefleckten Mutter und aller deiner Heiligen darstelle, zum Ruhme und zur Verherrlichung und zum Glanze deiner heiligen Kirche, damit alle, welche ihnen Ehrfurcht erweisen, vor ihnen niederfallen und sie küssen, und welche so dem Urbilde die Ehre darbringen, die Verzeihung ihrer Sünden erlangen. Befreie du den Maler von aller Anfechtung des Bösen, damit er unbeeinflußt allen Geboten folge ...' Nach diesem Gebet soll er genau die Proportionen und Charakteristika der Personen lernen, ... arbeite dein Werk nicht einfältig und in den Tag hinein, sondern arbeite mit Gottesfurcht und mit Frömmigkeit, ... jeder aber, der dieses Werk ohne Frömmigkeit und Sorgfalt angeht, sondern aus Geldgier und Raffsucht, soll sich wohl vor seinem Ende bedenken und die Strafe des Judas, dem er in seiner Geldgier gleicht, im höllischen Feuer fürchten, von dem wir alle erlöst zu werden hoffen durch die Fürbitten der Mutter Gottes, des hl. Apostels Lukas und aller Heiligen. Amen!"[24]

Trotz aller genauen Festlegungen aber schließen die Anweisungen der Handbücher nicht eine gewisse Freiheit im Ausdruck aus: jeder Künstler ist etwa zu eigener Entwicklung in der Komposition bestimmter Ikonen, in der Anordnung einzelner Heiliger, vor allem aber zu einer immer überzeugenderen Darstellung des Vorgegebenen aufgerufen: für ästhetische Reflexionen, ob seine Bilder denn nun auch ,,schön" seien, bleibt kein Platz: schön sind jene Bilder, die vollkommen das Vorbild wiederaufstrahlen lassen. ,,So ist auch das letzte Geheimnis der Entstehung eines Kunstwerkes ganz aus der Sphäre der freien Deutung genommen und fest und unmißverständlich in der religiösen Sphäre verankert."[25]

Dabei können die Festlegungen der Malerhandbücher zuweilen recht überraschend sein – und verraten gerade so die Tiefe ihres theologisch-dogmatischen Gehaltes, der ja niemals eine raffinierte individuelle Deutung sein kann (also zum Beispiel die Transponierung des biblischen Geschehens in das Lokalkolorit eines anderen Jahrhunderts oder Landes!), sondern immer das Abbild des einen unveränderlichen göttlichen Urbildes. So sind die einzelnen Heiligen in ihren Attributen, aber auch in ihrem Lebensalter, ihrem Aussehen und vor allem natürlich ihrer auf den spezifischen Stand hinweisenden Gewandung genau festgelegt; dies gilt auch für die den einzelnen Ikonen beigegebenen Inschriften, sei es nun den Bezeichnungen der Heiligen oder aber den Psalm- bzw. sonstigen Schrifttexten, welche sie auf Schriftrollen oder in einem aufgeschlagenen Buch bei sich tragen. Vielleicht wird das Gesagte am klarsten, wenn wir uns die ikonographischen Darstellungen einiger der neutestamentlichen Gleichnisse ansehen.

„Wenn ein Blinder einen anderen Blinden führt, so fallen beide in die Grube (vgl. Mt. 15,14):

Darstellung: Hohepriester und Schriftgelehrte und Pharisäer lehren; Teufel stehen auf ihren Schultern und verbinden ihnen die Augen mit Tüchern; Juden stehen vor ihnen als hörten sie ihnen zu, auch deren Augen sind von den Dämonen verbunden. Andere Dämonen, welche sie gebunden haben, zerren sie zur Hölle. Christus aber steht ein Stück über ihnen, zeigt sie den Aposteln und sagt auf einer Rolle: ‚Wenn ein Blinder einen anderen Blinden führt, so fallen beide in die Grube!‘ “[26]

Vielleicht noch erschütternder ist die Darstellung des Sinngehaltes der Parabel von den Talenten (Mt. 25,14–30):

„Ein Paradies, vor dem Christus wie ein König auf dem Throne sitzt, umgeben von Engeln in einem Rund hinter ihm. Zu seiner Rechten ein hl. Bischof und ein hl. Priester, welche das Evangelium halten und Christus anblicken, dabei zeigen sie auf eine Menge heiliger Männer und Frauen hinter ihnen, Christus aber segnet sie. Zu seiner Linken aber steht ein Lehrer, welcher ihm mit einer Hand das Evangelium gibt, mit der anderen darauf deutet und sagt: ‚Siehe da, dein Talent!‘ Dämonen aber binden ihn und ziehen ihn mit Gewalt zur Hölle!“[27]

Hier ist es nicht dem einzelnen Künstler überlassen, in einer seinem persönlichen Geschmack entsprechenden Weise, eine Symboldeutung des Evangeliums zu finden, erst recht soll er kein naturalistisches Bild entwerfen, sondern die Kirche stellt uns in der Ikone vor Augen, daß wir in den Talenten der Parabel das hl. Evangelium sehen sollen, das uns anvertraut und dessen Ausbreitung uns aufgetragen ist.

Es wäre jedoch ein Mißverständnis zu meinen, die heute existierenden Ikonentypen würden alle einer längst verwehten Zeit angehören und keine Möglichkeit der Weiterentwicklung kennen. Greifen wir auch hier noch einmal den Vergleich mit der Heiligen Schrift auf: so wie die Exegese sich durchaus weiterentwickeln und vervollkommnen kann, dabei aber immer an den Text der Bibel als ihre Norm gebunden bleibt, so ist es auch in der Ikonenkunst. Insofern ist eine Deutung der orthodoxen Ikonographie als einer Art christlicher „Archäologie" so verfehlt wie nur möglich: nicht nur, daß der einzelne Künstler ja seine Fähigkeiten gerade darin erweisen muß, die vorgegebenen Formen zu erfüllen, aber gleichzeitig ein Gesamtwerk zu schaffen: auch entstehen immer wieder neue Typen der Ikonographie. Allein in einer 153 verschiedene, vorzüglich in Rußland verehrte Bildtypen der Gottesmutter benennenden Aufstellung, welche auf dem offiziellen Moskauer Kirchenkalender basiert[28], finden wir 20 Formen aus der Zeit vor dem Jahre 1000, je 46 auf dem Zeitraum von 1000 bis 1500 und von 1500 bis 1750, während weitere 15 Ikonentypen erst in den letzten 200 Jahren „erschienen", d. h. als nunmehr geoffenbarte Form verbindlich von der Kirche festgelegt worden sind.[29] Dabei darf diese Aufstellung nicht einmal in dem Sinne als vollzählig gelten, daß sie jede einzelne Ikone verzeichnen würde.[30]

Also in Rußland entstanden allein nur an Ikonen der Gottesmutter seit dem Jahre 1500 mindestens 66 neue Typen, darunter solche tiefsymbolischen Charakters wie jene des „Nichtverbrennenden Dornbusches" (Neopalimaja Kupina) mit ihrer Darstellung der alttestamentlichen Prophezeihungen und Typoi für die Gottesmutter:

„*In den kirchlichen Hymnen wird die Gottesmutter oft mit dem nicht-verbrennenden Dornbusch verglichen, den Moses auf dem*

Berge Horeb sah. . . . So wird ein großer achtzackiger Stern darge-
stellt, der aus zwei übereinanderliegenden Vierecken besteht. Das
eine der Vierecke ist rot, es symbolisiert so das Feuer, in welches der
von Moses gesehene Busch gehüllt war, das andere aber grün zum
Zeichen dafür, daß der Busch seine natürliche Farbe behielt, unbe-
schadet der in ihm lodernden Flamme. In der Mitte des Sternes aber
ist die Gottesmutter mit dem Kinde. Um sie herum findet sich ge-
wöhnlich die Darstellung der vier Lebewesen aus der Apokalypse,
also des Menschen, Löwen, Stieres und Adlers."[31]

Kann man auf eine bessere Art bildlich zum Ausdruck bringen,
daß Maria den in sich getragen hat, der die Sonne der Gerechtigkeit
war, und doch in ihrer Jungfräulichkeit nicht berührt wurde?

Wir sahen, daß die Schaffung neuer Ikonentypen nicht allein
eine Sache der Vergangenheit war: auch heute noch werden solche
neuen Ikonen erforderlich, wenn eine neue Aussage in die Sprache
der Ikonen umgesetzt werden muß, wie es etwa bei der Kanonisierung eines neuen Heiligen der Fall sein kann. Hierzu ein Beispiel
aus der neuesten Zeit: die zunehmende Verehrung des gerechten
Vaters Johann von Kronstadt[32] – insbesondere in der Emigration –
stellte die Ikonographen „insofern vor ein neues Problem, als bis
dahin noch kein anderer Repräsentant des verheirateten, sog.
Weißen Klerus von der russischen Kirche zur Ehre der Altäre erhoben worden ist und demzufolge ein ikonographisches Vorbild
fehlte."[33]

Die schon 1953 entstandene ikonographische Darstellung macht
in einem Vergleich mit einer Photographie dieses Gottesmannes
unserer Tage vielleicht am besten deutlich, inwieweit sich eine
Ikone von einer Photoaufnahme unterscheidet, auch wenn beide
die gleiche Gestalt in der gleichen Haltung zeigen.[34] Dasselbe gilt
auch für die Ikonen anderer Männer, die in unseren Tagen kanoni-
siert wurden und von denen wir auch über Photographien verfü-
gen, so z. B. des hl. Nektarios von Aigina[35] oder des hl. Nikolaus
von Tokio.[36]

Ein weiteres Feld neuer ikonographischer Typen stellen sodann
die westlichen Heiligen dar, welche (infolge der orthodoxen Diaspora und nicht zuletzt durch die steigende Zahl abendländischer
Konvertiten zur Orthodoxie) in unseren Tagen ebenfalls nach den

Regeln der orthodoxen Ikonographie dargestellt werden, zumindest soweit es sich um Heilige des ersten Jahrtausends – also vor der Trennung der westlichen Christenheit von der Orthodoxie – handelt.[37] Wenn es sich hierbei auch zumeist um persönlich motivierte Bestrebungen einzelner im Westen lebender und wirkender Ikonenmaler oder orthodoxoer Diaspora-Gemeinden handelt, so wird man ihnen doch – gerade im Sinne unserer Überlegungen zu den Spezifika der Ikonenmalerei – eine gewisse Aufmerksamkeit zu schenken haben, da sich an diesen Bildern die genannten Merkmale in deutlicherer Form zeigen als bei Motiven, die in der westlichen Kunst keine Entsprechung haben.[38]

Aber auch für alle diese neueren Formen der Ikonenmalerei gilt: sie sind an jene Gesetze gebunden, welche notwendig waren, um die orthodoxe Ikonographie zu dem zu machen, was sie sein will: eine Kunst, welche die Seele durch ihre tiefen und dem Mysterium gewidmeten Kräfte nährt, indem sie ihr die Welt höherer Wirklichkeit, ewiger göttlicher Wahrheit zeigt. So erscheint im Vergleich zur inneren geistlichen Strenge der Ikonen jede andere Malerei, mag sie auch religiösen Inhaltes sein, trivial, da sie sich „Sorge macht und um sehr viele Dinge bekümmert, wo doch nur eines notwendig ist" (Lk. 10,41). Gewiß, der Ikonenmalerei mangelt es an Naturalismus, ihr fehlt eine Bezogenheit auf die jeweilige Zeitepoche usw., aber gerade deswegen „ist die byzantinische Ikonographie nicht dazu verdammt, naturalistisch, realistisch zu sein und getreulich die äußere Welt wiederzugeben, denn ihr Ziel ist ja ein völlig verschiedenes: byzantinische Ikonographie hat eine religiöse Funktion. Sie sucht die geistlichen Dinge auszudrücken, um so dem Menschen zu helfen, tiefer in die Mysterien der christlichen Religion einzudringen; sie sucht dem Menschen zu helfen, sich auf eine höhere Ebene des Daseins zu erheben, seine Seele zu der Glückseligkeit Gottes emporzuschwingen."[39]

Einer solchen Zielsetzung müssen entsprechende Mittel dienen; so haben beispielsweise in der Ikonenmalerei bezüglich Raum und Ausmaß andere Gesetze Gültigkeit als jene der natürlichen Perspektive, gibt es in ihnen vor allem keinen Schatten, denn anders als in unserer irdischen Welt liegt ja die Quelle des Lichtes, die Sonne, nicht außerhalb des Dargestellten, sondern die Wesen auf den Ikonen sind so erleuchtet von Gott als der wahren Sonne der Gerechtigkeit, daß sie in ihrer Verklärung das Licht ausstrahlen, ja, daß ihre verklärten Leiber selbst Licht geworden sind, oder – wie es der Areopagite sagt, um so die Aufhebung aller irdischen Werte und Terminologien in Gott anzudeuten – sie sind

„*überlichtige Finsternis (yperphōtos gnophos)*"[40].

So stoßen wir bereits in den frühesten uns bekannten Ikonendenkmälern auf einen ihnen spezifischen Zug des Abstrahierens und der Entmaterialisierung des Naturlichtes. Unter „Eigenlicht" wird hier ein Licht verstanden, welches „als der Bildwelt immanentes Licht dieses selbst auf uns Betrachter ausstrahlt."[41] Es steht in keiner Beziehung zu unserem Tageslicht, wie ja auch keine Lichtquelle außerhalb des Bildes selbst angenommen wird. Diese Teilhabe (methexis) am göttlichen Licht als das Ergebnis der sittlichen Vollendung des Menschen auf Grund der Menschwerdung Christi, des Lichtes der Welt, hat uns der ehrwürdige Symeon der Neue Theologe (949–1022)[42] wohl in unüberbietbarer Weise in seiner mystischen und poetischen Sprache vor Augen gestellt, wenn er schreibt:

„*Komm, wahres Licht, komm, ewiges Leben! Komm, verborgenes Mysterium, komm, namenlose Köstlichkeit, komm, Unaussprechlichkeit! Komm, . . . abendloses Leuchten. Komm, ersehnt von allen, die nach Erlösung dürsten. Komm, der Toten Auferstehung. Komm, Mächtiger. . . .*

Die Zunge kann nicht künden, nicht diese schwache Hand es niederschreiben zum Lobpreis dessen, für den in Wahrheit alles Rühmen, alle Rede Stammeln bleibt. . . . So leidet denn auch meine Zunge jetzt gar sehr ob ihrer Worte Dürftigkeit, und was in mir geschieht, das sieht mein Geist zwar ein, doch sagen kann er's nicht. . . . Denn Unschaubares schaut er, aller Gestaltung gänzlich bar, ganz einfach, ohne Teile, und doch: an Größe ist's Unendlichkeit . . . Wenn ich's so nennen soll, ist es im Höchsten eine Ganzheit, wie mir scheint. Und doch wird keineswegs sein Wesen selbst geschaut: man schaut es nur, indem man's mit ihm teilt. Denn nur am Feuer zündet man das Feuer an, und ganz in Feuer umgeformt nimmt man es an. Doch die Natur des Feuers selbst verliert nicht ihre Kraft, und ungeteilt beharrt es, was es war. . . . Gewiß, es teilt sich, und dennoch läßt es sich in viele Teile nicht zerlegen. Nein, ungeteilt beharrt es, wohnt in mir, und einer Sonne gleich geht's in mir, drinnen, in meinem jammervollen Herzen, auf wie eine licht- verwandte – denn es ist auch Licht – runde Sonnenscheibe. . . . Sie brachte mir Enträtselung von Wundern, die Augen nie geschaut. In mich, den Letzten und Erbärmlichsten von allen, hat sie sich einge- senkt, sie, welche zu Aposteln einst die Jünger und zu Gottes Söh- nen machte. . . . Jene Sonne, die schon bestand vor Anbeginn der Zeiten und in die Unterwelt schon ihre Strahlen sandte, durch- leuchtet nun auch meine Seele in ihrer tiefsten Finsternis und schenkt mir einen Tag, der ohne Abend ist. . . . Dein Licht, das mich umstrahlt, o Christus, erweckt zum Leben mich . . . Wie eine Sonne schaut man dich . . . Derselbe, der das Kreuz erlitt, den Tod, derselbe stand im Geiste wieder auf, in Herrlichkeit ward er hinaufgenommen. Und allen stellt den Weg zum Himmel wieder her, allen, die mit treuem, festen Glauben an ihn glauben. Und den Hochheiligen Geist hat er auf alle, die ihren Glauben bewährten durch die Werke, in reichen Strömen ausgegossen. Auch jetzt noch gießt er reichlich ihn auf solche aus, macht durch ihn plötzlich sie zu Göttern, denen er vereint. Jener wandelt sie aus Menschen ohne Wandel um und macht zu Gottes Söhnen sie, zu Heilandsbrüdern und zu Gottes Erben, Miterben Christi, zu Göttern macht er sie, die mit Gott im Heiligen Geiste wandeln, gebunden zwar, doch nur im Fleisch gebunden, im Geiste aber frei."[43]

Der Mensch wird vom Lichte Gottes erleuchtet, und „dieses in die Seele einstrahlende Licht führt zu einer völligen Veränderung unseres inneren Lebens. . . . Es ist der verborgene Grund, in dem sich der innige Verkehr mit dem Herrn abspielt, und zugleich die Kraftquelle für die Ausformung des vollkommenen Lebens. Es ist gleichsam das Zentrum, von dem alle Radien an die Peripherie lau- fen."[44] Vergessen wir hier nicht die Bedeutung des Lichtes im He- sychasmus[45], der die Lehren Symeons ausdrücklich zu seinen Grundlagen zählt, wie uns einer seiner Wegbereiter – Gregorios Sinaites – ausdrücklich bezeugt.[46] Gerade weil der hl. Gregorios Palamas persönlich wenig Mystiker war[47], hat die Lichtvision Sy- meons im Hesychasmus ihren Einfluß ununterbrochen ausgeübt. So stützt sich Palamas eindeutig auf Symeon, wenn er schreibt:

„*Das Licht der Verklärung des Herrn kennt weder Anfang noch Ende; es ist unbeschränkt und unfaßbar für die Sinne, obwohl es von den irdischen Augen geschaut wurde* . . . *denn durch eine Verwandlung ihrer Sinne gingen die Jünger des Herrn vom Fleische zum Geiste über.*[48] *Wer an der göttlichen Energie Anteil hat* . . ., *der wird gleichsam selbst zum Licht; er ist mit dem Lichte geeint und schaut zugleich mit diesem Lichte in voller Bewußtheit all das, was jenen verborgen bleibt, die diese Gnade nicht besitzen; er übersteigt so nicht nur die körperlichen Sinne, sondern auch alles, was (durch den Verstand) erkannt werden kann* . . . *denn jene, die reinen Herzen sind, schauen Gott* . . . *der, da er Licht ist, in ihnen wohnt und sich jenen, die ihn lieben, seinen Freunden, offenbart.*"[49]

Und dieses Wohnen des göttlichen Lichtes gilt für den ganzen Menschen, auch für seinen Körper, denn

„*wir verwenden die Bezeichnung ,Mensch' ja weder für die Seele noch für den Körper allein, sondern für beide gemeinsam, da der ganze Mensch nach dem Bilde Gottes geschaffen wurde*"[50],

wie Palamas sagt. Dies hat seine Bedeutung für unsere Ikonen, denn indem auf ihnen eben der verklärte Mensch, d. h. der vom göttlichen Lichte durchstrahlte, aber doch in seiner psycho-somatischen Einheit bewahrte Mensch dargestellt wird, zeigen sie uns das letzte Ziel unseres Lebens, welches nicht in einer intellektuellen Gottesschau bestehen kann – denn dann wäre die Auferstehung Christi im Fleische, ja, schon seine Fleischwerdung aus der Jungfrau überflüssig gewesen – sondern die darin besteht, daß die Heiligen Gott in ihrer geschaffenen Natur (allerdings in der Vollendung derselben) von Angesicht zu Angesicht schauen:

„*Denn auch der Leib macht die Erfahrung von göttlichen Dingen, wenn die leidenschaftlichen Kräfte in seiner Seele zwar nicht ertötet, wohl aber umgewandelt und geheiligt worden sind.*"[51]

Nach seiner Auferstehung aber wird der Leib des Menschen selbst das Innere der Seele erkennbar machen, so wird die Auferstehung selbst zum „Offenbarwerden des inneren Zustandes des Menschen"[52]. Dies ist auch der Grund, weshalb in der orthodoxen Kirche als ein Kriterium beim Kanonisierungsprozeß (natürlich nicht als das einzige und nicht einmal das entscheidende) auch der

Zustand des Leibes gewertet wird und ein unverwester Leib als Hinweis Gottes auf die Heiligkeit dieses Menschen zu sehen ist, wie der hl. Makarios von Ägypten bezeugt:

„Das himmlische Feuer der Gottheit, das die Christen in dieser Weltzeit nur im Innern ihres Herzens empfangen, wo es allein wirksam ist, wird dann, wenn der Leib zerstört sein wird, auch äußerlich wirken, denn es wird die auseinandergerissenen Glieder wieder zusammensetzen und den verwesten Leib wieder auferwecken."[53]

Diesen vom himmlischen Feuer durchglühten Leib stellen die Ikonen dar, deshalb finden wir auf ihnen nicht die körperlichen Makel dargestellt, die gewiß dieser oder jener Heiliger an seinem irdischen Leibe getragen hat; deshalb auch fehlen auf den Ikonen die Darstellungen etwa der Agonie und des Glaubenszweifels. Vielleicht wird dies am klarsten, wenn wir die Kreuzigungsdarstellungen der orthodoxen Ikonographie jenen im Westen seit der Gotik üblichen gegenüberstellen[54]: gerade die ältesten uns bekannten Ikonen zeigen die heilsgeschichtliche Komponente des Golgotha-Geschehens, nicht das historische Geschehen. Zwar kam später auch in Byzanz die Darstellung des sterbenden Christus auf (interessanterweise einer der Punkte, den Kardinal Humbert 1054 als Vorwurf gegenüber den „Griechen" äußerte[55]!), aber „in den nachfolgenden Jahren war es die westliche Kunst, die den zerschundenen und zermarterten Leib des toten Christus am Kreuze darstellte. Die Ostkirche hielt immer eine maßvolle Mitte in der Darstellung der Kreuzigung. Heute erscheint uns ihr Kreuzigungsbild im Vergleich zum westlichen Bild wie verklärt. . . . Es handelt sich bei der Ikone der Kreuzigung . . . – wie bei allen Ikonen – um ein theologisches Bild. Ähnlich wie die Evangelien die Kreuzigung auch nicht historisch und übereinstimmend schildern, sondern eine theologische Aussage machen über Jesu Sterben mit Hilfe von Psalmenversen und anderen Schriftzitaten, so will auch die Ikone mit ihren Mitteln das Ereignis theologisch deuten."[56]

Was aber besagt die theologische Aussage über den Kreuzestod des Herrn anderes, als daß er – Göttliches und Menschliches in sich vereinend – durch sein Leiden den Tod, den Feind des Menschengeschlechtes, besiegt und so unsere Natur wieder befreit, gleichsam neu geschaffen hat, wie Patriarch Sophronios von Jerusalem († 638) schreibt:

,,Die ganze Natur des Menschen hast du am Kreuze mit dir erhöht.''[57]

So zeigen die Kreuzigungsikonen zwar den sterbenden, z. T. gar den toten Christus, aber auch vor diesem neigen sich Sonne und Mond, neigen sich die Engel und – vertreten durch die Gottesmutter und den hl. Johannes den Theologen – neigt sich die Menschheit: auch in seinem dahingegebenen Leib zeigt sich nicht der Schmerz des Todes, sondern die Erhabenheit des Sieges, denn

,,durch den Tod hast du den Tod besiegt, denen, die in den Gräbern ruhen, hast das Leben du neu geschenkt.''[58]

So ist wahrhaft dieser Tod kein Tod für die Welt, sondern der Beginn des Lebens schlechtin:

,,Herr, da du das Kreuz bestiegst, hat Furcht und Beben die Schöpfung befallen: zwar hast du die Erde gehindert, die zu verschlingen, die dich gekreuzigt, doch gleichzeitig dem Hades befohlen, die Gefesselten zu entlassen zu der Sterblichen Wiedergeburt. Richter der Lebenden und Toten, Leben kamst du zu bringen und nicht den Tod! Menschenfreundlicher, Ehre sei dir!''[59]

Eine Darstellung des Todesschmerzes Christi würde so das Eigentliche, die letzte Wahrheit über diesen Tod verschweigen, sie würde beim Äußerlichen stehenbleiben, das Wichtigste aber verbergen.

Was wir hier an einem Beispiel exemplarisch erläutert haben, gilt für alle Ikonen[60]: indem sie gerade nicht versuchen, realistisch und naturalistisch zu sein, sprechen sie erst die Wahrheit, die jenseits der Äußerlichkeiten liegt.

Wie Perspektive und Licht, so fügt sich auch die Polychromie der Farben in diese spekulative Schau des jenseitigen ,,Eigenlichtes'' ein. Auch die Farbe hat ja ,,nicht die Aufgabe, etwas über das naturhaft-dingliche Leben des Dargestellten auszusagen. Sie trägt vielmehr dazu bei, das Gegenständliche aus aller umweltlichen Bezogenheit herauszulösen. . . . Die Farbe dient dazu, das Licht als das wahrhaft Seiende zu veranschaulichen.''[61] Eine jede Farbe trägt so einen symbolhaften Bedeutungscharakter: ,,Die Farbe ist in gewissem Sinne nicht etwas, sondern bedeutet etwas und schafft zugleich neues Sein."[62] Aus diesem Grunde ist auch der weitverbreitete Goldgrund der Ikonenmalerei – eigentlich ein „irrealer Lichtfaktor", denn Gold gilt ja nicht als natürliche Farbe! – geradezu der Idealfall des abstrakten, jenseitigen Lichtes, dem die Farben unterworfen sind.[63]

Schon Dionysios Areopagites hat einen regelrechten Symbolkanon der Farben entworfen, wenn er unter Bezug auf Ez. 1,4; 1,7; 8,2; Dan. 10,5.6 und Apk 1,15 erklärt, daß

„das Weiß das Lichtähnliche, das Rot das Feurige, das Grün das Jugendliche und Blühende und das Gold bzw. Gelb den unvergänglichen, unerschöpflichen, unverminderten und ungetrübten Hellglanz"[64] zeige. Die auch im profanen Leben, besonders im Zusammenhang mit der kaiserlichen Repräsentation[65], in Byzanz wohlverbreitete Farbensymbolik setzt sich ungebrochen auch in der Ikonographie fort: besonders das Blaue als die Farbe des Himmels wird zum Symbol des Transzendenten, des Himmlischen und Jenseitigen schlechthin, eine Deutung, die interessanterweise auch Kandinsky vertritt: „Je tiefer das Blau wird, desto mehr ruft es den Menschen in das Unendliche, weckt in ihm die Sehnsucht nach Reinem und schließlich Übersinnlichem."[66] Dem Blau gegenübergestellt finden wir als Farbe der Erde das Braun: beide sind in ihrer jeweiligen Symbolbedeutung sehr schön auf den Ikonen Christi und der Gottesmutter zu sehen, wo der Assist noch einen weiteren Hinweis auf die alles überziehende göttliche Gnade liefert: so findet er sich nicht auf solchen Ikonen, die die Menschlichkeit Christi betonen (also etwa im Leidenszyklus), aber überall dort, wo ein besonderer Hinweis auf die Göttlichkeit Jesu angebracht ist (also bei der Auferstehung, der Transfiguration oder auch auf Geburtsikonen).

Wie Licht und Farben, so sind auch die Körper und Bewegungen der auf den Ikonen dargestellten Personen eigener Art:

„Bei uns ist alles vergeistigt, die Handlungen, die Bewegungen, die Wünsche, die Wörter, die Art zu gehen und die Kleidung, und sogar die Gebärden, weil der Geist (noûs) alles beherrscht und in allem Gott den Menschen abbildet."[67],

sagt der hl. Gregorios der Theologe. „Deshalb ist auf der Ikone der Leib des Heiligen, alle Einzelheiten, sogar die Falten, Haare,

Kleidung und alles, was ihn umgibt, jener höheren Ordnung gemäß angeordnet und in ihr vereint. Der Leib bewahrt seine biologische Struktur, seine Eigenschaften und die charakteristischen Besonderheiten der äußerlichen Erscheinung des Menschen, doch verliert dieser Leib seine fleischliche Schwere, ja, seine eigentliche Fleischlichkeit."[68] In diesem dem Fleische Christi immer ähnlicher werdenden Fleische des von der Verwesung befreiten Menschen *„dann erstrahlt in Seele und Leib Gott allein",*[69]

wie der hl. Maximos der Bekenner sagt, einer der großen Theoretiker des Jesus-Gebetes.[70]

Dies will die geometrisch strenge Wiedergabe der Gewänder, der Lichtflecken und Falten in der Kleidung der Heiligen, die Gemessenheit ihrer Bewegungen und ihre Stellung auf den Ikonen zum Ausdruck bringen. Ein Grundzug dieser „Bedeutungsperspektive"[71], wie Konrad Onasch es genannt hat, ist etwa, daß die Heiligen gewöhnlich auf den vor der Ikone stehenden Beter ihre Blicke richten, zumindest aber zu drei Vierteln ihm zugewandt stehen. Ein ausgesprochenes Profil finden wir äußerst selten, und wenn, dann zumeist bei Personen, welche selbst noch nicht zur Heiligkeit gelangt sind (etwa den Hirten in der Ikone der Geburt Christi oder dem Hauptmann Longinos in der Kreuzigungsdarstellung). Ansonsten aber treten die Ikonen durch den Blick der auf ihnen Dargestellten stets in eine Beziehung zur Welt, ohne ihr deshalb gemein zu werden. Die Gesichter der Heiligen selbst passen sich dabei – ohne aber je ihre eigene Individualität völlig einzubüßen – rhythmisch in die allgemeine Harmonie des Bildes ein. Das Ergebnis der asketischen Erfahrung, die Durchdrungenheit des Menschen von Gott, soll hier seinen sprechenden Ausdruck finden. So sagt der hl. Gregorios von Nyssa:

„Es ist nicht rosa und weiße Schminke . . ., sondern statt dessen Entfernung allem Bösen gegenüber, auch Reinheit, Leidenschaftslosigkeit, Seligkeit und alles ihnen verwandte, wodurch im Menschen die Ähnlichkeit mit Gott ausgedrückt wird."[72]

Die Ikone ist – wie schon gesagt – ein Portrait, aber eben nicht das Portrait eines irdischen Menschen, sondern der Prototyp des zukünftigen, umgestalteten Gliedes der Kirche. Diesen vergöttlichten Menschen, der unserem irdischen Auge noch verborgen ist, zeigt uns die Ikone. Es ist das Bild jener, die nicht „aus dem Willen des Fleisches, sondern aus Gott geboren sind" (Joh. 1,13). Sie gehören jener Welt, jenem neuen Äon an, die „Fleisch und Blut nicht geoffenbart haben" (Mt. 16,17). Hier wird dann wirklich „still alles Fleisch" (Zach. 2,13), wie es im Gesang zum Großen Einzug der Liturgie am Großen Samstag der Karwoche heißt:

„Da schweige alles menschliche Fleisch und stehe mit Furcht und Zittern und bedenke nichts Irdisches mehr bei sich: der König aller Könige und der Herr aller Herrschenden kommt, sich hinzuopfern und sich den Gläubigen als Speise darzureichen. Ihm schreiten die Chöre der Engel und alle Gewalten und Mächte voran, die vieläugigen Cherubim und die sechsflügeligen Seraphinen, die – mit verhüllten Gesichtern – das Lied singen: Alleluja, alleluja, alleluja!"

Wir alle aber sind zu diesem Ziele berufen, sind „Auserwählte Gottes, Heilige und Geliebte" (Kol. 3,12), die wir in der uns gemäßen Weise zur Vollendung streben, denn – nach den Worten des hl. Gregorios des Theologen – kommt jedem Stand in der Kirche sein besonderes Charisma zu:

Selig, wer in der Einsamkeit lebt und sich nicht unter jene mischt, die auf Erden wandeln, sondern seinen Geist zu Gott erhebt.

Selig, wer inmitten der Menge lebt und doch nicht mit der Menge Umgang hat, sondern sein ganzes Leben zu Gott hinwendet.

Selig, wer all seine Besitztümer um Christi willen dahingibt und als einziges Gut das Kreuz besitzt, das er hoch auf seinen Schultern trägt.

Selig, wer Herr über gerechte Güter ist und mit göttlicher Barmherzigkeit seine Hand den Bedürftigen entgegenstreckt.

Selig das Leben derer, die engelgleich in reiner Jungfräulichkeit sich bewahren, denn sie haben die Last des Fleisches abgeschüttelt und sind der reinen Gottheit nahe.

Selig, wer den Geboten der Ehe ein weniges zugestand, dann aber den größeren Teil seiner Liebe Christus zum Geschenk darbringt.

Selig, wer Gewalt über das Volk besitzt und durch fromme, reiche Opfer Christus mit den Erdenkindern versöhnt.

Selig, wer von der Herde Christi ist und, selber das vollkommenste der Schafe, die anderen zum himmlischen Reiche Christi führt.

Selig, wer im hohen Aufschwung des reinen Geistes den Glanz der himmlischen Lichter erblickt.

Selig, wer mit der Arbeit seiner vielgeschäftigen Hände den König ehrt und vielen als Beispiel und Maß des Lebens dient.

Alle diese füllen die himmlischen Keltern an, welche die Frucht unserer Seelen aufnehmen. Einen jeden führt nämlich eine andere Tugend zu seiner besonderen Stätte, gibt es doch viele Wohnungen für all die verschiedenen Arten des Lebens. . . .

Wähle dir von diesen Wegen den, der dir gefällt. Wenn du auf ihnen allen wandeln willst, so ist es besser; wenn nur auf wenigen, so gebührt dir der zweite Ehrenplatz; wenn nur auf einem, doch auf ihm mit ganzer Tüchtigkeit, so gilt auch dies als recht. . . .

Eng ist wohl der Weg zu Gottes Thron, doch viele Pfade führen hin auf diesen einen Weg. Die einen mögen den benutzen, die anderen jenen, wie die Natur es einem jeden weist, wenn er nur dabei den engen Weg erreicht. Nicht eine Speise ist allen in gleicher Weise angenehm, und Christen ist nicht eine Lebensform allein nur angemessen. . . .

Wenn du ganz auf diesem steilen Wege nur gehst, so bist du schon kein Sterblicher mehr, sondern einer der Himmlischen."[73]

So schließt auch die Ikone nichts aus, was menschlich ist, sondern gibt vielmehr einen jeden Menschen wieder mit all seinen Eigenschaften, auch den psychologischen und weltlichen Elementen. Wir kennen durchaus Ikonen, auf denen menschliche Gefühle gezeigt werden (etwa den Zweifel des Joseph in der Ikone der Geburt, die Angst der Apostel bei der Verklärung usw.) oder ganz menschliche Beschäftigungen (so in vielen Viten-Zyklen), aber „diese ganze Last der menschlichen Gedanken, Gefühle und Kenntnisse wird in der Ikone wie in der Heiligen Schrift in ihrer Berührung mit der Welt der göttlichen Gnade dargestellt, und durch diese Berührung verbrennt wie im Feuer alles, was nicht gereinigt ist."[74]

Es wäre also falsch, den Ikonen jeden Realismus abzusprechen: sie besitzen vielmehr sogar einen erstaunlichen „heiligen Realismus"[75], in dem jeder Zug der menschlichen Natur erst einen wahrhaftigen Sinn und Platz findet. Weit stärker als andere Bildwerke zeigt daher die Ikone alle menschlichen Gefühle, Handlungen und den Körper in ihrer Vollwertigkeit, indem sie sie nämlich nicht auf das rein innerweltlich sichtbare Äußere einschränkt, sondern den dahinter liegenden eigentlichen Sinn schaubar macht.

Was für die Gesichter gilt, trifft auch auf die Gesten und Gebärden zu, welche eine regelrechte Körpersprache darstellen. Ein unverständiger Betrachter mag diese aszetischen Gesichter und Gestalten, deren Bewegungen durch strenge unverrückbare Gesetzmäßigkeiten gleichsam „gestoppt" wurden, leichtfertig als leblos und ausdruckslos abtun; diese Mißdeutung aber liegt letztlich doch in seinem eigenen Unvermögen begründet, dem Unvermögen nämlich, zu sehen, daß gerade diese physische Unbeweglichkeit uns das machtvolle Ausmaß des geistlichen Lebens erkennen läßt, wie es sich in den Augen der dargestellten Personen widerspiegelt. Daher auch die Wirkung der oftmals übergroß erscheinenden Augen auf vielen Ikonen, besonders solchen des Nicht-von-Menschenhand-geschaffenen Antlitzes Christi, denn „indem er das geistliche Leben praktisch nur durch die Augen einer ansonsten völlig bewegungslosen Figur ausdrückt, zeigt der Künstler symbolisch die ungeheure Macht des Geistes über das Fleisch."[76]

Gerade die besonders geisterfüllten Personen erscheinen auf den Ikonen relativ bewegungslos, während andere sich teilweise in voller Bewegung befinden. Dies zeigen etwa die Ikonen der Verklärung, der Konzilien (mit der Gestalt des stürzenden Häretikers zu Füßen der ruhig thronenden Väter) oder auch des Jüngsten Gerichtes. Relative Unbeweglichkeit ist hier – noch einmal sei es betont – ein Attribut jener, welche nicht länger ihr eigenes Leben, sondern ein der Welt und ihrer Geschäftigkeit überhobenes Dasein führen. Wohlgemerkt: nicht entwichen ist das Leben, sondern umgewandelt, seiner rasch wechselnden irdischen Existenz enthoben und zur Vollendung geführt, die zugleich die höchste Ruhe und Intensität des Lebens überhaupt ist, wie der selige Augustinus in seinen „Bekenntnissen" ausruft:

„Inquietum est cor nostrum, donec requiescat in te, Domine!"[77],

oder wie es mit anderen Worten ein Dankgebet der orthodoxen Liturgie nach dem Empfang der hl. Kommunion ausdrückt:

„. . . auf daß nicht mehr ich mir selbst lebe, sondern dir, unserem Herrn und Wohltäter, und so dieses Leben ausgehe in der

Hoffnung auf das ewige Leben, in dem ich die immerwährende Ruhe erlange, dort wo der Klang der Feiernden ohne Unterlaß währt . . ."

Nicht Totenstarre zeigen die Ikonen, sondern die Festigkeit der „lebendigen Steine", welche „von den Menschen verworfen, von Gott aber auserwählt und zu Ehren gebracht worden" sind (1. Petr. 2,4f.).

Dieser Gedanke ist offenbar den Ikonenmalern – zumindest denen unter ihnen, die sich der Größe ihrer Aufgabe bewußt waren – vertraut gewesen: so bilden auf zahlreichen Ikonen (etwa der verschiedenen Synaxen, der Konzilien, aber auch der Pfingstdarstellung von der Herabkunft des Geistes[78]) die Personen gleichsam eine Fortsetzung der Architektur. Die strenge Symmetrie fast aller Synaxis-Ikonen mit einem dem geistlichen entsprechenden architektonischen Sinnzentrum (das Evangelienbuch, Christus als Emmanuel, die Göttliche Weisheit oder – auf den Ikonen des Schutzmantelfestes – die Gottesmutter) unterstreicht noch diesen Aspekt. Die persönliche Individualität der Heiligen wird zwar nicht aufgegeben (nicht einmal auf der Ikone aller Heiligen!), tritt aber als zweitrangig gegenüber dem Gemeinsamen im Heilsplan, d. h. der universalen Gemeinschaft der Heiligen, zurück, als der die Kirche wesensmäßig konstituierenden Katholizität. „Der Mensch hört auf, ein auf sich selbst beschränktes Wesen zu sein und unterwirft sich der höheren Ordnung."[79] Die auf vielen Ikonen sichtbare himmlische Hand Gottes aber zeigt die Ausrichtung dieser Gemeinschaft an, welche den menschlichen Bereich übersteigt und die gesamte Schöpfung miteinbezieht: durch die Schuld des Menschen wurde die Schöpfung gestört, denn – wie der hl. Isaak der Syrer andeutet[80] – lebten im Paradies Mensch, Tier und die gesamte Umwelt in einer Einheit: erst als der Mensch im Tier nichts anderes mehr sah als bloße Nahrung, war dieser Urzustand vorbei. Die Neugestaltung der Welt am Ende der Zeiten aber wird die Beziehung von Mensch und Tier wieder in der alten Weise erneuern. Deshalb also finden wir auf Ikonen auch Tiere dargestellt (so etwa mit dem hl. Hieronymus, dem hl. Makarios oder dem hl. Propheten Salomon[81]), nicht um die irdische Umwelt zu zeigen, sondern „um auch die Natur an der Verklärung des Menschen und folglich am außerzeitlichen Dasein teilnehmen zu lassen."[82]

Gleiches gilt auch für die Architekturelemente der Ikonen: auch sie entsprechen vielfach in keiner Weise der gewohnten irdischen Anordnung, sondern wirken unproportioniert, gegen alle Logik, z. T. sogar betont unsinnig aufgestellt. So sind Türen und Fenster nicht an dem ihnen zukommenden Platz, oder sie stimmen nicht in der Größe überein usw.: dies alles im Gegensatz zu den sonst so harmonisch angeordneten und bekleideten Figuren der Ikonen, welche zudem in der Größenrelation die Gebäude oftmals überragen. „Der Sinn dieser Tatsache besteht darin, daß die Architektur jenes Element in der Ikone ist, mit dessen Hilfe man besonders klar die Erhabenheit des auf der Ikone Dargestellten über die Logik zeigen kann. . . . Diese architektonische ‚Phantastik‘, auf ihre Weise ‚eine Narrheit in Gott‘, verwirrt beständig den Verstand, verweist ihn auf seinen Platz und unterstreicht dadurch den metalogischen Charakter des Glaubens."[83] Hinzu kommt, daß gerade die im weitesten Sinne architektonischen Elemente einer Ikone eine besondere Symbolsprache darstellen, bei der jeweils ein Ausschnitt das Ganze vermitteln soll. So kennzeichnen etwa zwei – oder manchmal auch nur ein Baum – einen ganzen Wald (bzw. auf einigen Ikonen auch den Paradiesesgarten), eine Mauer mit Zinnen eine Stadt, ein Turm einen Palast und das recht häufige blaue Kreissegment mit goldenen Punkten den Himmel. Alle diese Landschaftselemente engen aber nie die Ikone ein, indem sie – wie dies in den westlichen Darstellungen seit der Gotik häufig der Fall ist – eine ganz konkrete Landschaft wiedergeben.[84] Sie bilden einen reinen Hintergrund, keine Eingrenzung in räumlicher oder zeitlicher Hinsicht. Deshalb werden auch niemals Darstellungen von den Innenansichten der Gebäude auf Ikonen zu finden sein, welche durch ihre Details eine zeitliche Fixierung der Handlung gäben. Vielmehr wird der Hinweis darauf, daß sich diese Szene im Innern eines Hauses abspielt, durch einen Tisch oder anderen Einrichtungsgegenstand, durch das Sitzen der Figuren oder dadurch gegeben, daß die beiderseits aufragenden Architekturelemente durch eine Drapierung miteinander verbunden sind.[85]

Wenn auf ein und derselben Ikone chronologisch auseinanderliegende Ereignisse in einem dargestellt werden oder gar die handelnden Personen mehrfach erscheinen (so auf manchen Ikonen der Auferstehung oder der Enthauptung Johannes des Vorläufers), liegt der gleiche Gedanke zugrunde: alle heilsgeschichtlichen Ereignisse lassen sich nicht auf eine bestimmte historische Jahreszahl fixieren, oder richtiger gesagt: eine solche Fixierung bringt das Unwesentliche des Geschehens zum Ausdruck, denn es besitzt ja überzeitliche Gültigkeit. Die Transponierung etwa des Kreuzestodes Christi in die Landschaft und Umwelt unserer Zeit würde die Negation ihrer ewigen Wirksamkeit bedeuten; deshalb finden wir eine solche Fixierung nicht auf den Ikonen, und zwar weder auf den historischen Zeitpunkt noch auf einen anderen, vom Künstler erdachten. So blieb auch der Ikonenmalerei die krampfhafte Suche nach immer neuen, jeweils nur für kurze Jahre „zeitgemäße" Ausdrucksformen erspart: indem sie die Betonung auf die überzeitliche Bedeutung der Heilsgeschichte legte, war sie auch immer aktuell. Sie verkündigte immer dieselbe Botschaft, aber da es die Botschaft des Evangeliums ist, die „Frohe Botschaft" unserer Erlösung wird auch dieser Verkündigung nichts Eintöniges, bleibt ihr die Erstarrung erspart. Gottes Gnadenhandeln an dem Menschen ist an keine Zeit gebunden, es betrifft die Menschen aller Generationen in gleicher Weise. Wie das Evangelium sind sie stets neu, weil sie in gleichbleibend gültiger Weise verkünden, daß Gott uns in Jesus Christus gerade heute und jetzt das Heil anbietet. „Vom Beschauer, der sie ernst nimmt, fordern die Ikonen eine persönliche Antwort: er kann sich verschließen und weggehen – oder auf den im Bild sich Zeigenden zugehen und sich ihm beugen. Wählt der Beschauer das letztere, wird er demjenigen, der sich durch sein Bild als persönlich zugänglich erweist, in diesem Bilde auch die gebührende Verehrung zollen."[86]

Aus dem Gesagten ergibt sich, daß die Ikone nicht eine Illusion hervorrufen will; dies ist viel eher bei einer versuchten vordergründigen Aktualisation des Heilsgeschehens gegeben, welche doch nur eine Einschränkung bedeuten würde. Wie die Heilige Schrift, so gibt ja auch die Ikone nicht die zeitbedingten menschlichen Vorstellungen und Betrachtungen über die göttliche Wahrheit wieder, sondern diese Wahrheit selbst, die sie in der Offenbarung erfahren hat. Deshalb kann eine Ikone nicht erdacht werden, sondern muß von Menschen, die der göttlichen Schau gewürdigt wurden, als eine

„Offenbarung und ein Aufzeigen des Verborgenen"[87]

– wie Johannes von Damaskos sagt – in diese Welt gebracht werden. Daraus folgt, daß jede Ikone in ihrer Aussage eindeutig ist: zwar vermögen wir u. U. ihre Bedeutung nicht bis ins letzte auszuschöpfen, sind uns – wie etwa in bezug auf die Farbsymbolik[88] – auch manche Einsichten verlorengegangen, aber dieser Mangel ist nicht in der Ikone, sondern in ihrem Betrachter zu suchen. Deshalb auch tragen die Ikonen Aufschriften (griech.: epigrammata, slaw.: nadpisi), und zwar nicht nur – wie teilweise auch in der westlichen Kunst – auf den Büchern und Schriftrollen in den Händen der Dargestellten, sondern gleichsam als Überschriften auf den Ikonen überhaupt. Es wäre verfehlt, in diesen Schriftzeichen eine Art Kabbala zu suchen, eine „Geheim- oder Arkanschrift"[89]. Ganz im Gegenteil stellen sie die letzte Bekräftigung der Identität für die Ikone dar, so wird – noch über die Treue der Darstellungsweise zur Tradition hinaus – erneut klargestellt, wessen Abbild wir vor uns haben. Damit ist die Ikone vollends aus der Sphäre der persönlichen Deutung herausgenommen: nicht die individuelle Ansicht des Malers, nicht die Interpretation des Beschauers, nicht einmal der durch die kirchliche Tradition festgelegte Typus der Ikone allein lassen erkennen, wen oder was sie darstellt, sondern die objektive Bezeichnung durch die Aufschrift stellt dies unbestreitbar fest. Es ist nicht verwunderlich, wenn auch heute noch athonitische Maler dieses Moment als die eigentliche „Weihe" der Ikone ansehen, da sie ihr die Aufschrift geben, und mir gegenüber erklärten, von diesem Augenblick an handele es sich um eine Ikone, die zu ihrer Wirkkraft streng genommen keiner weiteren Segnung mehr bedürfe.

Die Aufgabe des Ikonenmalers hat man vielfach mit der eines Priesters verglichen: beide verkünden Gottes Heilshandeln an den Menschen und beide machen damit dem einzelnen Menschen die göttliche Gnade zugänglich. So wie der Priester an die Texte der Liturgie und der Heiligen Schrift gebunden ist, diese weder verändern noch uminterpretieren darf, ja, nicht einmal sie nach seinem persönlichen Gutdünken und Geschmack darbieten soll, so verpflichtet auch den Ikonenmaler die Treue zum Urbild. Aber ebensowenig wie der Priester eine tote Reproduktion von sich gibt, sondern seine eigenen Talente in die Feier der Liturgie mit einbringt, so ist auch ein guter Ikonenmaler weit davon entfernt, ein bloßer Kopist zu sein. Eine Ikone ist niemals eine Kopie, also eine sklavische, gedankenlose Abzeichnung des Vorbildes, sondern stets „frei, schöpferische Übersetzung"[90]. Von daher ergeben sich auch ernste Bedenken gegen die gedruckten Ikonen unserer Tage, besonders dann, wenn diese alte Werke mit allen Spuren der Zeiten wiedergeben: ein solcher Ikonendruck kann der künstlerischen und kunstgeschichtlichen Betrachtung dienen, mag auch zur Meditation über das Schicksal dieser Ikone anregen, aber er sollte nach Möglichkeit nicht dem liturgischen Brauch gewidmet werden, denn ihm fehlt immer Wesentliches von dem, was die Ikone ausmacht; zumindest sollte darauf geachtet werden, daß dieser Druck nicht nur Teile einer Ikone wiedergibt oder gar partielle Zerstörungen zeigt. Auch der beste Druck kann im Vergleich zur gemalten Ikone immer nur das sein, was eine Schallplatte ist gemessen an der gefeierten Liturgie der Kirche: beide mögen vom rein ästhetischen Gesichtspunkt aus gesehen, hervorragend sein, technisch vollkommen, aber geistig gesehen fehlt ihnen eine unmittelbare Teilhabe an der göttlichen Heilstat, und es besteht hier die Gefahr, die heiligen Bilder zu bloßen Objekten des ästhetisch-künstlerischen Genusses herabzuwürdigen.

Bei einer solchen Wertung der Aufgabe des Ikonenmalers ist es verständlich, wenn die Kirche allezeit an ihn die Aufforderung zu einem entsprechenden Leben gerichtet hat, und zwar keineswegs nur an die Malermönche, sondern an jeden Ikonenmaler, welchen Standes er auch sei:

„Es geziemt aber dem Maler, demütig zu sein und bescheiden und frommen Sinnes, kein Liebhaber der Festfeiern und kein Spaßvogel soll er sein, kein Fresser und kein Hasser der Menschen, kein Trinker und kein Mörder, sondern in allem soll er bewahren die Reinheit des Leibes und der Seele in allen Gefahren. Jene, die nicht bis zum Ende ehelos bleiben können, sollen sich dem Gesetze nach verheiraten und die Ehe eingehen (braku sočetatisja).[91] Und sie sollen oftmals zu ihrem geistlichen Vater zur Beichte kommen und in

allem sich mit ihm beraten und seinem Rat und seiner Anweisung folgen. In Fasten und Gebet sollen sie verharren, und so ohne jede Schande und Ehrlosigkeit, aber mit großer Sorgfalt auf den Ikonen und Bildtafeln unseres Herrn Jesus Christus und seine allreine Gottesmutter malen (pisati!) und darstellen, so auch die heiligen körperlosen Kräfte, die heiligen Propheten und Apostel und Martyrer, Hierarchen und Mönche und alle Heiligen nach dem Bilde und Gleichnis und dem Wesen, indem sie auf das Bild der alten Maler schauen, und die alten Bilder sich zum Modell nehmen. . . . Wenn aber Gott einem die Fertigstellung (einer neuen Ikone) schenkt, so soll ihn der Meister zum Bischof bringen, der Bischof aber soll nachschauen, ob das vom Schüler gemalte nach dem Vorbild und Gleichnis ist, und er soll sich über sein Leben erkundigen, ob er in Reinheit und jeglicher Frömmigkeit lebt nach den Geboten Gottes ohne jegliche Ehrlosigkeit. Dann soll ihn der Bischof segnen, weiterhin fromm zu leben und seinen heiligen Beruf in allem Eifer festzuhalten. . . . Die Bischöfe sollen hierüber – ein jeder in seinem Gebiet – mit großer Sorge und Aufmerksamkeit wachen, damit die eifrigen Ikonenmaler und ihre Schüler auch nach den alten Bildern malen, und keineswegs durch ihre eigenen Phantastereien und ihre abenteuerlichen Vorstellungen die Göttlichkeit (auf den Ikonen) nicht malen."[92],

fordert die Moskauer Hundert-Kapitel-Synode. Die Ikone ist – durch die Hand des Malers – also stets ein Werk der Gesamtkirche, auch wenn ein einzelner sie in deren Auftrag hergestellt hat. Deshalb verzichtet der Ikonenmaler ja auch darauf, die Ikone durch die Signatur zu seinem persönlichen Werk zu erklären, sondern „fern jedem Ehrgeiz, begnügte er sich ehrfürchtig mit einer exakten Befolgung der überlieferten Regel, die er als Stimme der heiligen Kirche und Tradition der heiligen Väter respektierte."[93]

Und eine andere kirchliche Regel schreibt dem Ikonenmaler ausdrücklich vor,

„nichts außer den heiligen Ikonen zu malen oder zu erfinden"[94],

um so auch die unbewußte Beeinflussung durch eine der dinglichen Welt verbundene Malerei auszuschließen. Es ist sicher nicht von ungefähr, daß sogar die in der Ikonenmalerei verwandten Eitemperafarben unterschiedlich von denen der weltlichen Malerei sind: mit ihrer Undurchsichtigkeit, irdischen Buntheit und plastischen Stofflichkeit scheinen die Ölfarben geeigneter zur Wiedergabe der materiell-sichtbaren irdischen Umwelt.[95]

„So stellte der Kanon für das künstlerische Schaffen nie ein Hindernis dar, und die gestrengen kanonischen Formen wurden in allen Gebieten der (kirchlichen) Kunst immer wieder zu dem Prüfstein, an welchem die Nichtigkeiten zerschellten und die wirklichen Begabungen sich erst richtig schliffen. . . . Die Kirche als ‚Säule und Hüterin der Wahrheit' verlangt nur ein einziges: Wahrheit! . . ."[96], wie der russische Mathematiker, Musiker und Priestertheologe Pavel Florenskij (1882–1948) seine Eindrücke über die Ikonenmalerei zusammenfaßt.[97]

Die Ikonenmalerei in ihrem Verhältnis zur abendländischen Kunstauffassung

Die Entscheidungen des VII. Ökumenischen Konzils wurden in Anwesenheit der päpstlichen Legaten gefällt, und als eine Ökumenische Synode kam dem Nicänum II eo ipso auch Gültigkeit für die abendländische Kirche zu. Trotzdem müssen wir uns angesichts der totalen Auseinanderentwicklung der orthodoxen Ikonenkunst und der westlichen religiösen Malerei fragen, ob wirklich die in Nikaia als rechtgläubig erkannten und definierten Beschlüsse ihren Weg ins abendländische Christentum gefunden haben. Man wird dies bezweifeln dürfen, ja, man kommt sogar zu dem Schluß, daß die Definitionen des Konzils weitgehend im Abendland nicht einmal in ihrer ganzen Tragweite verstanden worden sind.[1] Schon in dem bereits erwähnten Briefe Papst Gregors II. an den Ikonoklastenkaiser Leon III.[2] wird das Schwergewicht bei der Verteidigung der Bilder eindeutig auf deren pädagogische Wirkung gelegt:

,,So oft wir in der Basilika des heiligen Apostelfürsten Petrus eintreten und dort sein lebensgroßes Bild erblicken, fällt es uns lastend auf die Seele, und die Tränen brechen hervor wie der Regenguß aus nasser Wolke. . . . Das schlichte Volk hielt früher seine Nachtwachen, ging fleißig zur Kirche, war voll Eifer für Gottes Sache: Ihr aber habt es zu faulem Schlaf und zu religiöser Sorglosigkeit verführt und schier kopflos gemacht."[3]

So wird die Verwunderung darüber kleiner, daß das II. Nicänum nicht einmal überall im Abendland offiziell akzeptiert wurde: schon 794 berief der Frankenkönig Karl eine Synode nach Frankfurt, auf der er – übrigens wieder im Beisein päpstlicher Legaten – seinem Haß gegen Konstantinopel und seiner Unzufriedenheit mit Papst Hadrian recht freien Lauf ließ.[4] Über die damals geäußerten Argumente und Polemiken haben wir genaue Kunde, da uns der Text der Beschlüsse dieser Synode in den sog. ,,Libri Carolini"

Fußnoten siehe Seite 257 ff.

überliefert ist.[5] Diese Streitschrift war ursprünglich in drei alten Manuskripten existent, von denen zwei auf unsere Tage gekommen sind. Unter diesen hat der Cod. Vaticanus lat. 7207 einzigartigen Wert, besonders wegen der in einer vom Altertum überlieferten, sehr unscheinbaren Kurzschrift (den sog. Tironischen Noten) geschriebenen Randbemerkungen, welche deutlich zeigen, inwieweit Karl an diesen Büchern beteiligt war. Zumeist beinhalten sie das beifällige Urteil des Fürsten zu einzelnen Stellen des von einem seiner Hoftheologen – wahrscheinlich dem Bischof Theodulf von Orleans – verfaßten Werkes. Zwar sind die meisten dieser insgesamt 80 Randbemerkungen kurze Ausrufe – wie etwa ,,recte'', ,,perfecte'', ,,totum bene'' usw., aber einige Rasuren verraten doch, daß offenbar königliche Äußerungen Anlaß zu nachträglichen Textveränderungen gaben. Jedenfalls ist die persönliche Federführung Karls unverkennbar – und in diesem Licht gesehen, gewinnen voreilige Gegenüberstellungen von einer angeblich ,,freien Kirche'' im Abendland und dem vielzitierten ,,Cäsaropapismus'' im orthodoxen Osten, wie sie lange Zeit Allgemeinplatz der westlichen Profan- und besonders der katholischen Kirchengeschichtsschreibung waren, einen etwas befremdenden Beigeschmack, denn wie schon Hugo Rahner sagte: ,,Um die Darstellung in der ausgeglichenen Schwebe der historischen Wirklichkeit zu halten, müßten wir noch Ausblick halten in das Staatskirchentum Karls des Großen, . . . Wir müßten gerecht genug sein, an diesem System nicht zu loben, was wir früher verwarfen.''[6]

In den ,,Libri'' werden dann sowohl die Beschlüsse der Ikonoklasten – vor allem die von 754 – wie der Ikonodulen (d. h. das Ökumenische Konzil!) in einen Topf geworfen und als

,,*infames et ineptissimas synodos Graecorum*''

bezeichnet und jede

,,*adoratio seu cultura*''

der Bilder schlechthin verboten.[7] Daß dabei den sprachlich und theologisch wenig differenzierenden Franken (die des Griechischen wohl ohnehin zumeist unkundig waren), entgangen war, welcher in jahrhundertelangen Diskussionen heiß erkämpfte Unterschied im griechischen Denken zwischen der allein Gott gebührenden ,,latreía'' und der ,,timē'' liegt, welche den Abbildern erwiesen werden kann, hinderte sie nicht in ihren harten Verdammungsurteilen: sie kannten schließlich für beide nur eine Übersetzung – „veneratio"! Als besonders bezeichnend darf dabei folgender Satz der Libri (III, 16) angesehen werden:

„. . . illi (i.e. *Graeci) vero pene omnem suae credulitatis spem in imaginibus collocent, restat ut nos sanctos in eorum corporibus vel potius reliquiis corporum, seu etiam vestimentis veneremur, iuxta antiquorum patrum traditionem."*[8]

So zeigte sich letztlich „in diesem Angriff auf die Bilderverehrung, der auf die feinen Unterschiede der Griechen hinsichtlich der Arten der Proskynese keine Rücksicht nahm, eine grundsätzlich verschiedene Einstellung des Westens und Ostens zum bildlichen Schaffen überhaupt. Wenn die griechischen Apologeten in ihrem geistigen Kampf gegen die Ikonoklasten alles aufgeboten hatten, um das Bild als Mysterion und als ein Heiliges zu verteidigen, griff der Westen den simplen Standpunkt der ersten Bildergegner wieder auf, daß die Ikonen als Werk von Menschenhand leblos seien."[9]

Was man einzig und allein zu akzeptieren bereit war, waren utilitaristische Überlegungen: die Bilder sollten in den Kirchen das Volk, besonders das des Lesens unkundige einfache Volk (und dies hieß im Frankenreich ja fast die gesamte Bevölkerung!) zu einer Betrachtung anregen, gleichsam die Lektüre des Schrifttextes ersetzen, mehr noch: die Phantasie bewegen und überhaupt das oberflächlich christianisierte Volk in die Kirchen ziehen. Keinesfalls aber sollte den Bildern irgendeine Verehrung erwiesen werden, keinesfalls sollte in ihnen mehr gesehen werden als eben Gemälde. „Damit waren dem Bild im Westen der Christenheit als Aufgaben die Erbauung der Gläubigen, die Erziehung der Gemeinden und der Schmuck der Kirchen zugewiesen, die Bindung an den Kult aber, die den Weg der Kunst in den orthodoxen Ländern bis nahezu in die Gegenwart[10] bestimmt hat, entfiel. Im Abendland wurde der Weg dadurch zu individueller Gestaltung für den Künstler frei, wenn es auch noch Jahrhunderte dauerte, bis die endgültige Lösung vom byzantinischen Vorbild erreicht wurde."[11] So sollten uns auch die augenscheinlichen Ähnlichkeiten der vor- und frühromanischen Kunst (ja teilweise noch der Frühgotik) mit der byzantinischen Ikonenmalerei nicht zu dem Trugschluß verführen, daß bis zu dieser Zeit die abendländische und die orthodoxe Malerei aus dem gleichen Geiste gelebt hätten. Zwar gelang es Karl – trotz einigen Bemühens – nicht, den Papst zu einer Verdammung des VII. Ökumenischen Konzils zu bewegen, zwar stehen die Motivauswahl und auch die Durchführung der westlichen Malerei in den folgenden Jahrhunderten unter dem überragenden Einfluß von Konstantinopel, aber – von Ausnahmen abgesehen – waren doch die geistigen Grundlagen verschieden. ,,Nicht die katholischen Lehrmeinungen im Gefolge der Beschlüsse von 787 stellten die typisch abendländische Position war, sondern die ,Libri Carolini" . . . hier zeichnet sich bereits die ganze zukünftige Entwicklung ab, wenn in den Karlsbüchern die ,Graeci' der ,Ecclesia catholica' gegenübergestellt werden. Die Trennung zwischen Ost und West, zwischen ,katholischer' und ,orthodoxer' Kirche, die erst 1054 rechtswirksam werden sollte, ist hier bereits geistig vorbereitet, ja eigentlich im Geheimen schon Ereignis. Wenn Karl expressis verbis betont, daß in diesem Buch der Okzident dem Orient gegenüber Stellung nehme, dann dürfen die ,Libri Carolini' auch als erstes Kunstprogramm des Abendlandes angesehen werden. . . . Kunst ist also nicht Anwesenheit Gottes, sie zielt vielmehr auf Täuschung, Illusion ab. . . . Die ganze Kunsttheorie der ,Libri Carolini' läuft, gemessen an der religiösen Funktion des Bildes, darauf hinaus, diesem eine illustrative und pädagogische Rolle zuzumessen. . . . Deshalb sei es unsinnig, die Malerei eine ,ars pia', eine fromme bzw. geheiligte Kunst zu nennen. Sie ist eine Kunst wie jede andere, weder an profanes, noch an heiliges Gebiet gebunden. Und für den Maler sind nur künstlerische Gesichtspunkte maßgebend

pictor vero patrandi operis loca congrua appetens in harum formatione colorum tantum venustatem et operis supplementum quaerat' "[12],

beurteilt ein abendländischer Kunsthistoriker, Heinrich Dittmar, die durch Karl angestoßene Entwicklung. Bei aller Bedeutung Karls für das Frankenreich, die ihm den Titel des ,,Großen" eintrug, muß festgestellt werden, daß wohl kaum eine Person soviel zur gegenseitigen Entfremdung zwischen dem östlichen Christentum und dem des Abendlandes beigetragen hat, wie dieser Frankenkönig: seine römische Kaiserkrönung bedeutete auch den Anbeginn der Herrschaft fränkischer Theologie in der westlichen Kirche, der sich alsbald auch die Päpste beugten. Diese neue Theologie aber hatte nicht direkt an den Lehrentwicklungen des ersten christlichen Jahrtausends – bis hin zum II. Nicänum – partizipiert (und war weitgehend aufgrund fehlender Sprachvollkommenheit auch nicht in der Lage, die patristischen Diskussionen nachzuvollziehen). Die geistige Entfremdung zwischen Ost und West nahm immer mehr zu – oder sagen wir korrekter: der Westen entfremdete sich immer mehr dem, was einst gemeinsame östliche und westliche Tradition gewesen war. Sicher geht dies nicht in einem rapiden Bruch vor sich, aber die einmal begonnene Entwicklung schreitet verhängnisvoll fort. Und die Kunst ist so nur ein sichtbarer Gradmesser auch der inneren Auseinanderentwicklung: einmal losgelöst von den theologischen und spirituellen Schätzen der gemeinsamen altchristlichen Tradition, beginnt die Anthropozentrik des abendländischen Frömmigkeitslebens. Nicht mehr die zeitlose Gültigkeit des göttlichen Heilshandelns steht im Mittelpunkt von Betrachtung und künstlerischer Darstellung, sondern das individuelle Empfinden des Malers und seiner Zeitgenossen. ,,Kein Wunder also, daß in der Kirchenkunst des Westens ein Stil den andern ablösen mußte, und daß bei jedem Wandel der Frömmigkeit auch die Kirchenmalerei in eine Krise geriet. . . . Die zahllosen Umgestaltungen unserer alten Gotteshäuser bezeugen zur Genüge, daß man bei jedem Wandel im Lebensgefühl energisch nach einer neuen Kirchenkunst verlangte."[13] Besonders bedauerlich muß es deshalb heute erscheinen, daß auch jene Formen abendländischer Kunst zerstört oder aufgegeben wurden, die sich noch der gemeinsamen geistlichen Tradition verhaftet wußten und in engen Beziehungen zur ostkirchlichen Ikonenmalerei standen, und aus dem gleichen Geiste lebten. Dies gilt sowohl – ähnlich wie in der Liturgie – für die Kunst Alt-Spaniens[14] wie für manche altirischen Kunstwerke[15], dies gilt aber auch für die vorkarolinische Kunst des Frankenlandes: dabei war diese Beeinflussung der merowingischen Kunst durch die frühbyzantinische nicht etwa ein Überrolltwerden, sondern vielmehr ein großartiger Prozeß des lernbegierigen

Übernehmens, das aber auf den gleichen geistlichen Fundamenten aufbauen konnte. Dabei wurden – dem germanischen Empfinden gemäß – vor allem solche Motive rezipiert, die den herrschenden Christus-König zeigten: so etwa die Verehrung des ,,neugeborenen Königs der Juden" (Mt. 2,2) durch die Magier[16] oder die Huldigung der Menge beim Einzug Christi, des ,,Königs von Israel" in Jerusalem (Joh. 12,12 ff.)[17]. Die Übereinstimmungen mit entsprechenden Werken der byzantinischen Kunst, etwa dem Langhausmosaik von San Appollinare in Ravenna aus dem VI. Jahrhundert[18] oder dem noch etwas früher anzusetzenden Sarkophag des Exarchen Isaak in San Vitale (Ravenna)[19] sind dabei ganz offenkundig. Zwar ist der östliche Bilderkreis unvergleichlich reicher als der fränkische, aber nichts desto weniger kam es in Malerei wie Elfenbeinschnitzerei zu einem deutlichen Lernprozeß der Germanen.[20]

Diese weitgehende Entsprechung der abendländischen und der orthodoxen Malerei in bezug auf ihr Äußeres bleibt natürlich auch noch nach den ,,Libri Carolini" bestehen, aber mit fortschreitender künstlerischer Befähigung der Abendländer wird die Differenz immer größer; jene Veränderung ergreift Platz, ,,die sich im Denken und Stil des Westens in der Heiligen Nacht des Jahres 800 vollzog durch die Geburt eines grundsätzlich neuen politischen Organismus, nämlich das Reich Karls des Großen, und die gleichzeitig in die Loslösung der europäischen Kunst von Byzanz und dem klassischen Erbe einmündete."[21] Während in den Fresken und besonders der Buchmalerei der alte Stil noch relativ lange Zeit ungebrochen weiterexistiert[22], kommt es in der Rundplastik – die alsbald zur typisch westlichen Kunst werden sollte – rascher zu einer abweichenden Entwicklung im Abendland, wie uns ein Blick auf relativ frühe Kruzifixe zu zeigen vermag[23], die sich nicht nur von byzantinischen, sondern auch von gleichzeitigen westlichen Elfenbeinarbeiten[24] oder Fresken erheblich unterscheiden.

Zu Ende des X. Jahrhunderts allerdings sollte es kurzfristig noch einmal zu einer Annäherung westlicher und östlicher Kirchenkunst kommen: die Heirat Kaiser Otto II. mit der oströmischen Prinzessin Theophanou bewirkt eine direkte Beeinflussung der westlichen Künstler durch ihre byzantinischen Kollegen, die nunmehr auch – im Gefolge der Kaiserin – im Westen arbeiteten; so kann etwa „das in der Gesamtillustrierung völlig isoliert dastehende Majestasbild (hier nur der Kopf Christi) im Echternacher Codex Aureus des Escorial (Codex Vitrinas 17) von der Mitte des XI. Jahrhunderts nur von einem byzantinischen Maler geschaffen sein, wahrscheinlich doch auf bewußte Bestellung hin, entgegen den variablen Bildformulierungen der karolingischen Kunst der Majestasdarstellung in Angleichung an das wahre Gottesbild der Ikonen größere Authentizität zu verleihen."[25] Es ist dies die Zeit, in der sogar abendländische Künstler[26] versuchen, durch – z. T. fehlerhafte – griechische Aufschriften als „Byzantiner" zu wirken. Durch die Kreuzzüge wird diese Kulturbeziehung noch einmal auf eigenwillige Art und Weise intensiviert: der Drang der abendländischen Ritter, sich auf jede nur erdenkliche Art mit Reliquien zu versorgen, bewirkte, daß auf diesem Wege auch byzantinische Reliquiare, größtenteils mit Email- oder Elfenbeinarbeiten, in den Westen kamen, so das heutzutage wohl künstlerisch wertvollste und auch größte erhaltene oströmische Kreuzreliquiar, die sog. „Limburger Stavrothek".[27]

Auch für die ottonische Zeit gilt, daß die meisten Übereinstimmungen zur orthodoxen Ikonographie in der Buchmalerei und Elfenbeinschnitzerei zu finden sind.[28]

Man wird aber fragen müssen, inwieweit es sich hier um eine innere Beziehung zu der in der byzantinischen Kunst Gestalt gewinnenden Bildtheologie des VII. Ökumenischen Konzils oder bloß um eine künstlerische Abhängigkeit von der zeitgenössischen Kunstmetropole handelt, die man rein handwerklich eben noch nicht erreicht bzw. von deren Vorbild man sich technisch noch nicht zu lösen versteht. Denn zu gleicher Zeit empfangen ja auch die slawischen Völker Osteuropas von Konstantinopel wertvolle künstlerische Impulse – und zur gleichen Zeit auch den orthodoxen Glauben! Wie die germanischen Völker Westeuropas hatte auch Rußland zuvor keine eigene hochstehende Kunst besessen, und doch „erreichte Rußland, das weder die antike Philosophie noch antike Kunst gekannt und dessen Kultur keine so tiefen Wurzeln hatte, eine ganz außerordentliche Höhe und Reinheit des Bildes, . . . Gerade Rußland wurde es gegeben, jene Vollkommenheit der künstlerischen Sprache der Ikone zu verwirklichen, die mit besonderer Kraft den Inhalt des liturgischen Bildes, seine geistige Tiefe offenbart. . . . . Es ist in diesem Sinne bedeutsam, daß es bis zur Zeit Peters des Großen wenige Schriftsteller unter den russischen Heiligen gab, dafür aber viele Ikonenmaler, von einfachen Mönchen angefangen bis zu Metropoliten."[29] Sicher lag die Treue der russischen Ikonenmaler zur Tradition orthodoxer Bildertheologie nicht vorrangig in der von Konstantinopel übernommenen, durch Jahrhunderte ausgereiften Arbeitstechnik (wenn sie auch ihr Teil beigetragen haben mag!), sondern vor allem in der Bejahung der Beschlüsse des II. Nicänums. Noch mehr aber gilt dies für die Malerei der erst später zum Christentum geführten Serben und Rumänen, deren Ikonen in keiner Weise vom Kanon abweichen.[30]

Hingegen finden wir nunmehr auf westlichen Bildern zunehmend eine Entwicklung von der Ikone als der Darstellung des verklärten, vergöttlichten Lebens hin zur Anthropozentrik der irdischen, materiellen Welt. Als erste Beispiele können hier die Gottesmutter auf der Darstellung der Geburt Christi im Evangeliar von Floreffe (um 1160)[31] oder die sog. Bibel von Floreffe aus der gleichen Zeit[32] genannt werden.[33] In der plastischen Kunst ist die Entwicklung schon entschieden weiter, wie uns unschwer ein Blick auf den aus Köln stammenden „Sitzenden Engel" (ca. 1170) zeigt.[34] Es ist also offenbar nicht eine dahinter stehende Verpflichtung gegenüber der nizänischen Bildertheologie, welche die westlichen Buchmaler und Elfenbeinschnitzer noch eine Zeitlang an den alten Traditionen festhalten läßt, sondern der überragende Einfluß der byzantinischen Vorbilder. Damit ist erklärlich, wieso gleichzeitige Rundskulpturen – für die ja praktisch keine Entsprechungen aus Konstantinopel bekannt waren – durchaus schon „typisch westlich" sind, d. h. menschliche, irdische Gestalten wiedergeben und nicht mehr diejenigen der Ikonenmalerei. Sicher, wir haben es oft mit idealisierten Darstellungen zu tun, also besonders schönen und ebenmäßigen Zügen etc.[35], aber gerade das ist ja ein Widerspruch zur Ikonenmalerei, die niemals idealistisch sein will. „Es gibt in der echten kirchlichen Kunst keine Idealisierung, ebenso wie es das in der Heiligen Schrift und im Gottesdienst nicht gibt und nicht geben kann, weil die Idealisierung als Hineintragen eines subjektiven, beschränkten Elementes unvermeidlich in diesem oder jenem Maße die Wahrheit begrenzt oder gar verunstaltet."[36] Die Ikone aber strebt ja gerade nach höchstem Realismus, wenngleich nicht dem weltimmanenten Realismus, der normalerweise unter diesem Begriff verstanden wird. Insofern ist es etwas radikal Anderes, ob ein religiöses Bild die Züge der Heiligen idealisiert, also ein möglichst vollkommenes materielles Antlitz oder – wie die Ikone – das verklärte Gesicht zeigen will, auf das sich kein Kriterium der Schönheit mehr anwenden läßt. Von der eigentlichen Rundplastik führt der Weg über die Goldschmiedekunst[37] auch in die Buchmalerei, wofür die Kölner Königschronik (Chronica Regia Coloniensis)[38] als Beispiel dienen möge. Ein Vergleich mit der ebenfalls um 1240 entstandenen Lütticher Madonna „Sedis Sapientiae"[39] macht das Gesagte deutlich: dort ist in der Skulptur schon vollendet, was sich in der Tafelmalerei anbahnt: „sie hat nichts mehr mit der feierlich strengen Form der romanischen Sedesfiguren gemein. Das bewegte Fließen des Faltenwurfs bringt die Befreiung des Körpers zum Ausdruck. Der Körper scheint zu Leben und Lebendigkeit erwacht. Das Antlitz wird menschlich."[40]

Natürlich bleiben die Bildmotive dieselben, aber im Westen ging nun mit bestürzender Raschheit der liturgische Charakter der Kunst verloren. Indem man sie in zunehmendem Maße im Abendland einfach als ästhetisches Element zur Ausgestaltung der Gotteshäuser betrachtete (nachdem ihr bereits seit 794 keine dogmatisch-theologische Bedeutung mehr beigemessen wurde), wurde die westliche religiöse Kunst der Subjektivität einzelner Künstler ausgeliefert und verlor letztlich ihren sakralen Charakter.[41] Ähnliches geschieht übrigens im späten Mittelalter auch in der Hymnologie: auch dort tritt an die Stelle der dogmatisch durchformten Verkündigung der Heilsökonomie die emotional geprägte Individualmeditation. Ein gutes Beispiel hierfür ist der Hymnus des Arnulph von Löwen (um 1200 bis 1250):

„*Salve, caput cruentatum,*
Totum spinis coronatum,
Conquassatum, vulneratum,
Arundine verberatum,
Facie sputis illita. . . .

Omnis vigor atque viror
Hinc recessit, non admiror,
Mors apparet in aspectu,
Totus pendens in defectu,
Attritus aegra macie. . . .
Morti tuae tam amarae
Grates ago, Iesu care;
Qui es clemens, pie Deus,
Fac, quod petit tuus reus,
Ut absque te non finiar.
Dum me mori est necesse,
Noli mihi tunc deesse,
In tremenda mortis hora
Veni, Iesu, absque mora,
Tuere me et libera!"[42]

Stellen wir hier die orthodoxen Karsamstagshymnen gegenüber, so sehen wir, wie auf der einen Seite immer und immer wieder die heilsgeschichtliche Bedeutung des Kreuzestodes und Leidens Christi und die daraus resultierende Erlösung des gesamten Kosmos betont wird, während das mittelalterliche Abendland mehr und mehr die menschliche Seite des Leidens, die totale Agonie in den Mittelpunkt stellt als jenen Zug der Passion, der im Leben des einzelnen Menschen seine Entsprechung findet.

Folgende Verse sind auf der anderen Seite für die orthodoxe Sicht charakteristisch:

,,*Du, Christus das Leben, wurdest dem Grab übergeben. Erfüllt wurden die Heere der Engel mit Beben, die deine Herablassung erheben.*

Leben, wie stirbst du, wie bewohnst du gar das Grab? Des Todes Reich vernichtest du, des Hades Tote richtest du auf. . . . Es staunt auch die Geisterwelt, der Engel Schar, o Christus, ob des Mysteriums deines unsagbaren, unaussprechlichen Grabes. . . . Von Furcht wird völlig, o Wort, die ganze Erde verwirrt. Und die Sonne hat die Strahlen verhüllt, da du, das größte Licht, in die Erde entschwandest. . . .

Adam, der einst aus Neid getötet ward, ihn führst du durch deinen Tod zum Leben zurück, der du, Heiland, als neuer Adam im Fleisch bist erschienen.

Die Geisterheere sahen als Toten dich aus Liebe zu uns am Kreuz ausgestreckt: sie erschraken und haben sich, Heiland, mit ihren Schwingen bedeckt. . . .

Du ließest deine Seite durchbohren, du, der Adams Seite genommen und aus ihr Eva geformt, und hast hervorsprudeln lassen Ströme der Sühnung. . . .

Der Eine der Dreiheit erlitt im Fleische für uns den schmachvollsten Tod. Es entsetzt sich die Sonne, und die Erde erbebt. . . .

Auch wenn du, o Heiland, als ein hochragender Fels die Wunde erhieltest, so ließest du doch lebendig quellen den Strom, du Quelle des Lebens.

Wie aus einem Bronnen, der den zweifachen Strom deiner Seite ergießt, erquicken wir uns und schöpfen daraus das unsterbliche Leben."[43]

Daß diese Gedanken einstmals auch dem Westen in keiner Weise fremd waren, beweisen nicht zuletzt die lateinischen Improperiendichtungen der „Heilandsklage", welche wohl auf gemeinsame syrische Vorlagen zurückgehen dürften[44], und in denen sich bis heute der Trisagion-Gesang auch im Westen (wenigstens einmal jährlich) erhalten hat:

„Popule meus, quid feci tibi? Aut in quo contristavi te? Responde mihi!

Quia educi te de terra Aegypti: parasti Crucem Salvatori tuo . . .

Ego propter te flagellavi Aegyptum cum primogenitis suis: et tu me flagellatum tradidisti. . . .

Ego dedi tibi sceptrum regale: et tu dedisti capiti meo spineam coronam.

Ego te exaltavi magna virtute: et tu me suspendisti in patibulo Crucis.

Hagios o Theos – Sanctus Deus

Hagios Ischyros – Sanctus Fortis

Hagios Athanatos – Sanctus Immortalis eleison hymas – miserere nobis."[45]

Wie in der gottesdienstlichen Betrachtung, so hat auch in der westlichen Kirchenkunst die Anthropozentrik sich immer mehr an den Platz der alten allgemeinchristlichen Tradition gesetzt. An die

Stelle der verklärten Heiligen der Ikone treten idealisierte Menschen, die zwar in der Gotik noch durch die typischen Attribute, z. T. durch überkommene Gewandung und Reste der traditionellen Haltung als die Darstellungen von Heiligen kenntlich gemacht werden, die aber aus dem heilsgeschichtlichen Rahmen in den der irdischen Chronologie versetzt sind. Sie werden nunmehr alsbald auch in ihrer Kleidung, in der Landschaft, in denen sich die biblischen Szenen abspielen, in Haartracht und sonstigen modischen Beigaben Kinder ihrer Zeit, d. h. der Zeit des Malers und der Beschauer. So erklärt sich – worauf Kurt Seeberger einmal hingewiesen hat[46] – der immer raschere Wechsel der einzelnen Kunstepochen: während im Osten die Ikonenmalerei untangiert von den kurzlebigen Strömungen der Zeit die ewigen Wahrheiten verkündete, löst im Westen eine Stilrichtung die andere ab, in immer kürzerer Folge! In der religiösen Kunst der Gotik haben wir nicht mehr eine Darstellung vor uns, die den Himmel auf die Erde durchscheinen läßt, sondern sie wird „in den Himmel geworfen"[47] – aber erreicht sie auch ihr hohes Ziel? Man hat versucht, diesen Unterschied orthodoxer und abendländischer Kunst als den zwischen einer Rolle der Bilder als „vitium infirmitatis" bzw. als „indicium libertatis" zu sehen, und behauptet: „Für den Osten sind Bilder ein Zeichen seiner inneren Unsicherheit, für den Westen Zeichen seiner Freiheit. . . . Was aus den Karlsbüchern spricht, ist eine größere Weite, die Chance zu größerer Freiheit!"[48] Aber ist es nicht eher so, daß hier an die Stelle Gottes der Mensch als „tertium comparationis" aller Welt gestellt wird, daß hier das Geschöpf den Platz des Schöpfers einzunehmen sucht, sein will „wie Gott" (Gen. 3,4). So treffen wir seit der Hoch-, spätestens aber seit der Spätgotik auch in zunehmendem Maße Nebenszenen z. T. humoristischen Charakters an, welche der Vermenschlichung des Dargestellten dienen.[49] Den wohl größten Wandel machen die Gestalten der Engel und des Kindes Jesus durch: Stefan Lochners „Madonna im Rosenhag" (um 1448)[50] ist nur ein, allerdings besonders markantes Beispiel. Diese Bilder verlieren langsam sogar den eigentlich religiösen Zug: es sind mehr und mehr im wesentlichen profane Bilder geworden, die sich – zu welchem Zwecke auch immer! – einer pseudo-religiösen Thematik bedienen. Gerade die „berühmtesten Meisterwerke sakraler Kunst hat man anhand von natürlichen Modellen angefertigt. . . . Nicht selten hat man sogar die gleiche Frau in einem Bild als sinnliche ‚ruhende Aphrodite‘, in einem anderen aber als Gottesmutter dargestellt!"[51] Und oftmals ist es allein ein zart angedeuteter Heiligenschein, der uns ahnen läßt, daß etwa die Darstellung zweier vornehm gewandeter und schöner Jünglinge auf dem Altar der Kirche San Miguel in Tarrasa – um nur ein Beispiel zu nennen – eigentlich diejenige zweier altchristlicher Martyrer sein soll.[52]

Was mit den „Libri Carolini" begann, findet in der Renaissance seine verhängnisvolle Vollendung: der – möglichst entblößte – menschliche Körper wird zum Ziel künstlerischen Schaffens: letztlich gelangt hier die westliche religiöse Malerei an ihr Ende. Was wir noch vorfinden, ist eine rein weltimmanente, dem Fleischlichen zugewandte Kunst, die sich zwar gelegentlich ihre Motive aus der christlichen Überlieferung nimmt – wenn sie nicht die heidnischen Mythologien der Antike vorzieht – ohne jedoch in irgendeiner Weise eine sakrale Darstellungsweise zu kennen.

Seltsamerweise sollte hier gerade jenes Land führend werden, das bisher noch am ehesten der Ikonentradition treu geblieben war (welche ja auch für die Jahrhunderte der Alten Kirche seine eigene gewesen war): Italien. Dort waren nicht nur (wie sie es bis auf den heutigen Tag sind) die alten Ikonenbildnisse – insbesondere jene der Gottesmutter, die man teilweise dem hl. Lukas zuschrieb (etwa in Santa Maria Maggiore) – immer Zentren gläubiger Verehrung geblieben, sondern hatte auch das Beispiel der altchristlichen Fresken, der ravennesischen Mosaiken und anderer hervorragender Erzeugnisse der alten Sakralkunst lange Zeit seinen normativen Charakter behalten, wozu auch der trotz des Schismas immer noch relativ enge Kontakt zu Konstantinopel sein Teil beitrug. Ein gutes Beispiel hierzu ist Duccio di Buoninsegnas Einzug Christi in Jerusalem, welcher zu Beginn des XIV. Jahrhunderts noch in der eigentlichen Ereignisdarstellung Ikone ist.[53] Einzig und allein der Hintergrund (d. h. der Versuch, eine Stadt realistisch wiederzugeben) zeigt an, daß auch hier ein neuer Geist Einzug hält. Eine nächste Etappe auf dem Wege kennzeichnet Giotto, dem Boccaccio nachrühmt:

,,. . . (er) hatte einen Geist von solcher Erhabenheit, daß unter allen Dingen, die die Mutter Natur unter dem Kreislauf der Sonne erzeugt, nicht ein einziges war, daß er nicht mit Griffel und Feder so getreulich abgebildet hätte, daß sein Werk nicht das Bild des Gegenstandes, sondern der Gegenstand selbst zu sein schien, so daß es bei seinen Werken sehr oft vorkam, daß der Gesichtssinn der Menschen irrte und das für wirklich hielt, was nur gemalt war."[54]*

So sind die Fresken in der Arena-Kapelle zu Padua, die Giotto zwischen 1305–1310 erstellte, zwar oftmals in der Anordnung der Szenen noch dem byzantinischen Vorbilde, der sog. ,,maniera graeca", wie man es im Italien der damaligen Zeit nannte, verwandt[55], doch sind die Personen schon zu irdischen Menschen geworden, und ,,nicht nur die Figuren konstituieren kraft ihres Volumens Raum, sondern auch Landschaften und Architekturen tragen mit Hilfe perspektivischer Fluchtlinien und tiefenhafter Stufung zur Schaffung des Bildraumes bei . . . Die Themen der Heilsgeschichte, noch in der Malerei des Dugento in die überwirkliche Sphäre von Zeit- und Raumlosigkeit entrückt, werden zu unmittelbar ergreifenden Darstellungen menschlicher Stimmungen und Emotionen."[56]

Mag auch die ,,maniera graeca" noch nicht sofort verschwunden sein, so macht sich doch hier fatal bemerkbar, daß hinter dieser Darstellungsweise auch für die italienischen Künstler keine Geisteshaltung mehr steht, sondern sie als ein beliebiger Kunststil betrachtet wird, den man ruhig beiseite schieben kann. Neben nordischen Einflüssen, die – vor allem über Burgund – zunehmen, wird das Vorbild der heidnischen Antike immer mächtiger.[57] Hand in Hand damit geht ein zunehmender Verlust des geistlichen Ernstes der Darstellungen mit religiöser Thematik: aus der Theotokos wird ein hübsches junges Mädchen[58], aus dem fleischgewordenen Logos des Vaters ein strampelndes Knäblein, selbst die Dämonen verblassen zu wunderlichen, aber irgendwie amüsanten fledermausgeflügelten Hunden.[59] Es besteht kein Unterschied mehr zwischen der Darstellung heidnischer und christlicher Bildmotive.[60] Besonders offenkundig wird das Streben der Künstler nach vollendeter Wiedergabe des Materiellen bei der Vorliebe für Aktstudien der verschiedensten Art.[61] Die sakrale Kunst des Abendlandes ist erloschen: der Weg in die Hochrenaissance freigegeben.

Diese Beispiele sollen genügen: zur besseren Verdeutlichung des Gesagten wollen wir ihnen einige zeitgenössische Werke der Ikonenmalerei gegenüberstellen. So möge man etwa die bekannte Gottesmutter der ,,Rührung" (Umilenie) aus der Rostov-Suzdaler Schule des XV. Jahrhunderts – also sicher keinen übermäßig strengen Ikonentyp – mit der Madonna della Sedia Raffaels[62] vergleichen: dient nicht in diesem Gemälde das religiöse Motiv nur noch zur Kaschierung, denn wer würde in diesem Bauernmädchen ohne die Angabe des Titels (trotz des schwach angedeuteten Heiligenscheines) noch die Jungfrau Maria sehen, wer könnte – auch im Wissen um das angegebene Thema – in dieser Frauengestalt die Theotokos des Konzils von Ephesos wiedererkennen? Ähnliches gilt für das ,,Jüngste Gericht" Michelangelos[63] in der Sixtinischen Kapelle mit seinem Herkules-gestalteten Christus, bei dem man den Eindruck hat, nur dieses Motiv vermochte dem Künstler einen Grund zu einer solchen Fülle anatomisch und ästhetisch fesselnder Aktfiguren zu liefern; setzen wir hier eine nur wenig ältere Ikone der Novgoroder Schule[64] desselben Themas gegenüber, so wird klar, daß es sich um mehr als nur um zwei verschiedene Stilrichtungen handelt. Nicht von ungefähr tragen beispielsweise ,,Leonardos Madonnen keinen Glorienschein".[65] Wie sehr die meist auf einen dünnen Goldring reduzierten Gloriolenreste der Renaissance letzthin überflüssiges Beiwerk geworden sind, vermögen uns die beiden Versionen der berühmten ,,Madonna in der Felsengrotte"[66] aus dem Louvre bzw. der Londoner Nationalgalerie zu zeigen: ansonsten nahezu völlig identisch bilden die auf der Londoner Fassung zugesetzten Heiligenscheine praktisch das auffälligste Unterscheidungsmerkmal. Kann aber darin das Wesen christlicher Kunst liegen?

Ein letztes, etwas außergewöhnliches Beispiel soll noch angeführt sein: im Athos-Kloster Dionysiou findet sich ein 21 Szenen umfassender, sicher vor dem Jahre 1568 entstandener Freskenzyklus der Apokalypse, welcher erstaunliche Übereinkünfte mit den Holzschnitten von Hans Holbein aufweist, die sich in der 1523 bei Thomas Wolff in Basel gedruckten Ausgabe der Offenbarung finden. Diese Apokalypsedarstellungen sind zudem mit die ältesten

121

uns bekannten in der Ikonenmalerei; allerdings erfreuten sie sich
bald – besonders in der athonitischen Ikonographie – größter Beliebtheit, wo sie in vielen Klöstern die äußere Vorhalle des Katho-
likons schmücken, und auch in der dort gemalten Weise in die
,,Ermeneia" des Dionysios von Fourna Eingang fanden.[67] Es ist
viel darüber gerätselt worden, ob und in welcher Weise eventuell
die athonitischen Fresken auf die Holbeinschen (oder u. U. auch
etwas älteren Cranachschen) Illustrationen zurückgehen.[68] Doch
braucht uns dieser Punkt hier nicht zu interessieren: viel wichtiger
ist es im Rahmen unserer Überlegungen, die beiden Bilder gegenüberzustellen und so das Charakteristikum der Ikonenmalerei auf-
zuspüren. Obwohl nämlich nahezu alle Einzelheiten übereinstimmen und obwohl die athonischen Fresken ungleich größer
sind (zumeist 185 × 95 cm gegenüber nur 12,5 × 8 cm der Holzschnitte!) – also mehr Gelegenheit zur Detailanreicherung gegeben
hätten –, finden wir hier eine Transformation zu den klassischen
Formen der orthodoxen Ikonenmalerei. Besonders auffällig ist das
bei der jeweils 12. Szene, die die Frau auf der Mondsichel (Apk.
12,1–6) zeigt: aus der in Gewandung und Haltung an eine Bürgers-
frau erinnernden Muttergottes des Holzschnittes wird die als
Orantin dargestellte Theotokos, aus dem strampelnden Jesus-
Knäblein der erlösende Emmanuel, aus den landsknechtsähnlichen
Engeln werden die ,,himmlischen unkörperlichen Mächte". Charakteristisch aber ist vor allem die Darstellung Gottvaters: sie wird
in der Ikone nämlich ersetzt durch den Thronsitz des Allerhöchsten, der aber selber als nicht darstellbar, auch nicht in das Bild ge-
preßt ist.[69]

Beenden wir damit unseren Überblick über die Kunst der Renaissance[70] – sie bedeutet ja nicht nur eine Absage an die religiöse
Kunst im Abendland, sondern richtet sich auch ,,wider das traditionelle Christentum".[71] So mag es als Omen gesehen werden, daß
sich im Nachlaß desjenigen Malers, der die Renaissance auch nach
Deutschland führte, Mathis Grünewald, neben einem Rosenkranz
,,sonst viel schartecken lutherisch"[72]
vorfanden. Gerade die Kunst Grünewalds kann uns noch einmal
eindringlich vor Augen führen, welche Welten nunmehr die
abendländische Malerei – auch die religiös motivierte – von der or-

thodoxen und altchristlichen Ikone trennen: es wäre sicher ein großes Unrecht, Künstlern wie Grünewald (aber auch vielen anderen Malern der Gotik und Renaissance) eine echte Frömmigkeit und tiefes religiöses Gefühl absprechen zu wollen. Aber es ist eben „Gefühl", nicht mehr die Wiedergabe der objektiven Wahrheit Gottes. Ihre Emotionen mögen noch so rein sein – reiner vielleicht als bei manchem Ikonenmaler! – doch geben sie nicht oft nur das Menschliche, Allzu-Menschliche wieder? Das heilige Bild ist hier zum „Andachtsbild" geworden, zum Mittel der persönlichen Versenkung.[73] „Aber wird der Beschauer bei der Betonung menschlicher Schönheit – man denke etwa nur an die meisten Madonnen Raffaels – nicht von der irdischen Gestalt der abgebildeten Heiligen oft zu sehr gefesselt? Erlahmt zum mindesten nicht rasch der Aufstieg zum Himmlischen, zum Göttlichen? Man spürt das förmlich, wenn man den seelischen Eindruck, den ein betrachtender Gang durch ein Ikonenmuseum ausübt, vergleicht man jenem, der vor raffaelischen Madonnen erlebt wird. Der Gipfel religiöser Kunst scheint uns mit diesen nicht erstiegen zu sein"[74], urteilt Georg Wunderle – wobei nur hinzuzufügen ist, daß der Platz einer Ikone sicher nicht im Museum ist, d. h. die eigentliche Wirkung der Ikone sich nicht dem Kunstfreund, sondern dem Gläubigen eröffnet, wie ja überhaupt „auch der Kunsthistoriker das Eigentümliche an der christlichen Kunst überhaupt nie zu erkennen vermögen wird, wenn er nicht theologische Voraussetzungen mitbringt. Der christliche Kunsthistoriker muß also nicht nur ein tüchtiger Archäologe, sondern auch ein guter Theologe sein."[75]

In Grünewald haben wir einen Maler vor uns, der tiefes frommes Empfinden für das Leiden[76] wie das Schöne[77] hatte, der damit aber auch die Grenzen seiner Kunst aufweist: „einen gefühlsmäßig unmittelbaren Zugang zur frommen Weltanschauung des Meisters haben wir heute nicht mehr", stellt einer seiner Biographen fest.[78] Es ist dies jene ins persönlich Gefühlsmäßige transferierte Betrachtung der Heilsgeheimnisse, die uns schon bei Bernhard von Clairvaux begegnet[79], und welche doch so sehr der kosmischen Schau der Väter entgegengesetzt ist. Letztere soll stellvertretend der hl. Johannes Chrysostomos in einer Homilie zu Joh. 1,14 zeigen, bei der er interessanterweise gerade die Passion in den Mittelpunkt des

Erweises der göttlichen Herrlichkeit stellt:

„Wir staunen ihn (den menschgewordenen Gottessohn) an, nicht allein seiner großen Taten wegen, sondern auch wegen der Leiden, da er nämlich gekreuzigt, gegeißelt, angespien und geschlagen wurde von denen, deren Wohltäter er doch war. Auch diese Dinge, so schimpflich sie erscheinen mögen, verdienen Großtaten genannt zu werden, denn er selbst hat seine Leiden ja als Herrlichkeit bezeichnet. Es war nicht bloß die Wirkung der Liebe, sondern auch die seiner unaussprechlichen Macht. Durch diese wurde ja der Tod vernichtet, der Fluch aufgehoben, die Teufel wurden beschämt und im Triumphe gefangen geführt, der Schuldbrief der Sünden aber ans Kreuz geheftet. Weil aber Jesus dies alles unsichtbar bewirkt hat, mußten auch einige äußere sichtbare Dinge geschehen, um zu erweisen, daß er der eingeborene Sohn Gottes und der Herr über die ganze Schöpfung sei. Deshalb bebte, da noch sein heiliger Leib am Kreuz hing, die Erde, zog die Sonne ihre Strahlen zurück und alles wurde mit Finsternis bedeckt.“[80]

Man wird diese Gedanken schwerlich in den Kreuzigungsbildern Grünewalds wiedererkennen: dort wird das – vom Künstler in frommer Meditation – vermutete historische Geschehen abgebildet, aber hat dieser Tod für uns noch eine Bedeutung, die anders als von seiner heilsgeschichtlichen Entsprechung in der Auferstehung her interpretiert werden kann? Sind wir denn noch auf der Erkenntnisstufe Israels, dem zugerufen wird:

„Ihr Gesetzgeber Israels, ihr Juden und Pharisäer, der Apostel Chor ruft euch zu: Schauet den Tempel, den ihr zerstöret. Schauet das Lamm, das ihr gekreuzigt, dem Grabe übergabt. Doch aus eigener Macht ist es erstanden. Täuscht euch nicht, Juden. Denn derselbe ist's, der im Meere euer Retter und in der Wüste euer Nährer war. Er ist das Leben, das Licht und der Friede der Welt.“[81]

Nun hat es auch in der orthodoxen Kirchenkunst im Laufe der Zeit verschiedene Ausrichtungen gegeben, und wir kennen durchaus einige wenige, besonders prägende Künstler bei ihrem Namen. Aber ob es sich nun um einen Manuel Panselinos[82], um Theophanes den Griechen[83] oder Andrej Rublev[84] handeln mag, sie alle unterscheiden sich weit weniger als selbst westliche Maler der gleichen Epoche und Schule. Selbst wenn einige, vor allem sowjetische, Forscher in dem Bemühen, die Eigenständigkeit der russischen gegenüber der byzantinischen Malerei zu betonen, auch innerhalb Rußlands mehrere Ikonenmalerschulen (mit einem gewissen Recht!) unterschieden wissen wollen[85], so darf dies nicht zu dem Trugschluß führen, hier existieren verschiedene Stile von jenem Ausmaß, wie wir es im Westen kennen. Sicher, eine russische Ikone läßt sich unschwer von einer byzantinischen unterscheiden, aber die Künstler dürften doch „ihre Kräfte nicht zu einer wesentlichen Änderung der ihnen von ihren Vorgängern überlieferten Programme und Formen verwendet haben, um sich statt dessen mehr auf die Qualität der Wiedergabe des Übernommenen zu konzentrieren. Ihre Rolle kann mit der eines ausübenden Musikers unserer Zeit verglichen werden, der sich auf die Wiedergabe fremder Kompositionen beschränkt und einer solchen Interpretation eigene Nuancen gibt."[86] Im Zusammenhang vor allem mit der berühmten Pariser Psalmenhandschrift (Codex graec. 139) hat sich nun der Begriff der „Makedonischen Renaissance" der byzantinischen Kunst ausgeprägt[87]: aber hierunter ist doch etwas anderes zu verstehen, als unter der abendländischen Renaissance. Nie wurde das Bestreben aufgegeben, auch die u. U. verwandten, und gar gern verwandten antiken Inspirationen (etwa die Personifizierungen des Jordan, der Nacht etc.), zu „verchristlichen", und die Leistung der „makedonischen Renaissance" besteht eben vorrangig nicht „in einem exakten Kopieren und einer weitgehenden Einfühlung in den Stil und den Inhalt antiker Vorlagen, sondern in der Verschmelzung des Christlichen mit dem Antiken, nicht nur thematisch, sondern auch stilistisch. Das Ziel war, antike Körperlichkeit mit christlicher Entmaterialisierung zu verbinden und ein klassisches Schönheitsideal mit christlicher Durchgeistigung in Einklang zu bringen."[88] Insofern befanden sich diese Maler durchaus in Übereinstimmung mit der patristischen Tradition, auch das Gute an der Antike zu bewahren und zu einer Einheit mit dem Christentum zusammenzufügen. Es wird in der christlichen Kunst der Ikonenmalerei ja gleichwohl vom Inhalt her das Pagane bei aller teilweisen Kontinuität der Formensprache gesprengt bzw. gewandelt, so daß für Künstler wie Beschauer eine Assoziation mit dem Heidnischen der Vorlage kaum mehr besteht, sondern alles mit christlichen Augen gesehen, mit neuem Geist erfüllt wird. Vor allem darf aber nicht übersehen werden, daß auch die heidnische Spätantike und besonders die Mysterienkulte schon eine starke Tendenz zum Transzendenten aufwiesen und dementsprechend nach einer abstrakteren Formensprache gesucht haben. Für das Christentum ist das Transzendente nun zugänglich geworden und für den wirklich christlichen Künstler ist die Vergeistigung durch eine Entmaterialisierung des Körpers erreicht worden, wobei die äußere Form der antiken Körperwiedergabe durchaus gewahrt sein kann. Sie gewinnt aber einen zutiefst und genuin christlichen Sinn. Und hier liegt der Unterschied zur westeuropäischen Renaissance: diese geht teilweise sogar noch hinter die spätantike Transzendenz zurück. So empfängt sie auch – wie wir gezeigt haben – die stärksten Impulse von der antiken Skulptur, die aber in Konstantinopel als paganes Idol empfunden und von daher niemals zur religiösen Darstellung benutzt wurde, denn wie hätte man in ihr in adäquater Weise der Ikonentheologie Rechnung tragen können? Zwar gab es auch in Byzanz weiterhin Skulpturen, doch niemals als sakrale Kunst. Überhaupt müßte schärfer unterschieden werden zwischen der sakralen Malerei der Ikone und einer letzthin profanen Illustration weltlicher Werke: daß bei diesen gelegentlich stärkere Anklänge an antike Vorbilder auftreten, beweist in keiner Weise eine der westlichen Renaissance ähnliche Entwicklung in der Orthodoxie. Die ostkirchliche Kunst bleibt an die Norm der kirchlichen Tradition gebunden; Versuche, demgegenüber bedeutendere westliche Einflüsse auf die orthodoxe Ikonenmalerei aufzuzeigen – wie es u. a. in bezug auf Theophanes den Griechen[89] oder die griechischen Ikonen des XV. Jahrhunderts[90] versucht wurde, dürfen als widerlegt gelten[91] bzw. bleiben in ihrer Beweisführung sehr wenig überzeugend. Zwischen der Ikonenmalerei und der abendländischen Kunst tut sich vielmehr ein immer breiterer Graben auf. Dies verdeutlicht uns ein Maler, der seinen Weg als Schüler der Ikonenmalerei begann, aber im Westen zu höchstem Ruhm gelangte: Domenikos Theotokopoulos (1541–1614), bekannt unter dem Namen El Greco. Gerade bei El Greco, der durchaus in der Anordnung seiner Motive den byzantinischen Einfluß erkennen läßt und ihm auch irgendwie verhaftet bleibt[92], wird der Unterschied deutlich, der nunmehr die westliche und ostkirchliche Kunst trennt. El Grecos Werke sind persönliche Schöpfungen, die ein Mystiker auf Grund seiner eigenen Weltkonzeption schafft. So kann die veränderte Signatur seiner Bilder als symptomatisch gesehen werden: hatte El Greco in seinen ersten Werken noch nach Art der Ikonenmaler geschrieben, daß dieses Bild „von der Hand" (cheir) des Domenikos entstanden sei – wodurch die Ikonographen zum Ausdruck bringen wollten, daß sie zwar ihre Hand liehen, aber nicht die eigentlichen Schöpfer des Bildes seien – so tragen die späteren Werke den Vermerk „gemacht von" (epoei).[93] „Theotokopoulos besaß nicht das Gefühl, ein Vermittler des Göttlichen bei der Ausführung seiner Werke zu sein, sondern sah sie als rein persönliche Schöpfungen an."[94] Dies war inzwischen allgemeine Empfindung auch jener westlichen Künstler, die sich religiöser Themen widmeten, zumal als nach dem Fall Konstantinopels 1453 und dem Scheitern der Florentiner Union die direkten Kontakte in die orthodoxen Länder aufhörten bzw. auf ein Mindestmaß zusammenschmolzen.[95]

Hatte bisher die katholische Kirche im Abendland zumindest theoretisch die Beschlüsse des VII. Ökumenischen Konzils anerkannt und bewahrt, und hatte sie außerdem vor allem in Italien und zum Teil in Spanien und Irland auch eine Reihe von Kunstwerken, die wir als Ikonen ansprechen dürfen, in Ehren gehalten und als geistliche Schätze betrachtet, so traf dies für die nach der Reformation erwachsenden Gemeinschaften nicht mehr zu. Sicher hatte sich manches – und auf dem Gebiete der religiösen Kunst sogar vieles – in der römischen Kirche von der gemeinsamen Tradition der ungeteilten Kirche wegentwickelt, aber die Existenz dieser Tradition und ihre Rechtmäßigkeit zumindest für die Vergangenheit war doch nie in Frage gestellt worden. Dies sollte sich nun radikal ändern: so bildet denn die Bilderverehrung schon einen der Diskussionspunkte in dem von 1573 bis 1581 währenden Briefwechsel zwischen protestantischen Theologen der Tübinger Fakultät und dem Ökumenischen Patriarchat, genauer gesagt, dem Patriarchen Jeremias II. In dieser „theologischen Diskussion der Tübinger Theologen mit der Konstantinopler Kirche ist man auf protestantischer Seite zunächst sehr weit entgegengekommen in einer allgemeinen, freilich etwas unbestimmt formulierten Hochschätzung der Väter und Ökumenischen Synoden. Doch kommt es von Brief zu Brief deutlicher an den Tag, daß man in Tübingen nicht gewillt und in der Lage war, auch nur einen Schritt zu weichen von dem – später so genannten – ‚Formalprinzip‘ der Heiligen Schrift als dem alleinigen Maßstab aller christlichen Lehre. . . . Dagegen stehen auf der byzantinischen Seite von vornherein die vermittelnden Kräfte des Priestertums und der kirchlichen Überlieferung im Vordergrund: Der geweihte Priester, der die Mysterien (Sakramente) der Christusgemeinde vollzieht, und die heilige, von der Gesamtgemeinde rezipierte und getragene Tradition der Jahrhunderte sind diejenigen Mittler, die für das mit der Taufe anhebende Leben des Gläubigen in Christus unerläßlich sind, bis es sich dereinst im Jenseits in der unmittelbaren Gottesschau vollenden wird.“[96] Der offenbar recht irenisch gesinnte Patriarch hatte entgegenkommend in seinem ersten Schreiben vom 15. Mai 1576 gesagt:

„Gottlos ist es, und der Gemeinde Christi und ihren Kindern stände es nicht an, Heiligenbilder anders als im relativen Sinne zu verehren, deren Ehre dann auf das Urbild zurückgeht, wie Basileios sagt.“[97]

Aber er mußte sich von den protestantischen Theologen in ihrer auf den 18. Juni des folgenden Jahres datierten Antwort recht grob sagen lassen:

„Daß man sie (die Heiligen) aber anrufen müsse, damit sie uns als Mittler vor Gott vertreten, . . . billigen wir nicht. Auch nicht, die Heiligen und ihre Bilder kniefällig zu verehren bzw. sie durch Kirchen und Weihrauch zu ehren, damit wir nicht die Gott allein geschuldete Ehre auf Geschöpfe übertragen.“[98]

Aus der darauf folgenden Stellungnahme des Patriarchen in seinem letzten Schreiben vom 6. Juni 1581 spricht eine deutliche Rat- und Hilflosigkeit ob seiner seltsamen Diskussionspartner:

„Die Anrufungen der Heiligen haltet ihr für müßig, und deren Bilder und die ehrwürdigen Reliquien und die kniefällige Verehrung verwerft ihr, . . . Wir sagen dazu, daß die göttlichen Worte, die hierüber gesprochen sind, nicht von solchen Theologen, wie Ihr seid, erklärt worden sind. Auch ist der göttliche Chrysostomos oder

ein anderer jener seligen Theologen niemals wie von einem reißenden Strome mitgerissen worden. Nein, er wie die ihm folgenden göttlichen Männer waren voll des Heiligen Geistes, . . . Wir rufen auch alle Heiligen an, aber nicht als Heilande und Erlöser, das sei ferne! Denn einer ist der Heiland und Erlöser, Christus. Sondern als Mittler schicken wir, Sünder im Übel, die Heiligen vor, die schön und göttlich das Leben vollendet haben und vor Gott reichlich für uns eintreten. . . . Ihre Heiligenbilder verehren wir und die Reliquien küssen wir, welche unzähligen Heilungen denen spenden, die fromm hinzutreten. Großen Nutzen haben wir davon und werden an Leib und Seele erleuchtet."[99]

Offenbar war sich der Patriarch aber recht klar darüber, daß er seinen Standpunkt den westlichen Theologen dieser Provenienz kaum würde klar machen können, denn resigniert schließt er seinen Brief:

,,Wir bitten Euch, uns weiter keine Mühe mehr zu machen und nichts mehr über diese selben Dinge zu schreiben und zu schicken. Da Ihr ja die Leuchten und Lehrer der Kirche bald so, bald anders behandelt. Ihr ehrt und haltet sie hoch mit Worten, mit Taten aber verwerft Ihr sie. Unsere Waffen bezeichnet Ihr als unbrauchbar, dabei sind es ihre heiligen, göttlichen Worte, mit denen auch wir Euch zu schreiben und zu widersprechen vermochten. . . . Geht nun Euren Weg!"[100]

Es scheint den protestantischen Theologen letztlich nicht zugänglich gewesen zu sein, worin eigentlich der Kern der orthodoxen Argumentation bestand; für sie war dieses strikte Festhalten der apostolischen und patristischen Tradition im tiefsten unverständlich und – wie zu vielen anderen Dingen – hatten sie auch zur Ikone keinerlei innerlichen Zugang mehr. So begegnen wir bereits im ausgehenden XVI. Jahrhundert jenen Argumenten, die bis in unsere Tage das Vorurteil gegenüber den Ikonen bestimmen sollten:

,,Und (die Orthodoxen) wollen doch keine Götzendiener seyn, sondern streichen dieser Abgötterey ein Färblein an, sprechen, daß sie die abgestorbenen Heiligen in Ehren halten, das geschehe Schetticós[101], sie thun solches nit dem Bild, dem Gemäl und den Farben, sondern denen, die durch das Bild bedeut werden, dann solch Ehr-

erbietung gereicht auff die so durch das Bild bedeutet werden, nach dem Zeugnus, nit der Propheten oder der H. Schrifft, sondern Basilij, . . . als wenn Christus befohlen hätt: Was ihr den Vatter im Namen unn im Vertrauen auff mein liebe Mutter bitten werdet, das wil ich euch geben. In Kirchen haben sie keine geschnitzte Bilder von Stein oder Holtz, wie in unsern Kirchen, sondern allein gemahlte Bilder von Farben, . . . diese Bildnus wird von allen denen, die in die Kirchen hinein gehen mit Neigung und vielfältigem Bucken verehret und geküst, . . . in welchen Gemählen doch kein Kunst sich erzeigt, sondern seyn gar dölpisch und ungeschickt gemahlet."[102],

schreibt in seinem Werk ,,Ein newe Reyßbeschreibung auß Teutschland nach Constantinopel und Jerusalem" (Nürnberg 1608) der Hofprediger des kaiserlichen Gesandten in Konstantinopel Salomon Schweigger (1551–1622). Man merkt deutlich, daß die Argumente der orthodoxen Theologen letztlich gar nicht verstanden, sondern einfach auf dem Hintergrund der Kritik an der westlichen katholischen Heiligenverehrung gesehen und mitverurteilt werden, ohne daß man sich die Mühe macht, die Eigenart der östlichen Theologie (und hier speziell der Bilderverehrung) zu verstehen: die Bilder sind anders, damit aber ,,dölpisch und ungeschickt".

Und bei einer grundsätzlichen Kritik aller Ehrung der Heiligen bleibt natürlich erst recht kein Platz mehr für eine positive Wertung ihrer Bilder. Jene Polemik greift Platz, die nunmehr für Jahrhunderte die Stellung des Protestantismus zur Orthodoxie prägen sollte, und erst im XX. Jahrhundert – verbunden mit Namen wie Erich Seeberg, Karl Benz und natürlich Friedrich Heiler[103] – einer gerechteren Beurteilung wich.

Verständlicherweise bleiben auch die orthodoxen Apologeten nicht untätig: schon in der ersten Auseinandersetzung der russischen Theologie mit dem Protestantismus richtete man seine Angriffe gegen die Anhänger des neuen Glaubens als

,,*lutherische Bilderstürmer (ikonoborcy ljutorcy)*"[104]

Nun war man in Rußland für eine solche Diskussion wohlgerüstet, da auch die sog. ,,Judaisanten", eine im XV. Jahrhundert entstandene Novgoroder Sekte, gegen die Bilderverehrung polemisiert hatten, worin ihnen vor allem der Mönch Zinovij von Oten entgegengetreten war.[105] Ein Zeitgenosse Zinovijs, der ein Sendschreiben an einen – uns heute unbekannten – Lutheraner richtet (wahrscheinlich der einzige erhalten gebliebene Teil einer längeren Korrespondenz) – nämlich Parfenij Urodivyj[106] –, bleibt in seiner Argumentation zwar hinter derjenigen der Ikonodulen des VIII. und IX. Jahrhunderts an Tiefe und theologischer Geschlossenheit zurück, stellt aber doch die Grundzüge der orthodoxen Ikonentheologie richtig dar und beweist damit, daß diese auch nach fast 800 Jahren (und zudem in einem damals noch gar nicht missionierten Lande!) lebendige Wirklichkeit war. So stellt er klar, daß es sich bei den Ikonen keinesfalls um Götzenbilder handele, denn vor ihnen

„werden heute keine Opfertiere geschlachtet, und es wird vor ihnen auch kein Blut vergossen, wie es vor den alten Götzenbildern geschah . . . Vor den kirchlichen Ikonen werden geistliche Gebete und die Opfergabe, die aus dem Herzen steigt, dargebracht. . . . Nicht die Farbe und nicht das Holz verehren wir, sondern das Urbild (das auf den Ikonen dargestellt ist). . . . Darum ist es ein Unterschied, ob jemand sich vor einer Ikone oder vor einem teuflischen Götzenbild verneigt."[107]

Wie vorher Patriarch Jeremias muß auch dieser Mönch aus Suzdal erkennen, daß selbst die bei den oftmals verketzerten Lateinern immer noch latent vorhandene Übereinstimmung in der Bejahung der altkirchlichen Tradition bei den Protestanten fehlt und diese im Gegenteil die Argumente der Bilderstürmer wieder aufgreifen, ja noch übertreffen, denn letztere hatten ihre Kritik an den Ikonen immerhin nur bei der Frage angesetzt, ob denn das Göttliche dargestellt werden könne, ohne es aufzugeben. Die Protestanten hingegen erklären alle Bilderverehrung schlicht als Götzendienst. So bezweifelt Parfenij letztlich jeden Nutzen der Reformation und fragt sich:

„Was nutzt es, wenn einer jemanden aus einem finsteren und dunklen Kerker herausführt, nur um ihn in einen noch finstereren und noch dunkleren Kerker einzuschließen?"[108]

Bezeichnend für den tiefen Eindruck, den die protestantische Bilderfeindschaft bei den russischen Theologen ihrer Zeit hinterließ, ist die Tatsache, daß ein Werk des hl. Maksim Grek[109] gegen ikonoklastische Häretiker (unter dem Titel: „Slovo o poklonenii svjatych ikon, spisano protiv eretik") späterhin einfach unter der Überschrift „Gegen die Lutheraner" (Na ljutory) veröffentlicht wurde[110], obwohl Maksim mit Sicherheit „die Beziehungen zum Westen abbrach, ehe die Lehre Luthers sich dort hatte ausbreiten können."[111] Die protestantische Lehre erscheint den russischen Geistlichen „vor allem als eine Abart der von altersher bekannten bilderfeindlichen Häresie"[112], wie dies schon in dem ersten überhaupt bekannten anti-protestantischen Dokument, einem Sendschreiben des hl. Metropoliten Filipp II. von Moskau aus dem Jahre 1567 an das Kloster des hl. Kirill zum Ausdruck kommt:

„Die heidnischen Deutschen (poganye nemcy) sind in viele unterschiedliche Sektiereien verfallen, besonders aber in die lutherische Irrlehre, und haben die heiligen christlichen Kirchen zerstört, wider die heiligen und ehrwürdigen Ikonen gelästert und ratschlagen auch weiter böse gegen unseren frommen christlichen Glauben."[113]

So wird an vielen Stellen der Auseinandersetzung „deutlich, daß den Russen der Protestantismus zwar weniger gefährlich, aber in bezug auf seine Lehre und seinen Kult doch noch sehr viel verächtlicher als der Katholizismus erschien"[114] – und dies sicher nicht zuletzt wegen der reformatorischen Bilderfeindschaft.[115]

Für die griechische Orthodoxie hat sich die Frage der Bilderverehrung in einer noch direkteren Weise gestellt als für Rußland, in dem die lutherischen Lehren eigentlich nie eine Chance hatten. 1629 erschien nämlich in lateinischer Sprache in Genf unter dem Namen des Kyrillos Lukaris, der seit 1623 amtierender Patriarch von Konstantinopel war (nachdem er seit 1602 den alexandrinischen und kurzfristig auch 1612 schon einmal den Ökumenischen Thron innegehabt hatte), eine „Confessio fidei" in Genf, die er angeblich auch im Namen der übrigen östlichen Patriarchen geschrieben hatte.[116] Sie atmete solch calvinistischen Geist, daß Hugo Grotius sagen konnte, sie lese sich, als ob sie aus der „Institutio Christianae Religionis" Calvins abgeschrieben sei.[117] Natürlich verbreiteten die Calvinisten eifrig diese Schrift, schien sie doch zu beweisen, daß es ihnen – und nicht den Lutheranern! – schließlich noch gelungen sei, die orthodoxe Kirche mit ihrer Lehre zu vereinen. Bis heute ist ungeklärt, ob dieses Glaubensbekenntnis wirklich von Kyrillos stammt, der es manchmal als sein Werk anerkannte (vor allem in Briefwechseln mit Calvinisten), dann aber auch wieder ableugnete.[118] Nach der endgültigen (fünften!) Absetzung des Kyrillos – dem es zuvor mit Hilfe seiner calvinistischen, holländischen Freunde an der Pforte immer wieder gelungen war, den Patriarchenstuhl „zurückzuerobern" – trat im September 1638 in Konstantinopel eine erste Synode unter seinem Nachfolger zusammen, die die Lehren des Lukaris verurteilte.[119] Da es aber immer noch Anhänger des Verurteilten gab, mußten sich noch weitere Synoden mit dieser „Confessio fidei" beschäftigen, so zu Konstantinopel und Jassy (Moldau) im Jahre 1642[120] und schließlich zu Konstantinopel[121] und Jerusalem[122] 1672. Besonders letztere war von Bedeutung, da sie das Glaubensbekenntnis des Patriarchen Dositheos von Jerusalem (1669–1707)[123] zur verbindlichen orthodoxen Lehre erklärte.[124] Dort heißt es:

„*Da nun die Heiligen . . . Mittler sind und als solche von der Kirche Gottes anerkannt werden, müssen wir nun sagen, daß wir sie als Freunde Gottes ehren, die für uns zum Gott aller beten. . . . Weiter ehren wir das Holz des ehrwürdigen und lebensspendenden Kreuzes und verehren es kniefällig (proskynoūmen) . . . und sodann verehren wir kniefällig und ehren und küssen die Ikonen unseres Herrn Jesus Christus und der allheiligen Theotokos und aller Heiligen, und auch der heiligen Engel, wie sie unseren Vorvätern und Propheten erschienen sind. So stellen wir auch den Heiligen Geist so dar, wie er erschien, in Gestalt einer Taube. Wenn aber nun einige sagen, wir würden Götzendienst begehen, wenn wir die Heiligen verehren (timōntas) und die Ikonen der Heiligen und andere Dinge, so betrachten wir das als falsch und ungehörig. Denn anbeten (latreúomen) tuen wir nur Gott allein in der Trinität, und niemand sonst; die Heiligen jedoch ehren wir aus zwei Gründen: einmal wegen ihrer Beziehung zu Gott, denn wir ehren sie seinetwillen, zum andern aber um ihrer selbst willen, denn sie sind ja lebende Abbilder Gottes (oti zōsai eisin eikones tou Theou). Dies aber ist als Verehrung (doulikon) definiert worden. Die heiligen Ikonen verehren wir somit wegen ihrer Beziehung (schetikōs)[125], denn die ihnen erwiesene Ehre geht auf ihre Prototypen über. Wer also die Ikone verehrt, verehrt durch die Ikone das Urbild.*"[126]

Dositheos setzt sich dann noch mit dem Vorwurf des Götzendienstes auseinander und kommt zu dem Schluß, daß einmal die Anführung der alttestamentlichen Stellen unzutreffend sei, da die Ikonenverehrung ja keine Idole betreffe, andererseits aber dieser Brauch seit apostolischen Zeiten geübt würde, zumal auch im Alten Bunde ja durchaus – auf Gottes Geheiß – Bildwerke angefertigt wurden. Vor allem aber haben die Heiligen der alten Kirche und besonders das VII. Ökumenische Konzil die Ikonen verteidigt, denn

„es anathematisierte und unterwarf der Exkommunikation (aphorismō kathypovallei) all jene, welche die Ikonen anbeten, wie auch solche, die behaupten, die Orthodoxen würden Götzendienst begehen, wenn sie die Ikonen verehren. So tuen auch wir . . ."[127]

Wesentlich problematischer als der radikale Angriff auf die Ikonenverehrung, wie er vom Protestantismus und seinen Sympathisanten innerhalb der orthodoxen Kirche damals (und gelegentlich auch später[128]) geführt wurde, war aber ein anderes Problem, nämlich „die Kontroverse um die Erlaubtheit der neuen symbolischen Malweise, deren man sich in Moskau bei der Ausmalung des Goldenen Saales im Kreml und in der Kirche zu Svijask bedient hatte"[129] und die dadurch besonderen Rückhalt fand, daß der Moskauer Metropolit Makarij (1543–64) zu ihren Anhängern zählte.[130] Vor allem geht es dabei um einige neue Ikonentypen, die sich mit der traditionellen Auffassung nicht vereinbaren ließen, so etwa des Typus „Eingeborener Sohn, Wort Gottes"[131] oder jene symbolisch-didaktische Darstellung, die Gott-Vater in der Gestalt Davids zeigt, zusammen mit einem am Kreuz sitzenden jugendlichen Krieger-Christus.[132] Schon der mehrfach erwähnte Zinovij von Oten' lehnt diese Bilder ab, da sie einfach kein Abbild der Realität darstellen, sondern – weil die Ähnlichkeit mit der materiellen Wirklichkeit des Urbildes aufgegeben ist – zur Häresie werden.[133] „Ein Bruch geht durch die russische Ikonenkunst. Der dogmatische Sinn der Ikone ist nicht mehr durchaus bewußt, und die Erzählung gewinnt oft die Oberhand über die geistige Bedeutung. Es tritt auch eine ganze Reihe neuer Themen auf, die von abendländischen Stichen beeinflußt sind."[134] Verständlicherweise waren diese Einflüsse natürlich besonders stark in jenen Randgebieten des orthodoxen Raumes, welche dem direkten westlichen (d. h. hier katholischen) Zugang offen waren, wenngleich es auch dort immer noch eine Zeitlang dauern sollte, bis diese Überfremdung wirksam wurde. Zuerst tritt eine solche westliche Prägung des Ikonenstils in den Kreuzfahrerstaaten und auf den von italienischen Mächten, vor allem Genua und Venedig, besetzten griechischen Inseln auf (wenn wir hier von den griechischen Resten in Mittelitalien einmal absehen). „Am Ende des 12. Jahrhunderts wird Zypern von den Franken besetzt; diese Fremdherrschaft hat jedoch keine Auswirkungen auf die Kunst der byzantinischen Ikonenmalerei. Erst im XIV. Jahrhundert machen sie zunächst schwach, dann immer kräftiger westliche Einflüsse bemerkbar"[135], und eigentlich erst in der zweiten Hälfte des XV. Jahrhunderts wird der Einfluß der italienischen Renaissance in den Wandmalereien Zyperns vorherrschend. Wir können jetzt von einer italo-byzantinischen Schule sprechen (so wie es eine ähnliche auf Kreta gibt), doch wenn auch die Werke teilweise im italienischen Stil ausgeführt werden, bleibt die eigentliche Ikonographie zumeist byzantinisch. „Nur die Reliefhintergründe, die mit Ranken verzierten Nymben und die Darstellungen der nach westlicher Manier gekleideten Stifter verraten diesen Einfluß."[136] Jedoch kann uns ein Blick etwa auf die um 1400 entstandene Ikone der hl. Paraskeva[137], welche ein Medaillon mit dem leidenden Christus statt des üblichen Kreuzes in ihren Händen trägt – sicher westlicher Einfluß! – zeigen, wie äußerlich eigentlich diese Übernahmen sind: die Heilige selbst ist im byzantinischen Stil gemalt, der zwar lokales zypriotisches Kolorit gewonnen hat, aber voll der orthodoxen Ikonographie entspricht. Erst im XVII. Jahrhundert begegnen wir, etwa in der Verkündigung des Emmanuel Tzanfurnaris[138], starken italienischen Stileinflüssen, doch „desungeachtet hat sich auf Zypern der byzantinische Charakter der Ikonenkunst erhalten, und die Ikonenmaler der Insel sind weiterhin bemüht, sich nach den byzantinischen Vorgaben zu richten"[139], wie Erzbischof Makarios III. feststellt. Dank der türkischen Eroberung im XVI. Jahrhundert wird auch der byzantinische Einfluß wieder stärker.

Anders sieht es natürlich in jenen orthodoxen Randgebieten aus, die 1595 durch die Brester bzw. 1646 durch die Užgoroder Union direkt dem römischen Einzugsgebiet unterworfen wurden. Mit manch anderen westlichen Gebräuchen in Liturgie und Kirchendisziplin[140] kamen auch die römisch-katholischen Heiligenbilder: so finden wir ab der Mitte des XVII. Jahrhunderts besonders im Karpathenraum zunehmend sowohl (als Folge des Abgeschnittenseins vom byzantinischen Kulturkreis) folkloristische Gestaltungen wie auch eine Assimilierung der Kunst an die römisch-katholische Umwelt, die schließlich soweit geht, daß diese ,,Ikonen" dann ,,im XIX. Jahrhundert zum abendländischen Andachtsbild (werden), das nur noch seiner Funktion nach Ikone ist, seiner künstlerischen Aussage nach aber dem religiösen okzidentalen Bild entspricht."[141] Es ist sehr anzunehmen, daß bei dieser Entwicklung wiederum die seit dem XVII. Jahrhundert immer mehr verbreiteten Stiche und Holzschnitte eine Rolle gespielt haben. Da wir es hier zumeist mit bäuerlich unbeholfenen Malern zu tun haben, die keine anderen Kontakt zu den Zentren der Ikonenmalerei in Rußland oder Griechenland hatten, ist auch das folkloristische Element ungleich stärker: zuerst begegnen uns Randfiguren in Volkstrachten, während die eigentlichen Hauptpersonen der Ikone auch weiterhin nach dem alten Schema wiedergegeben werden.[142] Erst im XVIII. und XIX. Jahrhundert treten dann auch fast rein abendländische Darstellungen auf.[143] Die ,,Einbeziehung von Landschaft und Trachten der Umwelt des Malers wird konsequent weitergeführt. . . . Als Maler treten auch zunehmend Künstler auf, die ihre Ausbildung an Kunstschulen oder bei Meistern absolviert haben, die an Akademien ausgebildet waren, und sie verzichteten bewußt auf einen Rückgriff auf die traditionellen Formen der Ikonenmalerei. . . . Solche okzidentalen Bilder als Ikonen entsprechen wahrscheinlich dem Wunsch der Geistlichkeit und der Gemeinden dieser religiösen Minderheit nach Gleichstellung mit den abendländischen Kirchen."[144]

Ähnlich mögen auch die Motive jener gewesen sein, die im Rußland des XVII. Jahrhunderts für eine stärkere Angleichung der Ikonen an die okzidentalen Gemälde eintraten. ,,Der ,homoterrenus' mit seinen weltlich-menschlichen Zügen wollte sich – hauptsächlich von westlichen Einflüssen getragen – in die heilige Ikone eindrängen."[145] Wir hatten schon erwähnt, daß sich die Hundert-Kapitel-Synode und ein Jahrhundert später das Moskauer Landeskonzil von 1666/67 mit solchen eingedrungenen Ikonentypen beschäftigen mußte.[146] Dabei war es u. a. um jene sicher auf westlichen Ursprung zurückzuführende Darstellung gegangen, welche die Trinität entweder in Form der Paternitas-Darstellung[147] oder auch nebeneinander thronend[148] zeigten[149], und sowohl der klassischen byzantinischen Dreifaltigkeit[150] wie auch der anderen kanonischen symbolischen Malweise (in der Gestalt eines Thrones – Symbol des Vaters, eines darauf liegenden Buches – für den Logos, und der Taube des Heiligen Geistes)[151] widersprachen.[152]

Hier ist der westliche Einfluß unverkennbar, aber auch bei dem anderen diskutierten Dreifaltigkeitstypus, der damals neu in die östliche Ikonenmalerei eindrang, nämlich der Darstellung der Trinität als eines Menschen mit drei Köpfen[153] dürfte er vorhanden sein, wie eine zeitgenössische Kölner Barockskulptur beweist.[154]

Die kirchliche Hierarchie in Rußland versucht, den neuen Strömungen zu wehren: so wissen wir von Patriarch Nikon (1652–58), daß er am Sonntag der Orthodoxie abendländisch beeinflußte Ikonen vernichten und ihre Maler sowie deren Auftraggeber mit dem Bann belegen ließ, und der vorletzte der alten russischen Patriarchen, Ioakim (1674–1690), schreibt in sein Testament:

„Im Namen unseres Herrn ist es mein letzter Wille, daß es vorgeschrieben werde, die Ikonen des Gottmenschen, der heiligsten Gottesgebärerin und aller Heiligen nach alten Vorbildern zu malen . . . Daß sie nicht nach den lateinischen oder deutschen entgleisten Bildern oder nach ungebührlichen, von persönlicher Willkür erfundenen, die Überlieferung unserer Kirche verderbenden Vorbildern gemacht würden; daß die regelwidrigen Bilder, die sich in den Kirchen befinden, daraus entfernt werden."[155]

Doch trotz dieser Mahnungen geht der Verfall weiter: „der Grund davon ist eine tiefe geistige Krise, eine Verweltlichung des religiösen Bewußtseins, infolgedessen . . . nicht mehr nur einzelne Elemente der abendländischen religiösen Kunst, sondern deren der Orthodoxie fremden Grundsätze selbst in die russische Kirchenkunst einzudringen begannen. . . . Der symbolische Realismus, der auf geistiger Erfahrung und Schau gegründet ist, verschwindet, weil die Schau fehlt und die Kunst sich von der Überlieferung löst."[156] Besonders tragisch dürfen wir es nennen, daß auch hier die Spaltung der russischen Kirche von 1666/67 zum Verlust der eigentlichen kirchlichen und nationalen Tradition führen sollte, obwohl dies sicher niemals auch nur im entferntesten von Patriarch Nikon geahnt worden war, da er doch gerade unter dem Banner der Wiederherstellung aufgegebener Traditionen kämpfte.[157] So wetterte schon das Haupt des Altgläubigentums, der Erzpriester Avvakum, gegen die neue Ikonenmalerei:

,,Gott hat es zugelassen, daß wir im russischen Lande eine Zunahme des falschen Ikonenmalens erdulden. Die Maler malen so, und die Authoritäten sehen ihnen dabei noch mit Wohlgefallen zu, und alle wallfahren zu diesen Abgründen des Verderbens, so da nebeneinander hängen. So malen sie das Antlitz des Erlösers Emmanuel mit aufgeblasenem Gesicht, rotem Munde, Ringellöckchen und dicken Schenkeln und Muskeln; die Beine haben genauso lange Schenkel, und das ganze sieht aus wie ein Deutscher[158] – es fehlt nur noch der Säbel an der Hüfte. All dies wurde ausgedacht von dem maledeiten Nikon da[159], nämlich, Ikonen so zu malen wie lebendige Leute. . . . Die alten, guten Maler aber malten die Heiligen anders: nämlich Gesicht und Hände und alle Gefühle verfeinert und abgezehrt durch Fasten und Mühen und allerlei Plagen. Da ihr aber nun ihre Abbilder verändert habt, malt ihr sie, als wären sie welche von euch!"[160]

So waren es die Altgläubigen, welche in den folgenden Jahrhunderten den strengsten Stil der Ikonenmalerei nicht nur bewahrten[161], sondern auch vehement verteidigten.[162] Fatalerweise trug diese Parteinahme – die zudem im üblichen polemischen Stil der Altgläubigen vorgetragen wurde[163] – gerade dazu bei, die ,,neue Richtung" der Ikonenmalerei – welche übrigens auch heute noch in Griechenland mit dem Attribut ,,klassisch" (klassikē) bezeichnet wird (im Gegensatz zur sog. ,,byzantinischen" Malweise) hoffähig zu machen und die wahre Ikonenkunst zu diskreditieren: ,,der altgläubigen Ikone haftete nun das Brandmal (klejmo) des ,Altgläubigentums' an, aber die demütige Nachäffung des Katho-

lizismus wird bis heute für orthodox erachtet und als solche über-
zeugt von vielen Hierarchen und Gläubigen verteidigt!"[164], sagt
Leonid Uspenskij leider immer noch zu Recht. Es bestätigt sich
auch hier das Wort Aleksandr Solženicyns, daß die russische Kir-
chenspaltung des XVII. Jahrhunderts vielfach eine „Selbstver-
nichtung der russischen Wurzel, des russischen Geistes, der russischen Ganzheit" war, denn „nur weil sie (die Altgläubigen) keine
seelische Wendigkeit besaßen, allzu schnelle Empfehlungen der
angereisten griechischen Patriarchen anzunehmen, dafür, daß sie
Zweifingerbekreuzungen beibehalten haben, so wie sich unsere
ganze Kirche 700 Jahre bekreuzigt hat, verurteilten wir sie zu Verfolgungen, die denen glichen, die uns allen dann die lenin-
schen-stalinschen Atheisten zurückgegeben haben."[165]

Zwar hielten ursprünglich auch in der Synodalperiode Rußlands
noch die meisten Maler, vor allem in Nordrußland, an der alten
Malweise fest, aber mehr und mehr setzen sich jene Tendenzen
durch, die wir schon bei den ukrainischen Künstlern des XVII.
Jahrhunderts beginnen sahen: so finden wir beispielsweise auf einer Ikone des hl. Johannes in der Wüste von Tichon Filat'ev aus
dem Jahre 1689[166] eine wohlausgestaltete und von vielen Tieren
naturalistischer Darstellungsart (sogar einem Elefanten) belebte
Landschaft. Mehr und mehr werden auch – besonders in der Stroganov-Schule, und hier vor allem von den Malern Prokopij Čirin
und Nikifor Savin[167] – die Gewänder der Heiligen den zeitgenössischen angenähert. Überhaupt bleiben die Gesichter der dargestellten Figuren anfänglich noch stärker der Ikonenmalerei verhaftet,
während die Gewänder und Umgebungen immer rascher dem Ma-
nierismus verfallen.[168] Mit Simon Fedorovič Ušakov (1626–1686)
tritt dann zu Ende des XVII. Jahrhunderts der Umschwung ein:
seine Bilder sind schon kaum mehr als Ikonen anzusprechen, sondern entsprechen beinah ganz dem westlichen Barockstil[169], wobei
allerdings festzuhalten ist, daß sich die Motivauswahl der abendländischen Kunst inzwischen stark gewandelt hat: die Heiligen des
okzidentalen Barock haben auch den letzten Rest eines Heiligenscheines abgelegt und bewegen sich in zwar vielleicht großartigen,
aber doch letztlich irdischen Szenen, die keine Verwandtschaft zu
den alten ikonographischen Anordnungen (etwa der Gottesmutter

mit dem Kind auf dem Arm etc.) mehr erkennen lassen.[170] Das einzige Ziel ist die absolute irdische Realität geworden; soweit aber hat sich ostkirchliche Malerei in ihrer tiefsten Verflachung nie verstiegen.

Es wird oft übersehen, daß die Zeit des Niedergangs in der Ikonenmalerei auch einen Tiefstand der eigenständigen orthodoxen Theologie signalisiert. „Es war eine scharfe Romanisierung der Orthodoxie . . . Hier werden nicht nur der Ritus und die Sprache der Latinisierung unterzogen, sondern auch die Theologie und die Weltanschauung und die religiöse Psyche selbst. Es wird die Seele des Volkes latinisiert . . . Dieser Kryptoromanismus war kaum weniger gefährlich als die Union selbst."[171], urteilt in aller Schärfe Erzpriester Georgij Florovskij, und ein anderer russischer Theologe, der spätere engste Mitarbeiter des Patriarchen Tichon, Archimandrit Ilarion (Troickij), stellt fest: „Die scholastische Theologie behauptete sich in allen geistlichen Schulen, die im 18. Jahrhundert entstanden waren . . . Man berief sich auf Thomas von Aquin als auf eine Autorität . . . Lateinische Sprache und lateinische Theologie herrschten in der geistlichen Schule noch im 19. Jahrhundert. . . . Die fremde Theologie wurde sozusagen gewaltsam in den russischen Boden gepflanzt . . . Westliche Häresien standen der russischen Regierung näher und waren ihr verständlicher als die östliche Theologie . . . Man klammert sich an die scholastische Hohlheit, weil man keine lebendigen theologischen Überzeugungen hat."[172]

Es ist kaum verwunderlich, daß man in einer solchen Zeit auch keinen inneren Vorbehalt mehr gegen die Übernahme der westlichen Kunstformen aufbrachte, ja selbst die Kritik des Protestantismus verständnisvoll betrachtete[173], da man doch teilweise „die Orthodoxie für einen eigenartigen, gemäßigten und ritualistischen Protestantismus hielt".[174] Die Verteidiger der Bilderverehrung vermeinten daher, ihre besten Waffen aus dem Arsenal der römisch-katholischen Polemik gegen den Protestantismus holen zu können, wie es beispielsweise in dem berühmten „Fels des Glaubens" des Metropoliten Stefan (Javorskij) (1658–1722)[175] geschieht, wo gleich das 1. Kapitel über die Ikonen handelt:

„Wenn der Bilderstürmer anfängt, dich zu verleiten, indem er

sagt: Die Götzenbilder fallen zur Erde und die Ikonen ebenso; die Götzenbilder werden gestohlen, mit ihren Augen sehen sie nicht, mit ihren Ohren hören sie nicht, und mit ihren Fingern fühlen sie nicht – und die Ikonen ebenso: – dann sollst du ihm in gleicher Weise sagen: der Hund ißt und trinkt und du ebenso, der Hund sieht, hört, riecht – und du ebenso. Also bist du in nichts besser als der Hund: und auf die gleiche Weise, wie er antwortet, so antworte du auch ihm. Wenn er sagt: in Essen, Trinken usw. bin ich mit dem Hunde gleich, habe aber andere Vorzüge, durch die ich den Hund weit übertreffe, so sage auch du ihm: die Ikone ist heilig, wenn sie auch manches mit den Götzenbildern gemein hat, daß sie nämlich fallen, getragen und gestohlen werden kann usw., durch andere Vorzüge aber ist sie von einem Götzenbild durch viel größere Entfernung getrennt als du vom Hund." [176]

Wir merken unschwer, welch neuer Geist hier herrscht: auf diese Weise die Rechtmäßigkeit der Ikonenverehrung anzugehen, wäre keinem der orthodoxen Theologen vorher eingefallen. Das eigentliche Spezificum der Ikone ist so auch nicht mehr erfaßt, sondern eher die Berechtigung von Heiligenbildern.

Mit dieser Ansicht aber steht Metropolit Stefan nicht allein, auch für den hl. Nikodemos vom Berge Athos (1749–1809) [177] besteht der einzige – negative – Unterschied zwischen den römisch-katholischen Heiligenbildern im Vergleich zu den Ikonen darin, daß erstere

„nicht die Namen der Heiligen auf ihre Ikonen schreiben".

Im übrigen aber betont er das historische Moment der Darstellung und verurteilt deshalb die Aufnahme des hl. Paulus auf Ikonen der Auferstehung und der Himmelfahrt Christi und andere

„Ungereimtheiten

der orthodoxen Ikonen, welche

„die Ikonenmaler aus Unwissenheit und schlechter Angewohnheit begehen. . . . Dies muß ausgemerzt werden, wobei man sich zudem bemühen sollte, daß die Ikonenmaler zu verständigen und geschmackvollen Künstlern werden." [178]

So kam es sowohl im griechischen wie im russischen Raum zu einer steigenden westlichen Beeinflussung der Kirchenkunst, die – zumindest in Rußland – Hand in Hand mit der Überfremdung der

Theologie ging. Der große Starez Paisij Veličkovskij[179] bekennt, daß er in der Kiewer geistlichen Akademie – als rühmliche Ausnahme! –

„die dort so häufig erwähnten heidnischen Götter und Göttinnen und die pietistischen Fabeln von Herzen gehaßt habe".[180]

Aus diesem Geiste der westlichen Scholastik – die höchstens zwischen der römischen und der reformatorischen Variante schwankte – entstand der Erlaß der Kaiserin Katharina II. vom Jahre 1767, in dem die Ikonen

„sittenverderblichen und fremdartigen Aussehens"[181]

verurteilt werden: hierunter aber versteht man nunmehr bereits die Zeugnisse der alten, genuinen orthodoxen Ikonenkunst. So werden aus der Maria-Entschlafen-Kathedrale in Vladimir die Ikonen Andrej Rublevs entfernt und durch Barockgemälde ersetzt, auf denen die Darstellung der hl. Katharina die Züge der Kaiserin trägt. Der sog. „italienische Stil" triumphierte – wie in den Ikonen, so auch in der Architektur. Die 1732 vollendete Peter- und-Pauls-Kathedrale in der St. Petersburger Festung erinnert (sieht man einmal von der überlangen Spitze des Turmes ab), an eine deutsche protestantische Kirche und ihre 1727 erstellte Ikonostase ist nur mit Mühe als solche zu erkennen: die eigentliche Ikonostase ist nämlich zu einer Verkleidung der nebenstehenden Säulen geworden und ähnelt (von der fehlenden Mensa abgesehen) römisch-katholischen Barockaltären, während die Königstüren – stark erniedrigt – weite Flügel bilden, die einen nahezu ungehinderten Blick auf den Altar freigeben (man meint eine wohlgestaltete Kommunionbank zu sehen!). Flankiert wird sie von zwei lebensgroßen barocken Engelstatuen.[182]

Gerade Rundplastiken, die es seit der Ausprägung der Ikonentheologie höchstens noch als lokale folkloristische Sonderheiten (und dann auch nie als Entsprechungen zu Ikonen, sondern bestenfalls als Kreuzigungsgruppen o.ä.) gegeben hatte[183], wurden nun wieder hoffähig. Es handelt sich dabei nicht – wie in Griechenland – um Reliefdekors (zumeist in Holzschnitzerei) aus „in sich verschlungenen Zweigen, wilden Rosen, Tieren und Vögeln aller Art, besonders Weinreben mit Trauben, in erhabener Relief- oder vertiefter Bohrtechnik gearbeitet"[184], sondern um regelrechte

Statuen mit allen barocken Kennzeichen.

Wenn man alte Ikonen behielt, so verschwanden sie doch zumeist hinter mehr oder minder künstlerisch gearbeiteten Beschlägen aus Gold- oder Silberblech (und natürlich z. T. auch weniger kostbarem Material). Schon im XVII. Jahrhundert hatte sich im griechischen Raum – um den Ikonen eine zusätzliche Verzierung zu geben – vielfach die Sitte durchgesetzt, nicht nur die Außenränder mit geschnitztem Ornament zu versehen, sondern auch kunstreiche Rocaillen als Krönungen des Malbrettes zu arbeiten und durch Verzapfung aufzusetzen. Bald breitete sich die Freude am Ornament auch in die goldenen Hintergründe aus – vor allem natürlich wieder in den Randzonen der byzantinischen Kunst. ,,Das Gold bleibt nicht neutrale Fläche, sondern wird durch eingeritzte oder reliefierte Ornamente belebt. Einfache oder doppelte Bandstreifen gliedern den ganzen Hintergrund in ein dichtes Muster kleiner Felder (Rechtecke, Quadrate oder Rhomben), deren Mitte mit einer Kreisform oder einer schlichten Rosette verziert wird. Auch in den Heiligenscheinen ist ein eingeritztes oder reliefiertes Rankenornament häufig . . . – in ihren verschiedensten Varianten aus der Kunst der nichtorthodoxen Umwelt übernommen . . ."[185]

Solche ornamentalen Verzierungen greifen dann auf die gesamte Ikone – zuerst mit Ausnahme der Figur – über und werden bald nicht mehr nur in sie hineingepunzt, sondern als Metallarbeiten ausgeführt und aufgelegt[186], wobei sich weitere Gestaltungsmöglichkeiten mit Filigranarbeit, Edelsteinen etc. ergeben.[187] Von hier ist es – vor allem in Gegenden mit reicher handwerklicher Tradition in der Metallbearbeitung – nur noch ein kleiner Schritt zu einer fast vollständigen Bekleidung der Ikone, die nur noch Gesicht und Hände freiläßt. Es muß allerdings gesagt werden, daß diese Verkleidungen nicht erst der Spätzeit angehören: in Georgien finden wir bereits im X. und XI. Jahrhundert Ikonen, welche eine Metallverkleidung tragen, die nur die Antlitze ausspart[188] und ansonsten die Ikone in vollendeter Flachreliefarbeit wiedergibt. Man wird hierin aber wohl vordringlich Ausflüsse der reichen georgischen Metallkunst sehen müssen, die nicht zum Ziel haben, die eigentlichen Ikonen zu verdecken, sondern mit dem Metall Ikonen zu erstellen; denn gleichzeitig existieren auch vollends (einschließlich

der Gesichter) in Metall gearbeitete Ikonen in großer Zahl, die –
wie etwa die Gottesmutter von Tsageri aus dem XI. Jahrhundert –
keineswegs mehr als Beschläge von Evangelien oder anderen
Büchern, sondern als regelrechte Tafelikonen zu werten sind.[189]

Auch Verbindungen beider Formen (also getriebene Randikonen mit einer gemalten und verkleideten Mittelikone) kommen vor
– etwa auf dem bekannten Triptychon von Ančischati, dessen
Hauptstück aus den Jahren 1184–93 dann im XVII. Jahrhundert
von Bertauk Loladze um die Seitenflügel erweitert wurde.[190] Das
Neue liegt vielmehr darin – und dies läßt sich auch in der georgischen Kunst erkennen[191] – daß ab dem XVI. Jahrhundert diese
Verkleidungen mehr und mehr plastisch werden und damit sich
von der Ikonenkunst trennen: sie wollen nicht mehr Ikone in einem anderen Material sein, sondern den alten Ikonen die fehlende
Plastizität geben[192], oder aber doch den dort vermeintlich fehlenden Schmuck durch besondere Kostbarkeit (Edelsteine, Perlen-
stickereien, Filigranarbeiten) ersetzen.[193] Im alten Georgien – wie
gelegentlich auch in Byzanz[194] – hatte man sich des Metalls (zum
Teil ja aus einer vorchristlichen handwerklichen Tradition heraus[195]) bedient, um in ihm Ikonen zu schaffen: jetzt aber wird es
benutzt, um das Eigentliche der Ikonen zu verdecken und zu neu-
tralisieren.

Wenn wir uns allerdings in unserer heutigen Sicht scharf gegen
die Vernichtung alter Ikonen im beginnenden XVIII. Jahrhundert
bzw. ihren Austausch gegen „zeitgenössische" Malwerke wenden, so dürfen wir um der historischen Gerechtigkeit willen nicht
außer acht lassen, daß sich die alten Ikonen damals ja keineswegs so
präsentierten, wie wir sie heute kennen: die Ikonen des XIII.,
XIV. oder XV. Jahrhunderts waren bereits – z. T. seit Jahrhunderten! – unter dem schwarz gewordenen Firnis verschwunden, waren teilweise inzwischen mehrfach übermalt worden und boten
von daher oftmals alles andere als den Anblick der großen Kunstwerke, als die wir sie gewohnt sind zu sehen. So wird man die Frage
stellen dürfen, ob etwa Katharina II. wirklich die Rublev'schen
Ikonen der Mariä-Entschlafen-Kathedrale in Vladimir hätte gegen
die Barockikonostase austauschen lassen, wenn die Meisterwerke
Rublevs damals so ausgesehen hätten, wie wir sie heute in der

Tret'jakov-Galerie sehen. Man meinte eben, daß die Ikonen schwarz geworden seien und nichts mehr erkennen ließen (damit aber ihre Aufgabe auch nicht mehr erfüllen könnten!) oder von den mittelmäßigen Künstlern gemalt seien, von denen die letzte Übermalung stammte. So wanderten beispielsweise diese Ikonen Rublevs in den Ort Šuja – ein Dorf, für das sie gerade noch gut waren! Ihre großartige Schönheit ruhte verborgen vor den Augen der Menschen unter der späteren Übermalung, unter der mehr und mehr alles verdeckenden Schwärze des Firnisses, die langsam die ganze Ikone gleichsam zu verschlingen drohte, oder unter den schweren Metallverkleidungen, mit denen man dem altehrwürdigen Bilde womöglich etwas von seinem verlorenen Glanze und eine falsch verstandene Zeitgemäßheit wiedergeben wollte. Erst unserer Gegenwart mit ihren technischen Möglichkeiten der Restauration sollte der Weg frei werden zu den verborgenen Schätzen: man wird also gut daran tuen, jene Generationen nicht allzu sehr zu tadeln, denen er noch verbaut war und die deshalb anders zum Ziel zu kommen trachteten: Die Traditionen waren abgerissen. Jede Leere, jedes Vakuum aber ist bestrebt, das von außen Kommende in sich hineinzuziehen und sich so zu füllen: am nächsten aber lag damals, im XVIII. Jahrhundert, nun einmal die höfische und geistlich entleerte Kunst des Westens!

Was das XVIII. Jahrhundert in Rußland mit seiner Veräußerlichung begonnen hatte, sollte paradoxerweise die Mystizität des beginnenden XIX. Jahrhunderts vollenden: hatte man zuvor versucht, den westlichen Konfessionen durch eine möglichst gleichgeartete Theologie und Philosophie zu imponieren, so gedachten nun Alexander I. und seine Epigonen „alle Konfessionen und ,Kirchen' wenn schon nicht zu unieren, so doch zu vereinen nicht allein zu gemeinsamen Tun, sondern auch in einer irgendwie einigen Intention."[196] Es war dies jene Zeit, in der die zu errichtende Erlöser-Kathedrale in Moskau – die Dankkirche für den Sieg von 1812 – zuerst als ökumenisches Gotteshaus gebaut werden sollte.[197] Zwar besserte sich die Lage unter Nikolaj I. etwas in Form einer Rückkehr zu den als alt-russisch erachteten Formen – aber was man darunter verstand, illustriert am besten die nach den Plänen von Konstantin Andreevič Thon (1794–1881) dann im sog.

„russisch-byzantinischen Stil" 1837–80 ausgeführte Kirche[198], wie auch die anderen in gleicher Bauweise bzw. vom gleichen Architekten stammenden Gotteshäuser. Es ist dies dieselbe unglückliche Kopie eines vermeintlichen früheren Stils wie wir sie im Abendland in der Mehrzahl der neoromanischen und neo-gotischen Bauwerke vorfinden, wobei sich – besonders in der Erlöser-Kathedrale – noch zusätzlich der Hang zum Bombastischen negativ bemerkbar macht.[199] Was den Architekten billig, war den Ikonenmalern recht: zwar wird der direkte abendländische Einfluß in der Theologie zugunsten eines lebhaften Interesses an der eigenen Geschichte zurückgedrängt, aber er sollte doch bis zur Revolution in Form der vielfach versteinerten Schultheologie noch belastend genug bleiben.

In der Ikonenmalerei versuchte man so, einen nationalrussischen Stil dem „barbarischen byzantinischen" gegenüberzustellen, der zudem der emotionalen Frömmigkeit des Volkes oftmals so wenig entgegenkam. Auch in Rußland zeichnete sich das XIX. Jahrhundert durch eine weitgehend auf das gefühlsmäßige Erleben hin orientierte Frömmigkeit aus – und die schwärmerischen Neigungen mancher führender Kreise kamen dem nur allzu sehr entgegen bzw. trugen es mit. Was Wunder, daß man gerade für die Bilder der Nazarener, die Goethe seinerzeit als „neue frömmelnde Unkunst" abgetan hatte[200], größte Hochachtung empfand und sie nachzuahmen trachtete, indem man die Motive des neuen westlichen Stils malte. Was dabei herauskam, zeigen uns die Ausmalungen der 1818–1858 erbauten St.-Isaaks-Kathedrale in St. Petersburg und der schon erwähnten Erlöser-Kathedrale in Moskau, an denen sogar eine Reihe römisch-katholischer Maler mitwirkten.

Neben solchen geistigen Einflüssen war es vor allem die Massenproduktion an Ikonen, die zu einer Verflachung größten Ausmaßes beitrug: außer für den immer wachsenden Bedarf im eigentlichen Rußland (und den riesigen sibirischen Gebieten!) hatten die russischen Maler mehr und mehr auch Bestellungen aus dem Balkan-, ja sogar dem griechischen und arabischen Raum zu beantworten. Rußland war die führende Macht des orthodoxen Bereiches geworden – verständlich also, wenn auch ein Verlangen nach seinen Ikonen einsetzte, und dies um so mehr, als die eigene Kunst – etwa der Balkanvölker – seit Jahrhunderten bedingt durch die türkische und phanariotische Bedrückung einen ausgesprochen bäuerlichen Charakter trug. ,,Aus Mangel an neuen wurden die beschädigten und beschmutzten alten Ikonen restauriert und von unausgebildeten ‚Ikonenmalern' auf grobe Weise aufgefrischt."[201]

Um diesen Bedarf zu befriedigen, wurde die russische Ikonenmalerei kommerzialisiert: so arbeiteten im berühmten Malerdorf Palech im Jahre 1894 von 1431 Einwohnern 250 Männer und 120 Jugendliche in der Ikonenmalerei, wobei alljährlich bis zu 10 000 Ikonen im Werte von einem bis zu 100 Rubeln im wahrsten Sinne des Wortes ,,produziert" wurden. Dabei war die Arbeit an den Ikonen zum Zwecke einer schnelleren Fertigung aufgeteilt: ein Meister bereitete mit seinen Gehilfen die Bretter vor (der sog. ,,grundtovščik"), andere malten nur die Gesichter der dargestellten Heiligen (die ,,ličniki"), wieder andere die Gewänder, Verzierungen etc.

Was für Palech gilt, gilt ebenso für die anderen Malerdörfer zu Ende des XIX. Jahrhunderts, ob es sich nun um Choluga mit 452 Malern unter 3500 Einwohnern oder Mstera mit gar 1300 Beschäftigten in der Ikonenmalerei handelte.[202]

,,Man darf die Ikonen unter diesem ökonomischen Gesichtspunkt als Devotionalien und damit als eine Form der Massenware definieren."[203] Nicht mehr der Verkündigungsauftrag der Kirche, sondern der Käuferwunsch stand im Mittelpunkt des Interesses für den Maler, der schließlich mit seiner Kunst weniger Gott dienen und die Heilswahrheiten predigen, als vielmehr seinen Lebensunterhalt verdienen wollte. Der Dichter Maksim Gor'kij hat uns eine anschauliche Schilderung einer solchen Ikonenwerkstatt in seinen Jugenderinnerungen gegeben, die auszugsweise hier wiedergegeben sei:

,,*Die Ikonenmeisterwerkstatt (ikonopisnaja masterskaja) war in zwei Räumen eines großen, halbmassiven Hauses untergebracht. . . . Beide waren eng zugestellt mit Tischen, und an jedem dieser Tische saßen ein bis zwei Ikonenmaler – tief über ihre Arbeit gebeugt. . . . Es war heiß und stickig, an die zwanzig Maler aus Palech, Choluga und Mstera*[204] *sind in der Werkstatt tätig. Alle sitzen*

*da in offenen Baumwollhemden, Drillichhosen und altem Schuh-
werk an bloßen Füßen. Über den Köpfen der Gesellen hängt eine
blaue, stinkende Tabaksqualmwolke, gemischt mit dem scharfen
Geruch von Firnis, Lack und alten Eiern. Langsam, gleich Teer,
fließt ein melancholisches Lied aus Vladimir dahin . . .*

*Das Ikonenmalen macht keinem der Maler besonders Freude,
denn irgendein böswilliger Weiser hat die Arbeit in eine Reihe von
langweiligen Verrichtungen zerschlagen, die weder Liebe noch
Interesse für das Werk aufkommen lassen.*"[205]

Hinzu kam, daß in dieser Zeit auch die auf Papier oder Metall
gedruckten Ikonen, welche sogar zu einem großen Teil von aus-
ländischen Firmen erstellt wurden[206], immer mehr zunahmen, um
so den riesigen Markt zu befriedigen, den ja „weder Malerdörfer
noch Mönchswerkstätten decken konnten; er war zudem nur
durch einen Qualitätsabfall der überwiegenden Zahl aller gemalten
Ikonen zu befriedigen".[207]

Trotz all dieser Negativa bleibt es fraglich, ob man zu Recht die
These aufstellen kann: „So endete eine einst aus der Tiefe des
Glaubens kommende und nach dem Jenseits strebende Kunst im
geschäftigen Dasein dieser irdischen Welt!"[208], oder gar die kühne
Behauptung „Das Urbild-Abbild-Denken ist wirkungslos geworden, die Zeit hat es überholt."[209]. Zum einen muß man anmerken,
daß der Niedergang der russischen Malerei seit dem XVII. Jahrhundert zwar seine Auswirkungen in den gesamten orthodoxen
Raum hatte, aber andererseits doch in anderen Ländern niemals
voll geteilt wurde. So kann für Bulgarien etwa festgestellt werden,
daß gerade die „einfachen Ikonenmaler gewöhnlich an den alten
ikonographischen Schemen festhielten."[210]

Doch keineswegs nur hinterwäldlerische Bauernkünstler fühl-
ten sich der ikonographischen Tradition verhaftet: auch der zweifelsohne begabteste und berühmteste Maler der bulgarischen Renaissance des XIX. Jahrhunderts, der Mönch Zacharij Zograf
(1810–1853) sowie sein leiblicher Bruder Dimitär Zograf
(1796–1860) und die anderen Künstler der Schule von Samokovo
(etwa Ivan Nikolov, Kosta Petrov Valjov, die Brüder Dimitär und
Simeon Molerov sowie Ivan und Nikola Obrazopissov) wußten
sich durchaus dem Ikonenstil verpflichtet, wie die Ausmalungen

der großen bulgarischen Klöster zu Beginn und in der Mitte des XIX. Jahrhunderts beweisen.[211] Und diese Treue zu den Darstellungsweisen der byzantinischen Kirchenmalerei müssen wir auch da anerkennen, wo die alten Vorbilder nur unvollkommen erreicht werden: klar erkennbar bleibt, daß die Maler zwar in ihrer Kunstfertigkeit hinter den alten Ikonographen weit zurückblieben, sich aber nicht vom Stil der orthodoxen Ikone lösen wollten. Im späten XIX. und XX. Jahrhundert beweist dann ein Mann wie der Plovdiver Maler Stanislav Dospevski, daß von hieraus der Weg zu den Quellen zurück möglich war. Dies gilt in noch weit stärkerem Maße für Rumänien, welches sich überhaupt zögernder dem lateinischen Einfluß öffnete.[212]

So entstammen die in der besten ikonographischen Tradition voller religiöser Inbrunst gemalten Außenfresken der moldauischen Klosterkirchen teilweise noch der Mitte des XVII. Jahrhunderts.[213] Hier gilt auch für die volkstümliche Malerei, daß – trotz aller naiven Freude am Farbenspiel und am schmückenden Ornament – „doch das Göttliche nie ganz in den Bereich des Menschlichen herabgezogen wird, und niemals wird wie auf den prunkhaften Ikonen der Spätzeit das schmückende Beiwerk zum Selbstzweck. Es bleibt echte religiöse Malerei, denn immer ist es die religiöse Idee, die der bäuerliche Maler seinem Fassungsvermögen entsprechend mit seinen oft primitiven Ausdrucksmitteln zu realisieren versucht. Während die längst steril gewordene Ikonenmalerei der anderen orthodoxen Länder bestenfalls noch . . . kopiert, malt der rumänische Volkskünstler seine heiligen Bilder aus eigenem Empfinden, wenn auch unter grundsätzlicher Anlehnung an solche Vorbilder, die ihm als heilige oder wundertätige geläufig sind.“[214] In Serbien ist die Situation unterschiedlich, je nachdem ob es sich um den von den Türken besetzten Landesteil oder die in Südungarn (Bačka) lebenden Serben handelt. Zwar ist bei beiden die hohe mittelalterliche Freskenkunst in Vergessenheit geraten[215] – wie ja überhaupt unter den Serben nach dem Verlust ihres Staates mancher christliche Einfluß aus der nur rund 300 Jahre währenden Zeit des Christentums wieder durch Brauchtum des früheren Heidentums verdrängt wird (man denke an den weihnachtlichen Badnjak, die Feier der Hausslava, die Sitte der kirchlich eingesegneten Blutsbruderschaft u.a.m.); aber während für Altserbien die gleiche Entwicklung zutrifft wie für den übrigen Balkan, d. h. die Verbäuerlichung der Ikonenmalerei, öffnen sich die Serben der österreichisch-ungarischen Monarchie voll dem römisch-katholischen Kunstbegriff. Noch heute sind nahezu alle serbischen Kirchen nördlich der Donau im k.u.k. Einheitsstil erbaut und ähneln die sogenannten „Ikonen" nicht nur Nazarenerbildern, sondern übertreffen diese z. T. an Kitschigkeit erheblich.[216] Man denke hier nur an die Ikonostase der Kathedrale von Sremski Karlovci, die Teodor Dimitrijević Kračun 1775/76 erstellte.[217]

Hingegen existierten auch in Rußland im XIX. und beginnenden XX. Jahrhundert etliche Kultbilder, welche sich nicht der herrschenden Mode anpaßten und – zwar ein wenig dem manieristischen Stil der Moskauer Schule des XVI. Jahrhunderts verhaftet – als echte Ikonen anzusprechen sind.[218]

Es war somit zwar eine starke Gefährdung der orthodoxen Ikonenmalerei festzustellen (der man vielfach auch erlag), aber nicht ihr absolutes Ende. Und noch weniger endete die dahinter stehende Theologie – ganz zu schweigen davon, daß sie sich überlebt gehabt hätte. Trotz aller grundsätzlichen Überfremdung der orthodoxen, speziell der russischen Theologie im XVIII. und XIX. Jahrhundert wurde nämlich der Grundgedanke der Ikonenverehrung nie aufgegeben. Selbst ein so westlich denkender Mensch wie der Hoftheologe Peter I., Erzbischof Feofan Prokopovič (1681–1736), von dem Erzpriester Florovskij sagen kann: „Stünde auf den Traktaten Feofans nicht der Name eines russischen Bischofs, man würde ihren Autor normalerweise unter den Professoren irgendeiner protestantischen theologischen Fakultät suchen. . . . Er war nicht ein Westler, sondern einfach ein im Westen Beheimateter!"[219], hat in einer Predigt zum Sonntag der Orthodoxie 1717 ein Zeugnis für die Bilderverehrung abgelegt. Dabei bedient er sich – ganz im Sinne der Tradition – der Argumentation über die Bildwerke des Alten Testamentes und die Zeugnisse des Neuen Bundes (vor allem des Abgarbildnisses) und erklärt dann die Unterschiede in der „gottgebührenden oder höchsten Ehre" (bogolepnaja ili verchovnaja čest') und der „den Heiligen zukommenden oder den Heiligen als Geschöpfen gebührenden Ehre" (svjatolepnaja ili tvarem svjatym priličnaja čest').[220] Allerdings betont Feofan stärker die Warnung vor einem abergläubischen Mißbrauch als die positive Wertung der Ikonenverehrung, doch in dem Mittelweg zwischen einer Verwerfung (otvergati) und einer Vergötzung der Ikonen (bogotvoriti) sieht er den echten orthodoxen Weg, auf dem „*die Orthodoxen in das ersehnte Vaterhaus gelangen, wo wir gewürdigt werden, den unsichtbaren Gott nicht in einem Spiegel, nicht in einem Orakel, nicht dem Bilde nach, sondern von Angesicht zu Angesicht zu sehen durch die Gnade unseres Herrn Jesus Christus, der das Aufstrahlen der Herrlichkeit des Vaters und das Bild seiner Hypostase ist.*"[221]

Inwieweit Feofan auch für eine Verordnung des Hl. Synod von 1722 verantwortlich ist, bleibt unklar; jedenfalls dürfte er diese Anordnung gebilligt haben, und damit auch ihren relativ konservativen Grundtenor in bezug auf die religiösen Kunstformen: immerhin werden dort neben Statuen auch – mit Ausnahme kleiner Medaillons und Kreuze – geschnitzte und gegossene Ikonen (die hinfort ebenfalls zur Domäne der altgläubigen Kreise werden sollten[222]) verboten. „Es geht daraus aber auch hervor, daß trotz allen Verfalls der Ikonenmalerei, vom traditionell-theologischen, nicht vom ästhetischen Standpunkt aus betrachtet, sich die Grundeinstellung zur Ikone nicht geändert hat. Sie bleibt auch in der neuen Zeit als Gegenstand des Kultes und gemalte Verkündigung der kirchlichen Aufsicht unterstellt. Prokopovič war als kunstsinniger Bischof kein Bilderstürmer. . . . Durchdrungen von der Wahrheit alter Überlieferungen, getragen von ostkirchlichem Ernst gegenüber der liturgischen Dichtung und der Ikonenmalerei, war Prokopovič bei allen Einflüssen des Westens, denen er in so starkem Maße ausgesetzt war, seiner geistigen Heimat nicht gänzlich entfremdet worden."[223]

Auch in der Volksfrömmigkeit – und nicht etwa nur bei den Altgläubigen! – war das Bewußtsein um das eigentliche Wesen der Ikonen keineswegs verschwunden, auch wenn man es teilweise unkritisch auf die Bilder neuen Stils übertrug und sie als »Ikonen« wertete, wie es ja noch heute vielfach geschieht. Zur Aufrechterhaltung dieses Gefühls für den theologischen Wert der Ikone trugen schon die Katechismen und katechetischen Lehrbücher bei, in denen niemals die Erwähnung der Ikonen fehlt. Mag auch die Klarheit gegenüber jener der Väter des VII. Ökumenischen Konzils zurücktreten, so muß „andererseits das Bestreben anerkannt werden, etwas von der Beweisführung des Johannes Damascenus, der sich dem alttestamentlichen Bilderverbot gegenüber auf die Erscheinung Christi als des Ebenbildes des unsichtbaren Gottes (Kol. 1,15) berief, in den Katechismen zu übernehmen."[224] Im Katechismus „Die orthodoxe Lehre" des nachmaligen Moskauer Metropoliten Platon (Levšin) (1737–1812) aus dem Jahre 1765 finden wir etwa folgenden Passus:

„*Die Verehrung (poklonenie), die wir vor den Ikonen verrichten, heften wir nicht an die Ikonen selbst, d. h. an die Tafeln, die Farben, den Beschlag oder die Kunst des Meisters, sondern beziehen sie auf die Personen, die sie darstellen (predstavljajut); die Ikone aber ehren wir nur durch liebevolle Annahme (ljubiltel'nym prijatiem) und durch Küssen. So gebe ich z. B., indem ich vor der Ikone meines Heilandes mich verbeuge, die Unterwerfung meines Geistes, den Glauben, mein Bitten und Vertrauen, ja sogar die Anbetung selbst dem einen Heiland, der in den Himmeln und überall ist.*"[225]

Auch die großen Prediger Rußlands lassen im XIX. und XX. Jahrhundert das Gefühl für die zentrale Rolle der Ikonen im orthodoxen Glaubensleben nicht verschwinden, wobei wir hier wieder an erster Stelle Vater Johann von Kronstadt (1828–1908) nennen dürfen, in dessen Tagebuch „Mein Leben in Christus"[226] sich folgende Ausführungen finden:

„*Die Verehrung der Ikonen ist von großem Nutzen für uns, da sie unserer Natur entspricht . . . Bilder oder Symbole sind eine Notwendigkeit der menschlichen Natur in unserem gegenwärtigen geistlich-sinnlichen Zustand; sie erklären in sichtbarer Form viele Dinge der geistlichen Welt, welche wir ohne Bilder und Symbole nicht verstehen würden. Dies war der Grund, weshalb der göttliche Lehrer, der Sohn Gottes, welcher die personifizierte Weisheit ist, durch den alle Dinge geschaffen sind, unser Herr Jesus Christus, oftmals die Menschen in Bildern und Gleichnissen unterwies. Dies ist der Grund, warum in unseren orthodoxen Kirchen es üblich ist, viele Dinge den Christen im Bilde zu zeigen . . . Wenn ich die Iko-*

nen verehre, so verehre ich in ihnen Gott, der vor aller Welt den Sohn, sein lebendiges Bild, gezeugt hat, der die unermeßlichen Gedanken des Vaters in die Tat umsetzte, da er die Welt schuf und alle Geschöpfe, die von Gott gedacht worden waren, und den Menschen nach dem Bilde und der Ähnlichkeit Gottes; sodann ehre ich in den Ikonen das Bild des fleischgewordenen Gottes, drittens aber mich selbst, nämlich den Menschen, der als unsterbliches göttliches Bild gemacht ist, berufen, ein Teilhaber der göttlichen Natur zu sein, sich mit dem Herrn zu vereinen, ein Tempel des Heiligen Geistes zu werden . . . Ikonen repräsentieren die Personen, deren Namen sie tragen: so zeigen uns die Bilder der Heiligen auf ihren Ikonen die Nähe des Heiligen Gottes im Geiste, die in Gott leben und uns stets nahe sind im Heiligen Geist . . . Der allmächtige Herrgott ist so in seinem Bilde und in dem Kreuze wie er im Worte des Evangeliums gegenwärtig ist. . . . Wenn ich die Ikonen in der Kirche betrachte, so denke ich daran, wie der Schöpfer und Bildner aller unsere Natur geehrt und begnadet hat. Seine Heiligen strahlen in seinem Licht, sie werden von seiner Gnade geheiligt, haben die Sünde besiegt und jede Unreinheit des Leibes und des Geistes abgewaschen. Sie sind verherrlicht in seiner Herrlichkeit, unversehrt in seiner Unversehrtheit. Ehre sei Gott, der unsere Natur so geehrt, erleuchtet und erhöht hat! . . . Haben wir also nur zum Schmuck der Wände, gleichsam als Verzierung, reich gemalte Ikonen in den Häusern, ohne uns mit einem herzlichen Glauben, mit Liebe und der heiligen Dingen gebührenden Verehrung an sie zu wenden? Frage dein Herz, ob es so ist! Ikonen in den Häusern oder in den Kirchen sind nicht als Schau gedacht, sondern vor ihnen sollen wir beten, sie dienen zu Verehrung und zur Unterweisung. . . . So zeigen wir unter anderem, daß die Augen Gottes und all der himmlischen Schar immerdar auf uns gerichtet sind, und nicht nur alle unsere Handlungen, sondern auch unsere Worte, unsere Gedanken und Wünsche sehen. . . . Die heiligen Engel und die Heiligen Gottes sind ja unsere besten, wohlwollendsten, treuesten Brüder und Freunde, die uns so oft in Umständen helfen, in denen niemand auf Erden dazu fähig wäre. Da wir aber diese Brüder, die uns mit Gnadengaben überhäufen, nicht sehen können, und doch, wegen unserer Körperlichkeit, sie vor unseren Augen haben möch-

ten, so besitzen wir ihre Bilder."[227]

Neben der Predigt durch das Wort, ja, für das gläubige Volk wohl noch eindringlicher als diese, steht die Predigt der Tat, des Vorbildes: so sei hier nur an die Rolle erinnert, die Ikonen in der Frömmigkeit des größten der russischen Starzen des XIX. Jahrhunderts[228], des hl. Serafim von Sarov, spielen, der kniend vor der Ikone der Gottesmutter „Freude aller Betrübten" verstarb.[229] Hier wurde die Ikone – bei allem Verfall der Malweise – nie aus ihrer religiösen und dogmatischen Position verdrängt. Wenn man auch die westlich beeinflußten Kunststile grundsätzlich akzeptierte, so verschwand doch nie völlig das Gefühl, daß die alte ikonographische Tradition ihren Eigenwert besäße. Beispielsweise bemerkt Bischof Feofan (Govorov) (1813–1894) der Rekluse – einer der fruchtbarsten geistlichen Schriftsteller des XIX. Jahrhunderts in Rußland – einmal, daß es in Bezug auf die Ikonographie eigentlich keiner Änderung bedürfe, „besonders, wenn das Alte aufbaut, das Neue aber zerstört".

Und ein anderer berühmter Prediger dieser Zeit, Erzbischof Amvrosij (Ključarev) (1820–1901) von Charkov „hat sich in einem Festvortrag ,über die Bedeutung der Kunst im Bereich der Erziehung und Bildung' gegen Entartungserscheinungen der religiösen Malerei seiner Tage ausgesprochen und etwa die durch die Anschauungen Ernest Renans (1823–1892) beeinflußte Darstellung Christi als eines Revolutionärs oder protestierenden Proletariers abgelehnt. . . . Auch eine Darstellung der büßenden Sünderin in voller sinnlicher Schönheit, wie sie sich in einer orthodoxen Kirche seiner Tage finden konnte, fand seine Mißbilligung, da sie ihren Zweck verfehlte und andächtigem Gebet hinderlich erschien."[230] Allmählich begann eine Rückbesinnung auf die Ikonenmalerei, ein neues Bewußtsein der notwendigen kirchlichen Gebundenheit religiöser Kunst unter den Malern zu wachsen. Neben Michail Aleksandrovič Wrubel' (1856–1910) und Michail Vasilevič Nesterov (1862–1924) ist es vor allem der schon erwähnte Viktor Michajlovič Vasnecov (1848–1927), der „die Vorherrschaft der italienischen Manier, die seit Bruni[231] das Innere der russischen Kirche bestimmte, brechen und die Heilsbotschaft im national-orthodoxen Geist verewigen wollte. . . . Trotz aller Schwäche seines Stils, der später bei Ausmalung anderer Kirchen zu einer Manier ausartet, muß Vasnecov als der Maler betrachtet werden, der den Mut besaß, die byzantinische Tradition zum Ausgangspunkt eines neuen religiösen Schaffens zu machen und der sein Können in den Dienst der Kirche und des Kultmysteriums stellte."[232]

Einen wesentlichen Schritt vorwärts auf dem Wege zur Wiederherstellung der genuinen Ikonenmalerei bedeutete es, daß im Jahre 1901 auf Grund einer persönlichen Initiative Kaiser Nikolaus II. ein Komitee unter dem Vorsitz des Grafen S.D. Šeremetev gegründet wurde, welches „einen energischen und verbissenen Kampf gegen die maschinelle ,Ikonen'-Herstellung führte und bei diesem Kampf sowohl mit Gegenaktionen des Synod wie des Finanzministeriums, aber auch mit den Interessen der reichsten Klöster, welche Verteiler dieser Erzeugnisse waren, zusammenstieß."[233] Dank des persönlichen Interesses des Herrschers an der Arbeit des Komitees konnte insofern ein Teilerfolg erzielt werden, als 1905 die Edition eines neuen normativen Malerhandbuches erfolgte, dessen damals erschienener erster Band allein der Darstellung Christi gewidmet war. Wie auch der 1908 folgende zweite Band mit den ältesten und beliebtesten Typen der Muttergottesikonen war er streng nach der authentischen Tradition ausgerichtet. Auch die Neuerrichtung mehrerer alt-gläubiger Kirchen (als Folge des Toleranzerlasses von 1905) lenkte das Augenmerk wieder auf die alten Ikonen. 1908 wurde unter dem Vorsitz des damaligen Bischofs von Orel, Serafim (Čičagov), eine Kommission eingerichtet, der alsbald die Lehrwerkstätten an den bekannten Malerorten anvertraut waren. Neben der Kaiserlichen St.-Theodor-Kathedrale in Carskoe Selo, die 1912 geweiht wurde, gab es nunmehr auch wieder an einer Reihe anderer Orte – so in Šlisselburg, St. Petersburg, Charkov und Orenburg – neuerrichtete Kirchen, deren Wandmalereien und Ikonostasen im reinen kanonischen Ikonenstil ausgeführt sind. Ein Beispiel dieser erneuerten Kunst in Deutschland ist die am 18. Oktober 1913 eingeweihte St.-Aleksij-Gedächtniskirche in Leipzig, deren siebenreihige, 18 m hohe und 10 m breite Ikonostase von dem Vasnecov-Schüler Emeljanov stammt.[234]

Besonders die aus Anlaß der 300-Jahr-Feier der Dynastie Romanov 1913 vielerorts organisierten Ausstellungen machten erstmals wieder ein weiteres Publikum mit den alt-russischen Ikonen, die so lange vergessen waren, bekannt. ,,Die künstlerische Bedeutung der russischen Ikonenmalerei erhielt zum ersten Mal die ihr gebührende Würdigung."[235]

Ein bedeutender Erfolg war erzielt, als 1903 die elf Jahre zuvor in die Verfügung der Stadt Moskau übergegangene berühmte Tret'jakov-Galerie auf die Initiative von Il'ja Ostrouchov, einem großen Kenner und Bewunderer der russischen Ikonenkunst, durch eine Sammlung alter russischer Ikonen ergänzt wurde. Nach der Oktoberrevolution kam es zu einer bedeutenden Erweiterung dieser Sammlung, zum Teil aus Kirchen-, zum Teil aus Privatbesitz, so u. a. um die persönliche hochqualifizierte Sammlung von Ostrouchov, so daß sich heute (Stand von 1975) rund 5000 Ikonen in der Galerie befinden. Die in zwei Sälen des Museums untergebrachte Exposition umfaßt dabei solch bedeutende Werke der orthodoxen Kirchenkunst wie eine Mosaikdarstellung des hl. Demetrios von Thessaloniki aus dem Jahre 1113 (ursprünglich im gleichnamigen Kiewer Kloster), die bekannte Dreifaltigkeitsikone des seligen Andrej Rublev und die Gottesmutter von Vladimir. Wenn auch sicher die Unterbringung von Ikonen in Museen nicht als geistlicher Erfolg zu werten war und ist, so darf man doch nicht vergessen, wieviel sie von ihrem neuen Platz aus immer noch zu wirken vermögen, und zwar keineswegs nur in der Gegenwart, in der viele Sowjetbürger auf diese Weise überhaupt erstmals direkt mit Ikonen in Berührung kommen – in eine segensreiche Begegnung, wird man hinzufügen dürfen. Doch auch auf die immerhin bereits zweihundert- bis zweihundertfünfzigtausend Besucher, welche die Tret'jakov-Galerie schon vor 1917 alljährlich aufzuweisen hatte, wirkte sich die Exposition im Sinne einer psychologischen Aufwertung der Ikone aus (ähnlich geschah es auch in anderen, später vor allem westlichen Ländern): von der verachteten, in Form wie Technik als unvollkommen und primitiv empfundenen ,,Bauernmalerei" hatte sich die Ikone in den Augen weiter Kreise der Gesellschaft damit zu einer museumswürdigen, anerkannten Kunstrichtung entwickelt. Das Bewußtsein, in diesen ehrwürdigen Zeugnissen byzantinischer und alt-russischer Ikonographie wertvolle Schätze zu besitzen, setzte sich langsam, aber sicher durch und führte auf dem Landeskonzil 1918 zu einer Bestimmung, welche bei der Renovierung alter Kirchen und in archäologischer Hinsicht wertvoller Ikonen und Ikonostasen zwingend die Aufsicht des Diözesanbischofs vorschrieb, um so eigenmächtige Aktionen einzelner Pfarreien oder Geistlicher zu verhindern, deren mißgeleitetem Kunstgeschmack nur zu oft bedeutende Ikonen zum Opfer gefallen waren.

Doch dieses Interesse an der genuinen Ikonenkunst beschränkte sich keineswegs allein auf Russen: von Henri Matisse (1869–1954), der 1911 Moskau besuchte, sind folgende Ausführungen zur Ikonenkunst überliefert:

„Die Russen ahnen gar nicht, welchen künstlerischen Reichtum sie in ihrer Verfügung haben . . . Ihre lernende Jugend hat hier, bei sich zu Hause, unbestreitbar bessere Vorbilder der Kunst . . . als im Ausland. Die französischen Maler sollten nach Rußland gehen um zu lernen. Italien gibt auf diesem Gebiet wahrlich weniger.“[236]

Die Zerstörung der petrinischen Kirchenform in Rußland 1917 bot – wie auf manch anderem Gebiet – auch in der religiösen Kunst die Chance zu einer Rückbesinnung auf die essentiellen Werte der orthodoxen Tradition. So konnte man sich nicht allein mit der Rückkehr zu den alten Formen begnügen, sondern war zu einer geistigen Neubesinnung aufgerufen. Aus der neu durchdachten und in ihrer kosmischen Bedeutung wieder recht gewürdigten Ikonentheologie haben bedeutende Theoretiker der Ikonenmalerei, wie etwa Leonid Uspenskij, auch Forderungen für die Zukunft gezogen: „Die Korrektur der Mißentwicklungen und all dessen, was nicht in unsere Zeit paßt, ist sicher notwendig. Aber diese Berichtigungen dürfen keine reine Rückkehr zur Vergangenheit, keine Wiederholung der Vergangenheit sein; sie dürfen keine simple Negation sein, sondern ein schöpferisches Aufsuchen des Sinnes unseres liturgischen Erbes, ein lebendiges Eindringen in sein geistiges Wesen, in seine ewigen Fundamente.“[237] Von den vorrevolutionären Zentren der traditionellen Ikonenmalerei hatte sich nur jenes in Režica erhalten können, welches 1868 von dem berühmten Ikonographen Efim Frolov gegründet worden war und nunmehr auf dem Gebiet der Estnischen Republik lag. Es wurde vom Sohn des Gründers, Gavriil Frolov, bis 1930 weitergeführt.

Ansonsten aber kam es durch emigrierte Ikonenmaler zur Gründung neuer Schulen im Ausland: so wurde 1925 in Paris die Gesellschaft „Ikona" konstituiert, deren Mitglieder – vor allem die Fürstin E. S. L'vova und Aleksandr Nikolaevič Benua (Benois, 1870–1960) – eine Reihe von Emigrationskirchen ausschmückten, so u. a. des Theologischen St.-Sergius-Institutes in Paris, die Friedhofskirchen in Ste.-Geneviève-de-Bois und in Helsinki sowie auf dem Soldatenfriedhof in Mourmelon-le-Grand u.a.m.[238] Als Vertreter einer besonders strengen und zugleich modernen Malweise ist der in Paris lebende Malermönch Grigorij (Krug) hervorzuheben.[239] Hier hat sich verwirklicht, was Sergij Bulgakov bereits in den dreißiger Jahren feststellte, nämlich: „In den jüngsten, heutigen Tagen kommt es wieder zu einem echten Verständnis der Natur der Ikonenkunst. Es wird eine Kenntnis der wahren und hohen Ziele dieser Kunst wiedergeboren, welche eine neue Blütezeit verspricht."[240] Erfreulicherweise ist diese Wiedergeburt der Ikone aber nicht auf den Raum der Emigration beschränkt: auch die russische Kirche in der Heimat verfügt wieder über Ikonenmaler, welche ihre heilige Aufgabe in der besten Tradition ihrer Kunst erfüllen. Als eine führende Vertreterin, die selber auch durch theoretische Arbeiten und eine reiche Lehrtätigkeit fruchtbar geworden ist, sei Marija Sokolova eigens genannt.[241] Beeindruckende Beispiele heutiger russischer Ikonenmalerei sind etwa die Ausmalungen der Gedächtniskirche auf dem Šipka-Paß, die 1959 von den Künstlern N. E. Rostovcev sowie N. Sorokin, M. Makovin u. a. ausgeführt wurden. Interessanterweise hat seit einigen Jahren selbst die sowjetische Kunstgeschichtsschreibung sich in weiterem Maße – wenn schon nicht dem geistlichen Gehalt – so doch der historischen und künstlerischen Bedeutung der Ikonen geöffnet, und die Ikonen finden ein vermehrtes Interesse in der breiten Öffentlichkeit der UdSSR, wofür neben der Tatsache, daß Reproduktionen von Ikonen binnen kürzester Zeit vergriffen sind, nicht zuletzt die Erzählungen Vladimir Solouchins (geb. 1924) „Briefe aus dem Russischen Museum"[242] und „Schwarze Bretter"[243] beredtes Zeugnis ablegen, in denen der Dichter zum Verteidiger der Ikonen gegenüber ihren vom sozialistischen Realismus geprägten Kritikern wird:

„Ich habe mich wirklich bemüht, deutlich zu sagen, daß ein Künstler, der einfach einen Trunkenbold darstellen will, eine rote Nase malen muß und eine entsprechende Muskulatur. Wenn aber die Aufgabe des Künstlers eine tiefere ist, wenn er solche Kategorien darstellt wie Strenge, Lieblichkeit, Güte . . . Am häufigsten, glaube ich, haben die alten Meister ganz schlicht das Gebet gemalt. Das erforderte damals die Zeit, das war die Aufgabe der Malerei, ihre angewandte praktische Seite. . . . Darin war die ganze Wirkmächtigkeit der alten Malerei beschlossen. Darin besteht auch ihr rätselhaftes, bis heute nicht greifbares Etwas, das die Kunstkenner aller Länder zu enträtseln sich bemühen und das einer jeden Analyse entgleitet, die nur den Farben, nur den Linien, nur den Themen, nur der Komposition gilt. . . . Nur unter solchem Aspekt kann man diese Kunst richtig würdigen. Wie lange werden wir noch von den russischen Ikonen sagen, daß sie nur insoweit wertvoll seien, als der Künstler entgegen den kanonischen Vorschriften reale Züge des damaligen Lebens in die Malerei aufgenommen hat und als man in einigen Heiligen vermutlich Zeitgenossen des Malers erkennen kann: russische Bauern, Bekannte und Verwandte? Dies aber, daß Religion – Unwissenheit und Finsternis sei, das hätte man den Künstlern damals beibringen sollen, als sie gemalt haben! Jetzt jedoch bleibt uns nur, ihre Kunst nach dem einzig möglichen Maßstab zu messen: wie weit es ihnen nämlich gelungen ist, in ihrer Malerei das darzustellen, was sie darzustellen beabsichtigten."[244]

Wirklich mutige und überraschende Worte eines sowjetischen Autors, die von dem Ringen der heutigen Sowjetgeneration mit den religiösen Kräften der russischen Geschichte zeugen, wie sie sich auch in den Ikonen finden.

Doch nicht allein auf Rußland – sei es nun das Rußland in der Heimat oder in der Diaspora der Emigration – ist die Erneuerung der Ikonenmalerei beschränkt; von dort aus kamen Impulse etwa nach Bulgarien, wo die Ausmalung der 1933–1935 von den Architekten Colov und Vasil'ov wiedererrichteten St.-Nedelja-Kirche in Sofia[245] durch den bulgarischen Maler Stanislav Dospevski – einen Künstler der Samokover Schule – als ein hervorragendes Beispiel zu nennen ist, dem manch andere gleichrangig beiseite treten, so etwa die Ausgestaltung der Hauskapelle des Abtes im Rila-Kloster, eine Gemeinschaftsarbeit russischer und bulgarischer Malermönche aus den siebziger Jahren unseres Jahrhunderts.

Auch Griechenland sollte – vielleicht sogar in noch stärkerem Maße! – an der Wiederbelebung der Ikonenmalerei partizipieren. Dort hatten nach der Befreiung von der jahrhundertelangen türkischen Fremdherrschaft die Maler sich naturgemäß in weitestem Ausmaße der westlichen Kunst geöffnet: in den Anfängen zeichnet sich diese Entwicklung schon bei Ikonographen wie Kōnstantis Pagōnēs aus dem epirotischen Malerdorf Choniadēs ab, der um 1803 mindestens sechs Kirchen auf dem Peionberg mit beachtenswerten Wandmalereien schmückte[246] – oder auch bei Nikolaos Koutouzēs (1741–1813) bzw. Nikolaos Kantounēs (1707–1834).[247] Symptomatisch für die überwiegend westliche Malerei im Griechenland nach der Unabhängigkeit sind z. B. der Maler der Athener Metropolitankirche Kōnstantīnos Fanellēs (1791–1863) und in noch weit stärkerem Maße der bayrische Künstler Ludwig Thiersch (Loudobīkos Theirsios), der u. a. 1853–1855 die russische Kirche in Athen ausgestaltete. Beide arbeiten in völlig „italienischer Manier" (italikē technē).[248] Doch selbst „in der zweiten Hälfte des XIX. Jahrhunderts wurde der Zeuge dafür geboren, daß echte Tradition nicht ganz erloschen war. Er hieß Theophilos Chatzimichail (1868?–1934), heute bekannt nur als Theophilos. . . . Das Werk des Theophilos entdeckten kultivierte Griechen um 1930 in Paris. Es bezeugt, daß die Tradition ihren unterirdischen Lauf fortgesetzt hatte, und es befruchtete die spätere griechische Malerei."[249] Wenn wir hier auch sicher nicht die byzantinische Tradition im Vollsinn vor uns haben, so kann man Theophilos und einige andere doch „Stafettenläufern vergleichen, welche die lebendigen Elemente einer uralten Tradition weiterreichten, einer Tradition, die auch die byzantinische Kunst gebildet hat".[250]

Aufgenommen hat diese Stafette, um das Bild fortzuführen, vor allem der Maler und Schriftsteller Fotis Kontoglou (1897–1965), der „in echt christlichem Glauben für den Einsatz byzantinischer Techniken und Sehweisen wirkte, mit denen er selbst neben zahlreichen tragbaren Ikonen bedeutende Einheiten von Wandmalereien geschaffen hat"[251], und zwar sowohl in einigen alten Athener Kirchen (so etwa der Kapnikarea-Kirche aus dem XI. Jahrhundert) wie auch bei Neubauten im traditionellen byzantinischen Stil, beispielsweise bei der unierten Dreifaltigkeits-Kathedrale auf der Acharnonstraße. Von Kontoglou stammen auch die Fresken im Athener Rathaus und im attischen Dorfe Liopesi. Bemerkenswert ist an diesem Künstler vor allem, daß er sich nicht allein mit der sachgerechten Ausführung der Ikonenmalerei begnügt hat, sondern auch um ihre theoretische Fundierung und Abgrenzung zur abendländischen religiösen Kunst bemüht war. Seine in einem monumentalen, zweibändigen Werk „Erklärung der Orthodoxen Ikonographie"[252] zusammengetragenen Studien und Folgerungen dürfen als echtes Handbuch für den neuzeitlichen Ikonenmaler gesehen werden, dessen Kunst Kontoglou folgendermaßen definiert:

„*Byzantinische Kunst ist für mich die Kunst der Künste. Ich glaube so an sie, wie ich auch an die Religion glaube. Denn nur diese Kunst nährt meine Seele durch ihre tiefen und geheimnisvollen Kräfte.*"[253]

Unter Benutzung der traditionellen religiösen, vor allem monastisch-asketischen Terminologie macht Kontoglou eine scharfe Unterscheidung zwischen den zwei Arten von Kunst, die er in der orthodoxen und der abendländischen Malerei verkörpert sieht, nämlich der geistlich-spirituellen Ikonenkunst und der weltlichen, „fleischlichen" Darstellung. Dabei kann letztere sowohl naturalistisch wie imaginativ sein, d. h. sie trachtet entweder (wie die alten abendländischen Meister) danach, die menschliche Natur zu imitieren, sie in ihrer Äußerlichkeit so ähnlich als möglich darzustellen, oder aber sie bringt irreale Wunschbilder nach der menschlichen Vorstellung hervor (wie die Expressionisten und die modernen abstrakten Maler). In beiden Fällen – ob es sich nun um Raphael, Michelangelo, Renoir oder Picasso handelt – ist eine solche Kunst letztlich ebenso prunkvoll wie unwirklich: nicht der Mensch als Abbild Gottes wird gezeigt, sondern – wie E. Beauchamp einmal treffend über die Kunst Michelangelos gesagt hat – „der Gott, der sich selbst erschafft".[254]

„*Die Gemälde der westlichen Malerei – besonders die Werke der italienischen Renaissance-Maler, stellen eine Welt dar, die dem Evangelium fremd ist"*,

fährt Kontoglou fort und betont die Notwendigkeit der inneren Disposition des Ikonenmalers, dessen Werke niemals

„von einem fleischlich denkenden Menschen – und sei er auch der größte Künstler!"

vollbracht werden können, sondern allein dem möglich sind, der durch Gebet und Fasten

„in einen Zustand der Besinnung und der Demut"

eintritt und dessen Seele

„erfüllt wird mit Gnade, gleichsam emporgehoben mit geistlichen Schwingen, und so fähig wird, die tiefe Sphäre der Mysterien darzustellen".[255]

Marija Sokolova[256] hat die Ikonenmalerei in gleichem Sinne einmal als das „Mönchtum der russischen Kunst" bezeichnet und gefolgert: „Auch ein realistischer Künstler versucht zuweilen, in das geistige Gebiet einzudringen, um es in einem Gemälde oder einer Ikone darzustellen. Ihn trennen jedoch von dieser Sphäre zwei Vorhänge: einmal die Notwendigkeit, die geistige Gestalt mit Knochen und Körperlichkeit materiell auszustatten, und sodann seine eigene Seele mit ihren Emotionen, die ihm die wichtigsten Antriebe seiner ganzen Kunst liefern. Da er das geistige Urbild nicht innerlich erlebt und erfüllt hat, vermag seine Kunst nichts zu geben, während der Ikonenmaler in völliger Abgeschiedenheit von der sichtbaren Welt und von sich selbst arbeitet."[257] Wer die Fresken und Ikonen der Mehrzahl der heutigen Maler ansieht, und wer sie dann mit den Erzeugnissen des vorigen Jahrhunderts und auch des vorvorigen vergleicht, wird zu dem Schluß kommen, daß man allgemein die hohe Würde dieser Malweise neu erkennt. Sicher ist noch lange nicht das Niveau der byzantinischen Zeit wieder erreicht, aber der eingeschlagene Weg läßt doch auf eine neue Blüte der orthodoxen Ikonographie hoffen. Davon zeugt bereits eine ganze Reihe beachtenswerter Ikonostasen und Kirchenausmalungen, von denen hier nur einige Beispiele genannt werden sollen. So wurde die 1957 geweihte große Hauptkirche des Unions-Klosters der Benediktiner zu Chevetogne/Belgien zum größten Teil von zwei Kontoglou-Schülern, nämlich Rhallis Kopsidis und Georgios

Chochlidakis (um 1960) in reinem byzantinischen Stil ausgestaltet. „Diese Maler haben im Geiste des Glaubens gemalt, unter Gebet und Fasten und Hymnen singend zu dem jeweils entstehenden Bilde. Ihr Ziel war es, die Wände zu füllen – nicht mit Malereien, sondern mit heiliger Gegenwart."[258]

In Deutschland ist etwa die am 22. Mai 1979 geweihte russische St.-Nikolaus-Kirche in Frankfurt/M.-Hausen zu erwähnen, die seit 1967 einheitlich von dem in der Bundesrepublik Deutschland lebenden weißruthenischen Künstler Adam Vasil'evič Russak (geb. 1921) gestaltet wird[259], ferner die russische St.-Prokop-Kathedrale in Hamburg-Stellingen, deren Fresken und Ikonostase von Baron Nikolaj Bogdanovič Mejendorf zu Beginn der sechziger Jahre erstellt wurden.[260]

Für fast alle neu errichteten bzw. den Bedürfnissen des orthodoxen Gottesdienstes gemäß umgestalteten griechischen Kirchen läßt sich ebenfalls sagen, daß ihre Ikonostasen und – soweit vorhanden – Ausmalungen der traditionellen Ikonographie entsprechen. Eine Besonderheit sei abschließend noch erwähnt: der Ikonenaltar in der Bielefelder St.-Jodokus-Kirche; in dieser römisch-katholischen Kirche wurde von dem in München lebenden Maler Aleksej Aleksandrovič Savelev auf 17 Bildern eine Darstellung des Lebens Christi gegeben, welche die verlorengegangene Altarretabel dieser mittelalterlichen Kirche ersetzt – geschaffen von einem Künstler, der „noch heute in der Weise seiner großen Vorgänger lebt, indem er mit Gebet und Fasten bei Tag und Nacht jedes Werk beginnt".[261]

Doch nicht nur ausländische oder emigrierte Künstler tragen die Ikonenmalerei weiter: auch eine Reihe Maler abendländischer Herkunft haben sich ihr verschrieben; Beispiele hierfür sind etwa die um 1968 gemalte Ikonostase des Ostkirchlichen Zentrums St. Andreas (Buke/Altenbeken) von Wolfgang Elias Becker, Hannover, oder die serbisch-orthodoxe Kapelle in Berlin (Südstern), die um 1978 von der Münchener Malerin Nina Gimpfl gemalt wurde.[262]

Man wird also ruhigen Gewissens von einer echten Renaissance der orthodoxen Ikonographie sprechen dürfen, die sich – aus den alten christlichen Traditionen dieser Kunst lebend – dem Widerspruch der abendländischen Kunstauffassung stellt, für die es oft so schwierig erscheint, einen echten Zugang zur Ikone zu finden, da man sich eingestehen muß, daß nicht das autonome Denken unseres selbstherrlichen Verstandes zu den letzten ewigen Wahrheiten emporzuführen vermag, nicht die Anschauung unserer eigenen Sinne, sondern allein die Sprache der Symbole. Der abendländische Irrglaube, daß Anschauung, Wissenschaft und Logik alles restlos zu klären vermögen (wenn schon nicht heute, so doch irgendwann einmal in der Zukunft!), wird abgewiesen. Hier liegt die Schwierigkeit des westlichen Menschen, auch des von der Scholastik und ihrer kataphatischen Theologie zutiefst geprägten Christen der westlichen Konfessionen, einen Zugang zur Ikonenmalerei zu finden, der in ihnen mehr sieht als Volkskunst oder ästhetisch, kunsthistorisch (aber nicht theologisch!) interessante Bilder. Wer so denkt, weicht aber der eigentlichen Fragestellung, dem tiefsten Anspruch der Ikone aus – und damit auch dem Heilsanruf an ihn. Denn die Ikone ist ja – und hier liegt nun einmal der Schlüssel zu ihrem Verständnis! – eine Verkündigung, nicht unwichtiger als jene des Predigers. Ihre Maler sind – indem sie den Auftrag der Kirche erfüllen – als die Seher der himmlischen Realitäten zu einem priesterlichen Tun beauftragt; vielleicht ohne es selbst im letzten zu begreifen und zu wissen, überheben sie uns dieser vergänglichen, kurzlebigen und irrealen Wirklichkeit und verweisen uns auf die zwar den Sinnen noch unfaßbare, aber ewige und so einzig relevante, ja einzig existente Realität, die wir in den Ikonen, den „Fenstern zur Ewigkeit", erblicken. Da ist dann kein Platz mehr für eine unsachgemäße Aktualisierung durch Einfügung zeitgenössischer Kostüme und Bauten (wie es die Gotik liebte), kein Platz für sein Sich-Berauschen an sinnlicher Schönheit (analog der Renaissance) oder an einer Überfülle von Farbe und Bewegung (gemäß dem Barock) – es ist auch kein Platz für ein Hinausposaunen eigener echter und vermeintlicher Emotionen (was die Moderne kennzeichnet), kein Ort für Tagesereignisse, irdischen und politischen Zank. So hat etwa nie – wie A. Grabar eigens nachweist[263] – die polemische Literatur des Schismas von 1054 in die Ikonographie Eingang gefunden: auch ein ermutigendes Zeichen für die tiefe Bedeutung der Ikonenmalerei, die – wie die liturgische Frömmigkeit –

nicht auf die Ebene der Streitfälle dieser Welt herabgezogen werden konnte.[264]

Es ist bezeichnend, daß die Wiedergeburt der Ikonenmalerei in unseren Tagen Hand in Hand geht mit einer Neubesinnung der orthodoxen Theologie auf ihre eigenen Werte und ihre eigenständigen Charakteristika. Aus diesem neu gewonnenen Selbstbewußtsein heraus wird man sich der Wertigkeit der östlichen theologischen Denkweisen, vor allem ihrer patristischen Verankerung, wieder bewußt und kann leichten Herzens von den entliehenen abendländischen Formeln Abschied nehmen, welche sich sowieso als unzureichend erwiesen haben, die orthodoxe Theologie in ihnen auszudrücken, ob es sich nun um die verbalen Formeln der theologischen oder jene bildhaften der künstlerischen Sprache handelt. Die religiöse Malerei des christlichen Ostens hat – so dürfen wir begründet hoffen – ihren Irrweg beendet und kehrt zu ihrem eigentlichen Wesen zurück: wird sie auch die Ausstrahlungskraft besitzen, dem abendländischen Christentum Impulse zur Entwicklung einer eigenen kirchlichen Kunst zu geben? Das Interesse an orthodoxen Ikonen war im Westen wohl zu keiner Zeit in den vergangenen tausend Jahren so groß wie in der Gegenwart: Ikonen haben einen festen Platz in den Wohnungen und Herzen vieler westlicher Christen erobert, sie finden sich sogar in so mancher römisch-katholischen Kirche. Aber wird man auch im Westen bereit sein, ihren spirituellen Anruf entgegenzunehmen, wird man sich der von ihnen ausgehenden Berufung stellen und versuchen, wieder zu einer eigenständigen abendländischen kirchlichen Kunst zu finden, die den östlichen Ikonen ebenbürtig sein könnte? Die geeignet sind, die – wie Joann Meyendorff es genannt hat – „Schau des Unschaubaren" (la vision de l'invisible)[265], zu ermöglichen? – Diese Fragen gehören mit in den Bereich der Identitätskrise des abendländischen Christentums überhaupt; uns will aber scheinen, daß der Lösungsweg nur jener einer Rückbesinnung auf die Theologie der Väter, auf ihre Mystik und ihr Verständnis des Kultmysteriums – und letztlich auch ihr Bilddenken sein kann. Sergij Bulgakov hat einmal gesagt: „Genau gesehen muß man sagen, daß jetzt unter dem Namen ‚Christentum' zwei verschiedene Religionen bestehen: die Verehrung Jesu als des Propheten von Nazareth und die Religion des Gottessohnes Jesu Christi, welcher nach seiner Menschheit Mariens Sohn ist."[266] Wer aber bereit ist, die wahre Gottmenschlichkeit Jesu Christi anzuerkennen, der muß sich auch zu den Entscheidungen des VIII. Ökumenischen Konzils bekennen, denn „die wahren theologischen Dimensionen der ikonoklastischen Kontroverse sind ja klar: das Bild Christi ist das sichtbare und notwendige Zeugnis der Wirklichkeit und der Menschheit Christi. Wenn dieses Zeugnis unmöglich wäre, würde selbst die Eucharistie ihre Wirklichkeit verlieren"[267]; oder, wie es der hl. Theodoros Studites sagt:

„Wenn Christus nach seiner Himmelfahrt undarstellbar wäre, so müßten auch wir, die wir einen Leib mit ihm bilden (syssōmous autō) [268] *undarstellbar sein"*[269]

beziehungsweise, da dies ja augenscheinlich nicht der Fall ist

„würden wir aufhören, Glieder Christi zu sein."[270]

Sind dies nicht Worte höchster Aktualität? Kann nicht die Ikone durch ihre geistliche Schau den Christen des Westens ebenso vor einer Aufgabe der tiefsten Wahrheiten des Glaubens bewahren, wie sie die Orthodoxie davor bewahrt hat, das Bekenntnis zum fleischgewordenen Gottessohn einzutauschen gegen eine alleinige Begeisterung für innerweltliche soziale Engagements, die bei all ihrer Berechtigung doch immer nur bedingten, zeitweise gültigen Charakter tragen. Die Ikonenmalerei ist eine geistliche Betrachtung, eine „Theologie in Farben"[271], die uns tagtäglich die kosmische Dimension des Heilswerkes Christi vor Augen führt, die uns unsere Berufung als Abbilder Gottes immer von neuem ins Gedächtnis ruft, die hinweist auf das Eigentliche des Christentums: die Teilhabe des Menschen an der göttlichen Ökonomie. Indem die Orthodoxie (in Glauben und Kultus identisch mit dem Urchristentum) dieses Eine immer wieder durch alle Zeiten betonte, tat sie das Naheliegendste, Einfachste – und blieb gerade durch die Zeitlosigkeit für alle Zeiten gleich aktuell – auch und vielleicht in besonderem Maße in ihrer kirchlichen Kunst, die so den Ehrentitel einer „kirchlichen" Ikonographie zu Recht verdient. Die Ikonen verweisen jeden, der bereit ist, auf sie zu schauen, oder besser: in ihnen die ewige Wahrheit zu schauen, auf die göttliche Realität, deren Einfachheit so groß ist, daß es dem menschlichen Geist in seinem Aufbegehren, seinem Wunsch, wie Gott zu sein (Gen. 3,5), immer wieder gelüstete, diese Klarheit und Einfachheit durch eigenes Hinzutun zu komplizieren, zu verzerren. Was in der Theologie geschah, ereignete sich auch in der Kunst, doch wenn wir auf die Ikonen blicken, so tritt uns wieder das reine Urbild entgegen, denn – wie Erzpriester Dumitru Staniloae sagt: *,,Die Orthodoxie hat in das geheimnisvolle und mit einfachen Zügen des Glaubens geschmückte Heiligtum nicht die geringfügigen und komplizierten Erfindungen von Meistern eingeführt, die mehr von der Sehnsucht nach Ergötzungen der Hirngymnastik, als vom tiefen und überwältigenden Schauder der Beziehung des Menschen zu Gott beherrscht waren. Die Orthodoxie hat die unwesentlichen Arabesken des Menschenverstandes nicht mit dem einfachen, geheimnisvollen und großartigen, ständig und unvermeidlich erlebten Wesen der grundlegenden Geschichte des Geheimnisses der Erlösung vermischt. . . . Sie fand Verständnis beim Menschen aller Zeiten, weil sie diese Bedürfnisse und grundlegenden Antworten aktualisierte . . . Die Orthodoxie bedurfte keiner scholastischen Spekulationen, keines beeindruckenden Pathos für die fundamentalsten religiösen Fragen des Menschen der Renaissance, um den Menschen von damals zu begegnen, oder besser gesagt, wäre sie ihnen mehr begegnet als die Scholastik und die Reformation, wenn sie diese Menschen vor sich gehabt hätte. Sie braucht sich auch heute nicht selbst zu verweltlichen, um dem zeitgenössischen Menschen zu begegnen, sondern ist sich dessen bewußt, daß sie die Aufmerksamkeit dieses Menschen durch eine Autosäkularisation gänzlich verlieren würde, da sie ihnen nicht mehr Antwort auf die grundlegenden Fragen der Erlösung bringen könnte, die in der Tiefe seines Wesens glimmen. . . . Der Orthodoxie klingt der Ausspruch ,Ecclesia semper reformanda' fremd, da sie Christus immer integral mitteilt, der da ist, ,semper conformis cum omni tempore!'"* [272]*

Hier liegt auch die besondere Bedeutung der orthodoxen Tradition, der orthodoxen Glaubenspraxis und ihrer theologischen Fundierung über den Raum der Orthodoxie hinaus. Durch ihr festes Beharren in einer auf dem Geist der Heiligen Schrift und der frühen Väter aufbauenden Glaubens- und Sittenlehre und einem entsprechenden Vollzug gewinnt die orthodoxe Kirche ihren Stellenwert in der christlichen Ökumene, wird sie zu einem Weg des Heiles auch für die Christen anderer Konfessionen. Für manche suchenden Theologen des Westens hat sich hier der Zugang zu den spirituellen Quellen des Christentums gezeigt, die er in seiner eigenen Konfession vergeblich aufzufinden trachtete. ,,In der gegenwärtigen Krise der (römisch-katholischen, N. T.) Kirche mit ihrer Verunsicherung im Glauben und bei der Gefahr eines Abgleitens in ein hauptsächlich soziales Engagement kann die Hinwendung zur Theologie und zum Geist der Ostkirche, auch ohne formelle Union mit ihr, Rettung bedeuten.[273] . . . Die römisch-katholische Kirche wird erst dann die modernen Irrtümer überwinden und zu einer neuen Blüte kommen, wenn ihr der Anschluß an die tragenden Kräfte der Ostkirche gelingt, an ihre auf den großen Kirchenvätern aufbauende mystische Theologie und ihre Kultfrömmigkeit"[274], urteilt treffend ein führender römisch-katholischer Liturgiewissenschaftler. Aber auch von orthodoxer Seite wird diesen Entwicklungen innerhalb der römischen Kirche immer stärkere Aufmerksamkeit zuteil, nicht zuletzt auch auf dem Gebiet der Liturgieentwicklung und der kirchlichen Kunst. So wollen wir unsere Betrachtung des Verhältnisses von orthodoxer und westlicher religiöser Malerei mit jenen ,,Überlegungen eines orthodoxen Theologen an die katholischen Bischöfe" abschließen, die Erzpriester Boris Bobrinskoj auf Bitten von Bischof Armand François Le Bourgeois von Autun, dem Präsidenten der Nationalen Bischöflichen Kommission für die Einheit der Christen, an den Episkopat der katholischen Kirche Frankreichs richtete. In diesen Gedanken, die er unter den Titel ,,Auf dem Weg zueinander" stellt, schreibt Vater Boris unter anderem:

,,Wir sind glücklich, den größer werdenden Platz der Ikonen in den katholischen Kirchen, insbesondere in den monastischen Gemeinschaften, den Gebetsgruppen und in den Wohnungen festzustellen. In der Krise, die die sakrale Kunst (und die Kunst überhaupt) gegenwärtig im Abendland durchmacht, erscheint uns die katholische Kirche, zutiefst vom Wunsche getragen, den Sinn für die Schönheit Gottes wiederzufinden . . . Es wäre gut, wenn die orthodoxe ikonographische Überlieferung bei der Suche der Kirche nach authentischen Formen einer sakralen Kunst für heute nicht außer Betracht *bliebe. Der Gebrauch und die Verehrung der Ikonen führen so eine sehr bedeutungsvolle Dimension ein, die unsere Zeit braucht: die Offenbarung Gottes als Schönheit und Licht. . . . Zusammen mit der überlieferten Hymnographie der Kirche befähigt die ikonographische Überlieferung, an den wesentlichen Aspekten des christlichen Glaubens festzuhalten, vor allem, was die Verehrung der Heiligen und der Mutter Gottes angeht, die in Frankreich[275] scheinbar heute im Schwinden begriffen sind. Mit der Heiligenverehrung steht die gesamte geistliche Sicht des Menschen auf dem Spiel, dessen Berufung es ist, sich den Strahlen der vergöttlichenden ‚Energien' der heiligsten Dreifaltigkeit in das konkreteste menschliche Leben hinein zu öffnen."[276]*

Die kultische Bezogenheit der orthodoxen Ikone

Romano Guardini hat in seiner leider viel zu früh vergessenen Schrift „Kultbild und Andachtsbild"[1] folgende Gegenüberstellung getroffen: „Das Kultbild geht nicht vom menschlichen Erleben, sondern vom objektiven Sein und Walten Gottes aus – . . . Es macht sich zum Organ der Oikonomia des Heils. . . . Das Andachtsbild geht vom Innenleben des gläubigen Einzelnen aus – des Künstlers und des Auftraggebers, die selbst wiederum für den Einzelnen überhaupt stehen. . . . Wir sind gewöhnt, das Religiöse mit der Innerlichkeit gleichzusetzen; solange wir das tun, können wir mit dem echten Kultbild nichts anfangen, denn das hat keine ‚Innerlichkeit'. Wieder genauer gesagt: keine menschliche, psychologische. . . . Es hat Wirklichkeit, Wesenheit, Macht. Hier gibt es nichts zu analysieren und zu ‚verstehen', sondern ein Waltendes tut sich kund und wenn der Mensch es richtig vernimmt, dann verstummt er, schaut, betet an. . . . Der Sinn des Kultbildes ist, daß Gott gegenwärtig werde."[2] Auch wenn Guardini sie in seinen Ausführungen nicht ausdrücklich nennt, so meint er mit seiner Definition des „Kultbildes" die orthodoxe Ikone, wie auch die folgenden Thesen beweisen: „Das Kultbild enthält etwas Unbedingtes. Es steht im Zusammenhang mit dem Dogma, dem Sakrament, der objektiven Wirklichkeit der Kirche. . . . Im Kultbild setzt sich das Sakrament fort, das opus operatum der Gnade."[3] Wirklich: die Ikone ist immer im besten Sinne des Wortes kultisch, bezieht den Menschen immer wieder auf das liturgische Geschehen der Kirche, bringt gleichsam ein Stück Liturgie an jeden Ort, an dem sie sich befindet.

Durch die Gegenwart der Ikone an den verschiedensten Orten des menschlichen, auch des alltäglichen Lebens werden diese sichtbar miteinbezogen in die göttliche Heilsökonomie. So wie die orthodoxe Kirche in ihrem gottesdienstlichen Leben keine Tren-

---

Fußnoten siehe Seite 283 ff.

nung von liturgischer, d. h. an den Sakralraum oder gar an den Klerus gebundener und daneben mehr oder minder unverbunden wuchernder Volksfrömmigkeit kennt, so ist durch die Ikone auch die übrige Welt hineingenommen in die heiligende Welt des Gotteshauses und des Kultes. Wie aber die Ikone nicht von der liturgischen Frömmigkeit, die hier zugleich gelebter Glaube des gesamten Volkes ist, getrennt werden kann und darf, so wenig dieser von den Ikonen. ,,Die unerläßliche Gegenwart der Ikonen bei den Gottesdiensten beweist klar, daß sie nicht nur ein frommes Zierstück im Gesamtgefüge der Liturgie sind."[4] Kein orthodoxer Kirchenraum, ja, nicht einmal irgendein an einem anderen Orte zelebrierter Gottesdienst ist denkbar, bei dem gänzlich und prinzipiell auf Ikonen verzichtet würde. Zumindest in Form einzelner Wandikonen, zur Verehrung aufgestellter Ikonenpulte oder doch der bei Prozessionen mitgeführten Bilder und Fahnen, im äußersten Falle durch die Ikone des Kreuzes Christi, mit dem der Priester die Gläubigen segnet, sind sie präsent. Sicher, im Notfall wäre natürlich ein Gottesdienst ohne Ikonen denkbar (so wie er auch ohne priesterliche Gewänder und die heiligen Geräte gefeiert werden könnte), aber dies bliebe doch immer eine anomale, durch besonders gewichtige Umstände bedingte Situation, die nicht zur Regel erhoben werden darf und kann, sondern ihre Rechtfertigung in der Verhinderung größeren Unheils (nämlich des Fehlens jeden Gottesdienstes) finden würde. Ein bewußter Verzicht auf sakrale Formen, wie sie in der letzten Zeit gelegentlich in den abendländischen Kirchen vor allem bei Haus- und Jugendgottesdiensten praktiziert wurde, muß dem orthodoxen Christen von seinem Verständnis des Gotteshauses her fremd sein.

Lassen wir diese Sichtweise in den dichterischen Worten eines Schriftstellers unserer Tage, der selber orthodoxer Priester ist, C. Virgil Gheorghiu, zu Wort kommen:

,, . . . (es) ist die Kirche kein irdisches Gebäude. Niemals ist sie das, obwohl sie auf Erden gebaut ist. . . . denn sie ist ein Abbild, eine Reproduktion der wahren Kirche, die im Himmel ist. . . . Die Gebäude, die wir im Zentrum der Städte und Dörfer sehen und die wir Kirchen nennen, sind nur mehr oder weniger geglückte Abbilder des Originals. Es ist unmöglich, auf Erden eine himmlische

Wohnung zu errichten, denn man kann den Himmel nicht mit Marmor, Granit oder Holz bauen, ja mit keinem der groben Materialien, die wir auf Erden haben.[5] Ein himmlisches Bauwerk muß notwendigerweise mit himmlischem Material erbaut werden. Dieses aber haben wir nicht. Wir bauen also auf Erden gemäß den Offenbarungen, die an die Propheten ergingen, das Abbild unserer Kirche dort oben, indem wir uns der Symbole bedienen. Das Symbol ist die Art, indirekt durch Bilder jene Wirklichkeit auszudrükken, die wir mangels geeigneter Mittel nicht direkt ausdrücken können. Ein Symbol verstehen heißt teilhaben an dergenwart, die es darstellt. . . . Dank der Gegenwart Christi ist die Kirche vor allem die Versöhnung zwischen Himmel und Erde, die Osmose des Himmlischen und des Irdischen. Unzählig sind die Sinnbilder. Alle stellen in der Kirche die Begegnung zwischen Himmel und Erde dar. . . . Wie die Ikone ist auch die Kirche eine Ergänzung des eucharistischen Gebetes und bildet einen wesentlichen Teil der Liturgie."[6]

So wird das Kirchengebäude selbst von der orthodoxen Theologie verstanden als eine Ikone der Kirche, ,,als Bild des mystischen Leibes Christi, das sinnbildlich und symbolisch das ausdrückt, was unmittelbar nicht darstellbar ist: die eine, heilige, katholische und apostolische Kirche – Gegenstand des Glaubens, aber unsichtbar in ihrer Fülle."[7] Daher kann der hl. Patriarch Germanos sagen:

,,Die Kirche ist ein Himmel auf Erden, in dem Gott, der höher ist als der Himmel, wohnt und wandelt. . . . Sie war vorgebildet von den Propheten, geschmückt durch ihre Hierarchen, geheiligt durch die Martyrer . . ."[8]

Das Kirchengebäude ist somit – wie die irdische Kirche selbst – ein wahres ,,Bild der kommenden Güter ,,(eikōn tōn mellóntōn agathōn), wie der hl. Johannes Chrysostomos sagt; denselben Gedanken finden wir im bischöflichen Gebet zu Ende der Kirchweihe:

,,Gott und Vater unseres Herrn Jesus, der du gepriesen bist in alle Ewigkeit, der du durch seine Fleischwerdung uns den Eintritt eröffnet hast in die Kirche der Erstgeborenen, die eingeschrieben sind in den Himmeln, wo die Gemeinde der Feiernden und die Stimme der Freude ist: Du selbst, o menschenliebender Gebieter, schaue

hernieder auf uns sündige und unwürdige Diener, die wir die Ein-
weihung dieser ehrwürdigen Kirche als eines Abbildes Deiner heili-
gen Kirche feiern, das heißt ja, unseres Leibes selbst, der ja auch
dein Tempel ist, und die Glieder deines Christus, wie sie durch den
allgerühmten Apostel Paulus genannt zu werden für würdig be-
funden sind [9], und befestige sie unüberwindlich bis zum Ende der
Zeiten. . . ."

Kultraum und Liturgie der orthodoxen Kirche finden ihre um-
fassende Deutung in der „Mystagogie" des hl. Maximos d. Bekenners[10], welche interessanterweise mit einer Betrachtung der Kirche
beginnt, bei der mit Sicherheit die justinianische Sophienkathe-
drale dem Konstantinopler Bürger Maximos vor Augen gestanden
hat. Dort heißt es unter anderem:

„*Auf ebendieselbe Weise wird die Heilige Kirche Gottes, im Ab-*
stand des Abbilds vom Urbild Gott, als die gleichen Dinge an uns
wirkend erwiesen werden. . . . Bild Gottes also ist, wie gesagt, die
Heilige Kirche, weil sie an den Gläubigen die selbe Einigung wie
Gott wirkt, auch wenn die im Glauben Geeinten an Eigenheiten
verschieden sein mögen und getrennt durch Länder und Sitten; die
selbe Einigung, die Gott an den Wesenheiten der Dinge unver-
mischt wirkt, indem er, wie gezeigt, das, was an ihnen verschieden
ist, durch die zu ihm als Ursache, Anfang und Ende vollzogene
Emporbewegung und Einigung sänftigt und selbigt.

. . . Dem zweiten Blick der geistigen Beschauung, sagte er, biete
sich die Heilige Kirche Gottes als ein Abbild und Gleichnis des ge-
samten Weltalls an, das aus sichtbaren und unsichtbaren Wesen be-
steht, indem sie die gleiche Einigung und Unterschiedenheit wie
dieses aufweist. Denn wie sie als Gebäude ein einziger Bau ist, so
besitzt sie doch in Hinsicht auf die Besonderung ihrer Form Ver-
schiedenheit, indem sie eingeteilt wird in den allein den Priestern
und amtenden Dienern vorbehaltenen Ort, den wir den heiligen
Chor nennen, und in den dem ganzen gläubigen Volk offen zu-
gänglichen, den wir das Schiff nennen . . ."[11]

Selbstverständlich mußte sich eine solche Bewertung der Symbolbedeutung architektonischer Formen auch in der Gestaltung
des Kirchenbaus prägend und entscheidend bemerkbar machen.
„In der Großen Kirche der Göttlichen Weisheit zu Konstantino-

pel wird erstmals in der Kirchen- und Liturgiegeschichte ein Kultraum geschaffen, der in so vollendeter Weise die geistige Macht seiner Epoche zum Ausdruck bringt und durch seine Architektur so bildhaft die in ihm vollzogene Liturgie als himmlisches Geschehen in Erscheinung treten läßt."[12] Nicht umsonst hat Kaiser Justinian bei ihrer Einweihung am 27. Dezember 537[13] – so berichtet uns Georgios Kodinos in seiner Topographie von Konstantinopel – voller Stolz ausgerufen:

,,Ruhm und Ehre dem Allerhöchsten, der mich würdigte, ein solches Werk zu vollenden! Wahrlich: Salomon, ich habe dich übertroffen!"[14]

Wie gewaltig der Eindruck war, den diese Kirche auf die Zeitgenossen macht, davon vermittelt uns Prokopios ein Bild, wenn er begeistert seine Empfindungen schildert:

,,Von Licht und Sonnenglanz ist sie übervoll; man möchte sagen, daß der Raum nicht von außen durch das Sonnenlicht erhellt werden, sondern den Glanz aus sich selber habe, solche ein Übermaß von Licht ist über das Heiligtum ergossen. . . . Die gewaltige kugelförmige Kuppel gewährt einen vorzüglich schönen Anblick. Sie scheint gar nicht auf einem festen Unterbau aufzusitzen, sondern an goldener Kette vom Himmel herabhängend den Raum zu überdecken. . . . Der Beter, dessen Geist sich in himmlische Höhen erhebt, weiß, daß Gott nicht fern ist, sondern gerade an diesem Ort sein Wohlgefallen hat, weil er ihn sich selbst wählte."[15]

Doch sollte diese ,,einzigartige . . . Kirche der ,Göttlichen Weisheit', . . . fortan gleichsam das Herz des rhomäischen Imperiums, ihm auf engste in Glück und Unglück verbunden"[16], nicht allein bleiben: nach ihrem Vorbild wurden überall im orthodoxen Bereich Gotteshäuser errichtet. ,,Die Sinnfälligkeit, mit der ihre flachgewölbte, über einem Fensterkranz scheinbar schwebende Kuppel als Abbild des Himmels auch den ganzen Kirchenraum zu einem vom Himmel bestimmten, hierarchisch gegliederten Kosmos macht und die kirchliche Liturgie als abbildende Teilhabe oder gar als direkte Teilnahme an der himmlischen Liturgie der Engel erweist –, diese Ausdruckskraft ist es, die die Große Kirche zum idealen Kultraum und zum absoluten Vorbild der ganzen späteren byzantinischen Kirchenbaukunst macht."[17]

Bestimmend für den architektonischen Plan wird also die liturgische Komponente, zuerst einmal im rein praktischen Bereich, d. h. die sich immer mehr entwickelnde byzantinische Liturgie und das Hofzeremoniell forderten bestimmte räumliche Gegebenheiten. Dies wird klar, wenn wir uns erinnern, daß zum Klerus der Agia Sophia 60 Priester, 100 Diakone, 40 Diakonissen, 90 Subdiakone, 110 Lektoren, 25 Sänger und 100 Torhüter, also insgesamt 525 Personen, gehörten.[18] Weitaus mehr aber war es die der Liturgie zugrunde liegende Idee vom aktiven Miterleben und Mitvollzug der Heilshandlung durch die Gemeinde, welche die bauliche Gestaltung formte. „Die eucharistische Liturgie, welche in all ihrer strahlenden Schönheit und Komplexität zelebriert wurde, gab auch der neuen Architektur ihre Bedeutung, und zwar in einer sehr konkreten und den einzelnen berührenden Weise, welche die Gemeinde mehr als aktive Teilnehmer, denn als bloße Zuschauer ansprach."[19] Die Baugestalt byzantinischer Kirchen ist eben „nicht aus praktischen Gründen gewählt worden, sondern der Ausdruck neuplatonischen Christentums; byzantinische Kuppelkirchen sind in Stein und Tonziegel, Marmor und Gold, Mosaik und Edelstein übersetzter Dionysios Areopagites."[20] Es kann an dieser Stelle nicht auf die einzelnen Phasen der Entwicklungsgeschichte des orthodoxen Kirchenbaus eingegangen werden[21], doch müssen wir uns kurz den wesentlichen Symbolismen der byzantinischen Sakralarchitektur zuwenden.

Wie in den „Apostolischen Konstitutionen" (2,57)[22] festgelegt, so werden auch heute noch (soweit dies nicht durch spezielle geographische Bedingtheiten unmöglich ist), orthodoxe Kirchen nach Osten ausgerichtet. Johannes von Damaskos liefert uns dazu folgende Erklärung:

„Nicht zufällig und grundlos beten wir gegen Aufgang der Sonne hin an, also nach Osten. Vielmehr: weil wir aus einer sichtbaren und unsichtbaren oder geistigen und sinnlichen Natur zusammengesetzt sind, bringen wir dem Schöpfer auch eine doppelte Anbetung dar, gleichwie wir ja auch sowohl mit dem Geist als mit den leiblichen Lippen die Lobgesänge anstimmen, mit dem Wasser und dem Geist getauft werden und uns auf doppelte Weise mit dem Herrn vereinigen, indem wir an den Mysterien und an der Gnade *des Geistes teilhaben.*

Weil Gott ein geistiges Licht ist[23]*, und weil Christus in den Schriften als Sonne der Gerechtigkeit*[24] *und als der Aufgang*[25] *bezeichnet wird, darum gilt es, ihm zum Aufgang der Sonne, nach Osten hin, die Anbetung darzubringen. . . . Als er in die Himmel aufgenommen wurde, erhob er sich gen Osten hin, und so beteten ihn die Apostel an, und ,er wird ebenso wiederkommen, wie ihr ihn sahet hingehen in den Himmel'*[26]*, bzw. wie der Herr selbst es sagte: ,Gleichwie der Blitz vom Aufgange ausgeht und bis zum Untergange leuchtet, so wird es auch mit der Ankunft des Menschensohnes sein.'*[27] *Da wir nun also seine Ankunft erwarten, beten wir nach Osten, zum Aufgang hin, gewandt. Diese Überlieferung haben zwar die Apostel nicht eigens aufgeschrieben: aber so vieles haben sie uns ja in nicht schriftlicher Form überliefert.''*[28]

Ähnlich wie Johannes deuten beispielsweise auch der hl. Patriarch Germanos[29] und der große Basilios[30] die Ostung als apostolisches Erbe. Wir dürfen nach den Forschungen F. J. Dölgers getrost diese Interpretation als erwiesen ansehen.[31] Seit den frühesten Zeiten des Christentums war es allgemein üblich, sich – insbesondere bei solchen Gebeten, die an Christus adressiert waren – gen Osten zu wenden. Davon zeugen noch heute die entsprechenden Aufrufe des Diakons in der koptischen[32] und äthiopischen[33] Liturgie. ,,Dieser Brauch hat sich bei den orthodoxen Völkern bis heute erhalten, indem sie die sogenannte ›schöne Ecke‹ mit Kreuz und Ikonen womöglich immer in einer Ostecke des Raumes einrichten.''[34] Auch eine Fülle liturgischer Texte – zum großen Teil frühchristlicher Herkunft[35] – bringt zum Ausdruck, daß die Wendung gen Aufgang der Sonne zugleich die Hinwendung zu Christus als der wahren Sonne bedeutet. Als ein Beispiel soll hier der Festgesang (Apolitikion) zu Weihnachten zitiert werden:

,,*Deine Geburt, Christe, unser Gott, ließ der Welt erstrahlen das Licht der Erkenntnis, denn bei ihr wurden die Anbeter der Gestirne von einem Sterne belehrt, dich anzubeten als die Sonne der Gerechtigkeit, und dich zu erkennen als den Aufgang aus der Höhe. Herr, Ehre sei dir.''*

Auch im orthodoxen Taufritus wird die Symbolbedeutung von West und Ost benutzt, wenn der Täufling die Absage an den Satan gegen Westen, die Hinwendung zu Christus aber nach Osten spricht: unter den zahlreichen Vätern, die hierzu eine mehr oder minder ausführliche Deutung bieten, sei Kyrillos von Jerusalem zitiert, der dem Neuphyten in seinen „Mystagogischen Katechesen" erklärt:

„*Ich will auch auseinandersetzen, warum ihr euch (beim Aphorkismus) gegen Westen aufstelltet. Es ist notwendig. Da der Westen die Gegend der sichtbaren Finsternis ist, der Satan aber, die Finsternis, in der Finsternis regiert, darum schaut ihr, um dies sinnbildlich auszuprägen, gegen Westen, wenn ihr jenem dunklen, finsteren Herrscher widersaget. . . . Wenn du dich nun vom Satan lossagst und den ganzen Bund mit ihm, die alten Verträge mit der Hölle, vollständig auflösest, dann öffnet sich dir das Paradies Gottes, welches er gegen Osten gepflanzt hatte*[36], *woraus aber unser Stammvater seiner Sünden wegen vertrieben worden war. Zum Zeichen dafür wandtest du dich von Westen nach Osten, der Gegend des Lichtes.*"[37]

Wie in der Orthodoxie[38] waren auch in der abendländischen Kirche die Gotteshäuser bis ins XVI. Jahrhundert normalerweise geostet (von praktisch bedingten Ausnahmen einmal abgesehen), und auch weiterhin blieb die Ausrichtung der Gemeinde und des Zelebranten zum Chor – also der zumindest theoretischen Ostseite – bestehen. Erst das II. Vatikanum bzw. die ihm folgenden liturgischen Neuordnungen führten hier zu einer Änderung. „Durch die nachkonziliare Gestaltung des Altarraums wurde ein Bruch mit der Tradition vollzogen, vor allem auch im Hinblick auf die Ostkirche."[39]

Doch nicht allein die Ausrichtung der orthodoxen Kirchen hat symbolische Bedeutung, sondern auch ihre weitere Gliederung: „Die Einteilung der Kirche in den Altarraum und das Schiff, also in zwei Teile, hat eine vierfache Deutung. Symeon von Thessaloniki nennt im 4. Kapitel über die ‚Kirche'[40] den Altarraum unzugänglich, d. h. einen Ort, dahin zu gehen nicht allen erlaubt ist, sondern nur den Geweihten, das Schiff aber ist allen Christen zugänglich. Diesen beiden Teilen gibt er die folgende Deutung: 1. bezeichnen sie Christus, der gleichermaßen Gott und Mensch ist, d. h. die Gottheit Jesu Christi ist unsichtbar, die Menschheit aber sichtbar, 2. der Mensch besteht aus Seele und Leib[41], 3. das Geheimnis der Dreifaltigkeit, welche dem Wesen nach unzugänglich, ihrer Vorsehung und ihren Kräften nach[42] aber erkennbar ist, und 4. die sichtbare Welt und die unsichtbare: der Altarraum bezeichnet den Himmel, das Schiff die Erde."[43] Unter Hinzunahme der Vorhalle der Kirche wird diese Symbolik dann noch ausgeweitet[44] und besonders auch in Beziehung zum Alten Bunde und der dortigen Einteilung des Zeltes bzw. des Tempels gesetzt. „Alle diese Teile des Tempels waren Bild unseres Tempels, denn der Schatten war ja ein Bild der Wahrheit"[45], schreibt Bischof Veniamin (Rumovskij-Krasnopevkov) (1738–1811) in seinem erstmals 1803 in Moskau veröffentlichten Werk „Das neue Gesetz", einer der wohl bekanntesten und weitverbreitetsten orthodoxen Liturgiedeutungen, welche bis zur Revolution 1917 mehrere Übersetzungen und 17 Auflagen erlebte. Das Besondere dieser Arbeit liegt darin begründet, daß Bischof Veniamin immer wieder bewußt und ausführlich auf die Liturgiekommentare der Väterzeit wie der hochbyzantinischen Theologie (besonders Dionysios und Symeon von Thessaloniki) Bezug nimmt.[46]

Im Anschluß an die – erstmals von Eusebios erwähnte[47] – Dreiteilung des christlichen Kultgebäudes gewinnt die kosmische Deutung an Bedeutung.

„Der göttliche Tempel ist ein Abbild dessen, was auf der Erde, was im Himmel, und dessen, was über dem Himmel ist; der Vorhof ist so das Abbild von dem, was sich auf der Erde befindet, das Schiff aber verkörpert den Himmel; der allerheiligste Altarraum hingegen stellt das dar, was über dem Himmel ist"[48],

sagt Symeon von Thessaloniki. Besonders die Kuppelbauten der nachjustinianischen Zeit verwirklichen die Forderung, im Kirchenraum den

„himmlischen Wohnsitz und das Paradies"[49]

darzustellen, eine Vorstellung, die schon der hl. Gregorios der Theologe in der XVIII. Homilie bei der Beschreibung des seinem Vater errichteten Oktogons geäußert hatte:

„Mit dem Himmel strahlt der Tempel von oben herab und umleuchtet mit reichen Quellen des Lichts die Sehenswürdigkeiten, als wäre er wirklich des Lichtes Wohnstatt."[50]

So wird die gesamte Kirchenarchitektur als Ikone verstanden, d. h. in ihren einzelnen Teilen bringt sie in symbolischer Sprache das Heilsgeschehen zum Ausdruck. „Das aber würde bedeuten, daß der Raum in seiner besonderen Gestaltung mit am liturgischen Geschehen teilnimmt. Er bietet also nicht nur den Ort, wo sich das Geschehen vollzieht, sondern ist selbst Ausdruck dieses Geschehens. Damit ist der Kirchenraum kein Zweckbau mehr."[51]

Basierend auf den relativ frühen Kommentaren etwa eines Theodoros von Andida[52], oder des schon mehrfach genannten Maximos' des Bekenners, haben dann die großen Liturgiedeuter der hochbyzantinischen Zeit wie Sophronios von Jerusalem (oder der unter seinem Namen schreibende Autor)[53] und natürlich vor allem Symeon von Thessaloniki ihre bis heute für die Orthodoxie maßgeblichen Interpretationen erstellt. Der „Bedeutung des Kirchenschiffs angepaßt, erhalten seine verschiedenen Teile ihren entsprechenden Sinn. Sein oberer Teil bedeutet den sichtbaren Himmel[54], der untere die Erde.[55] Die Leuchter stellen die Sterne dar, die Kronleuchter die himmlischen Sphären und die Kreise der Planeten. So erhält hier die kosmische Symbolik des alttestamentlichen und der heidnischen Tempel ihre christliche Sinngebung und Auslegung. Das ist die erschaffene, sichtbare Welt, aber schon gerechtfertigt, geweiht, verklärt, der neue Himmel und die neue Erde im eigentlichen Sinne, das Reich Gottes. Dieser Teil des Gebäudes kommt mit dem Altarraum unmittelbar in Berührung und wird von ihm erleuchtet. . . . Die Stufe (soléa) am Rande zwischen dem Altarraum und dem Schiff bedeutet den feurigen Fluß, das Feuer, das laut Apostel Paulus (1. Kor. 3,12–15) das Werk eines jeden prüfen wird. Da an dieser Stelle die Kommunion der Gläubigen stattfindet, kann man annehmen, daß diese Bedeutung der soléa mit der Kommunion besonders verbunden ist. Als Übergang vom Schiff in den Altarraum, Ort ihrer Verbindung und gegenseitigen Wirkung, ist die soléa gleichzeitig Ort der Prüfung eines jeden."[56]

Besondere Deutung wird auch dem Ambon zuteil, also jener heutzutage leider in den meisten neuerrichteten orthodoxen Kirchen verschwundenen Erhöhung inmitten des Kirchenschiffes, welche eigentlich der dem Diakon zukommende Platz ist[57], von dem aus er inmitten des Volkes sowohl die Verkündigung des

Evangeliums vornimmt wie die Ektenien singt. Als solcher befand sich der Ambon in allen Kirchen der byzantinischen Zeit[58] und wurde gesehen als ein Abbild für

„den Stein, der vom Grabe Christi hinfortgewälzt worden war, denn dort verkündigen ja die Diakone, welche die Gestalten der Engel darstellen, und auch die Priester das göttliche Evangelium". [59]

Man mag – besonders in westlichen Ländern – diese Symbolfülle als übertrieben ansehen oder die Befürchtung hegen, daß es sich hierbei um Deutungen handele, die in ihrer Feinheit dem einzelnen Gläubigen gar nicht mehr einsichtig gewesen wären. Sicher bestand die Gefahr der Übersteigerung solcher Symboldeutungen, besonders bei Symeon, der „tatsächlich in äußerster Treue zur ihm bekannten Tradition alles gesammelt hat, was zur Erklärung der Liturgie dienen konnte. Die liturgischen Schriften des Symeon wurden denn auch bis heute als Kompendium der Liturgiedeutung, ja als eine Art Inventarverzeichnis aller kirchlich approbierten Deutungsmotive, hochgeschätzt, weitertradiert und immer wieder ausgeschrieben."[60] Wir dürfen sie getrost in Parallele zu den Malerhandbüchern der Ikonographen setzen: hier wie dort finden wir eine Festlegung der als kanonisch anerkannten Bilder und ihres Symbolgehaltes. Daß Symeon durch seinen Versuch, alle ihm bekannten und dogmatisch haltbaren Deutungen mit in sein Werk einzubeziehen, stellenweise verwirrend wirkt, ändert nichts an unserer grundsätzlichen Aussage. Diese Bemühungen Symeons standen sicher in keinem Gegensatz zum Verständnis seiner Umwelt. Wir dürfen nie vergessen, daß wir es dort nicht mit einer oftmals gewaltsam und gekünstelt „realistischen" Denkweise zu tun haben, wie sie nur allzu häufig die abendländische Gegenwart unserer Tage beherrscht und bei der eine vermeintliche vordergründige „Realität" zum Anlaß genommen wird, dahinter und tiefer liegende Sachverhalte bzw. ihren symbolischen Ausdruck von vornherein abzulehnen. „Symbole umgaben den Byzantiner allenthalben – Gottesdienst wie Kaiserkult waren symbolbeladen. . . . Für den Byzantiner ist, wie wir sahen, die Kunst gleichbedeutend mit einer Überwindung der sichtbaren Hülle der Dinge und mit dem Aufbau einer besonderen Welt, die der göttlichen Idee maximal angenähert und daher symbolisch ist. . . . Die byzantinische Kunst soll also letzten Endes dem gleichen Zweck dienen, dem der mittelalterliche Mensch sein ganzes Leben unterordnete: der Erlösung."[61]

Die Baumaterialien der Kirche werden so – wie die Farben der Ikone – zu Trägern der Heilsaussage, ja, der Heilswirklichkeit: der Gläubige, der in die Kirche eintritt, erfährt hier sinnenfällig den Himmel, oder „besser noch, die vergöttlichte Welt . . .; allmählich sollen Mensch und Welt in den Raum Gottes gebracht werden."[62] Es gelten die Worte, die Abt Suger von St. Denis (1081–1151)[63] am goldenen Tor der von ihm neu errichteten Klosterkirche gegen Schluß der Inschrift anbringen ließ:

„Mens habes ad verum per materialia surgit,
Et demersa prius hac visa luce resurgit."[64]
(Durch die Materie schwingt sich der Geist,
der schwache, zur Wahrheit hin,
und er entwindet dem Irdischen sich,
umstrahlt gar vom Lichte.)

Wenn wir hier auch noch im Westen der gleichen allgemein altchristlichen Grundidee von Bedeutung und Aufgabe des Kirchenbaus begegnen (und mit Sicherheit auch Nachwirkungen davon erhalten bleiben[65]), so geht doch in zunehmendem Maße Wesentliches verloren; „im Abendland ging die Entwicklung nach dem großen Schisma eigene Wege. . . . Was uns vor allem fehlt, sind die Malereien (‚Ikonen'), mit denen jede, auch die kleinste, Kirche damals ausgestattet war. Es handelt sich bei diesen Malereien um ‚typische', wenn man so will, ‚liturgische' Darstellungen. Ihre Thematik war weitgehend festgelegt und in Ost und West im wesentlichen gleich. In den meisten kunstgeschichtlichen Werken ist von der Ursprünglichkeit und der Ausdruckskraft der ‚vorromanischen Malerei' die Rede . . ., aber kaum von ihrer engen Verbindung mit dem Kult. Und gerade darauf kommt es bei dieser Kunst an."[66] Seit dem großen Bildersturm nämlich entwickelte sich endgültig die bereits vorher begonnene Durchgestaltung in der Kirchenausmalung – genau entsprechend der symbolischen Bedeutung des Kultraumes.[67] „Im Schmuck dieser Bildausstattung erweist sich das byzantinische Kirchengebäude als das, was es nach dem Weltbild des Dionysios sein muß und was Maximos tatsächlich in ihm erblickte: als Abbild des Kosmos aus Himmel und Erde, vor allem eines Kosmos, der auf Christus ausgerichtet und von kosmischer Liturgie erfüllt ist. In seinem Bildschmuck wird der Kirchenraum nunmehr gleichsam selbst zur Liturgie, indem er die liturgisch-sakramentale Gegenwart Christi, der Engel und Heiligen darstellt und darstellend mitbewirkt."[68]

Ein frühes Zeugnis, das uns zugleich eine relativ detaillierte Beschreibung ikonographischer Gestaltung der Kirche in der Zeit der ikonoklastischen Wirren bietet, ist eine gegen den bilderstürmerischen Kaiser Konstantinos V. (741–775) gehaltene Rede[69], die lange Zeit dem hl. Johannes von Damaskos zugeschrieben wurde, aber wohl auf den Mönch Johannes von Jerusalem, den Generalvikar des antiochenischen Patriarchen Theodoros (757–797), zurückgeht und um 764 geschrieben worden sein dürfte.[70] Dort argumentiert Johannes gegen die Ikonoklasten, welche den Vorwurf erhoben hatten, die Ausmalungen der Kirchen seien Götzenbilder, folgendermaßen:

„ *Wer kann es wagen, eine schöne Darstellung der Heilsordnung als ,Götzendienst' zu bezeichnen und wider die Passion Christi, wider die Heiligen und diejenigen, die uns die heilige Kirche überliefert haben, so zu lästern? Haben wir doch die Kirche so von unseren Vätern empfangen, nämlich als eine, die geschmückt ist und das darstellt, was auch die heiligen Schriften uns lehren: nämlich das Heilshandeln bei der Menschwerdung Christi, seine Herabkunft zu uns um unseres Heiles willen, die Verkündigung Gabriels an die Jungfrau, und auch all dies: die Geburt, die Höhle, die Krippe, die Hebamme und die Windeln, den Stern und die Weisen[71]; sodann: die Taufe, den Jordan, Johannes, der seinen Scheitel berührt, und den von oben herabsteigenden Heiligen Geist in der Gestalt einer Taube. Fahren wir fort bei seinen Leiden und sehen wir da: die Kinder mit den Palmzweigen, Becken und Linnen der Fußwaschung, den Kuß des Judas und die Gefangennahme durch die Juden, das Bemühen Pilati; sodann: die Kreuzigung, die Nägel und die Ohrfeigen, den Schwamm und die Lanze und oben am Kreuze die Tafel mit der Aufschrift: ,Siehe, der König der Juden!'; weiter: die Auferstehung, die Freude der Welt: wie Christus den Hades*

*niedertritt und den Adam auferweckt, in gleicher Weise sehen wir
auch die Himmelfahrt. Gehen wir weiter und kommen wir zu seinen Wundertaten: da erblicken wir die Heilung des Blindgebore-
nen, diejenige des Gichtbrüchigen, sehen, wie die Blutflüssige die
Gewänder des Herrn berührt, und wie sie dann als erste von allen
aus Erz eine Christusikone machte[72]; weiterhin sehen wir die Gestalten der Heiligen mit ihren Martern und Leiden, die sie um
Christi unseres Gottes willen erduldet haben. − Wie könnt ihr diese
schöne und heilsame Darstellung als ‚Götzendienst‘ bezeichnen!
. . . Im Bilde stellt er (der Ikonograph) die Schönheit der Kirche
vom ersten Adam an bis hin zur Geburt Christi dar und dann das
ganze Heilshandeln Christi im Fleische, wie auch die Passion der
Heiligen, all das überlieferte er der Kirche. So schrieb auch der heilige Schriftsteller das Evangelium. Beide haben somit ein und denselben Bericht zusammengestellt, durch den sie uns unterweisen.
Weshalb also verehrt ihr das Buch und verabscheut das Bild? . . .
Welcher Unterschied ist zwischen beiden, da doch beide die gleiche
Heilsbotschaft verkünden? . . . Wenn ein Heide zu dir käme und
dich bitten würde: ‚Zeige mir deinen Glauben, damit auch ich
glaube!‘, was wirst du ihm zeigen? Wirst du ihn dann nicht von den
sichtbaren zu den unsichtbaren Dingen emporführen, damit er
diese willig annehme? . . . Du führst ihn dann doch in die Kirche
und zeigst ihm deren Bildschmuck; du machst ihn aufgeschlossen
für die Gestalten der Ikonen . . .“[73]*

Offenbar befanden sich also zu dieser Zeit in den Kirchen bereits
die uns heute bekannten Darstellungen aus der Heilsgeschichte;
mehr noch: sie bildeten augenscheinlich schon einen mehr oder
minder festen Zyklus, denn Johannes kann sich mit einigen wenigen Anspielungen begnügen, um den Zuhörern die verschiedenen
Ikonentypen vor Augen zu stellen. Wir dürfen daher annehmen,
daß im VIII. Jahrhundert die Grundzüge der Kirchenausmalung
schon festlagen: wie in der Kirche das Evangelium durch die Lesung verkündet wird, so auch durch das Bild. Wie in den Worten
der Predigt und in den liturgischen Texten und Handlungen der
Gläubige Teilhaber, ja, Mitvollzieher im göttlichen Heilsplan
wird, so auch durch die Bilder, die ihn einbeziehen in die Oikonomia. Dieser „Vergegenwärtigungscharakter“ der damaligen (und

der heutigen) orthodoxen Kirchenausmalung tritt uns mit noch größerer Eindringlichkeit in der Festrede des hl. Photios bei der Weihe der „Neuen Kirche" im Kaiserlichen Palast am 1. Mai 881 entgegen:

„Am Gewölbe (der Kuppel) ist ein männliches Bildnis, die Gestalt Christi zeigend, mit bunten Steinchen gebildet. Du möchtest sagen, daß er die Erde überschaue und ihre Ordnung und Regierung erwäge, so treffend hat der Maler in Gestalt und Farben die Vorsehung des Weltschöpfers (dēmiourgoū) für uns ausgedrückt. In den kreisförmigen Abschnitten aber um das Gewöbe der Kuppel ist eine große Zahl von Engeln, welche den gemeinsamen Herrn dienend umdrängen, abgebildet. Die vom Altarraum her sich erhebende Apsis aber strahlt wider von der Gestalt der Jungfrau, die ihre unbefleckten Hände für uns ausgebreitet hat und dem Kaiser Heil und Sieg im Kampf wider die Feinde verleiht. Die Apostel aber und Martyrer, sowie die Propheten und Patriarchen schmücken das ganze Heiligtum, das sie mit ihren Bildern erfüllen."[74]

Bildhaft ist hier mit der irdischen Gemeinde die gesamte Kirche gegenwärtig: die verschiedenen Stände, allen voran aber die Allreine erflehen beim Herrn der Schöpfung Gnade für seine Gemeinde. Die Kirche Christi ist ja, über alle irdischen Grenzen hinaus, eine unverbrüchliche Einheit, sie ist – wie es Patriarch Germanos formuliert –

„geschmückt durch ihre Hierarchen, vollendet in den Martyrern und herrscht in ihren Heiligen".[75]

Durch die fortlaufende Darstellung der Heilsereignisse wird die Gemeinde hineingestellt in jene göttliche Oikonomia, die bei der Weltschöpfung begann, die ihre Engführung im Kommen des eingeborenen Sohnes erlebte, die aber noch keineswegs abgeschlossen ist, sondern der Vollendung harrt: „auf diese Weise stellt das Kirchenschiff und alles, was zu ihm gehört, symbolisch das ganze Weltall dar, und zwar den Prozeß der Heilsgeschichte und ihr Ergebnis: die Verklärung der Welt, zu der der Mensch berufen ist."[76]

Während sich das Bildprogramm anfänglich auf einzelne Bilder, zumeist Darstellungen des Herrn, der Gottesmutter oder besonders verehrter bzw. typischer Heiliger beschränkt hatte, wird es nun immer mehr ausgestaltet. Nicht zu übersehen ist dabei die gleichzeitig erfolgende Entwicklung der Liturgie als der bildhaften Darstellung des Lebensweges Christi und seiner Heilstaten[77]: Der Kirchenraum wird zur Stätte der Mysteriengegenwart, wobei diese Gegenwart sowohl durch die liturgischen Gesänge und Handlungen wie durch „das in Farbe umgesetzte Evangelium"[78], die Ikonen und Ausmalungen, erreicht wird. So wird die Kirche als Stätte verstanden, wo die Mysterien des Lebens Christi nicht nur im Geschehen der Liturgie, sondern – man muß fast sagen – ebensosehr durch die Ikonographie gegenwärtig werden. Beispiele für solche durchgestalteten Bildzyklen bieten uns im XI. Jahrhundert die Klosterkirchen von Hosios Lukas[79] und von Daphni[80]; aus beiden läßt sich auch schon die weitere Entwicklung ablesen: während in Hosios Lukas nur acht Darstellungen zu finden sind, erweitert sich der Ausmalungsplan in Daphni bereits auf zwölf Szenen. Wie die Liturgieauffassung dieser Zeit in der Eucharistiefeier immer mehr die Nachbildung des Heilswerkes Christi sieht, so versucht auch der ausgestaltete Malzyklus diese so zu verlebendigen, daß wir sie mit unseren Sinnen erleben können. Deshalb hat sich – obwohl es ursprünglich durchaus andere architektonische Formen gab[81] – die Gestalt der Kuppelkirche als typisch orthodoxer Kultraum durchgesetzt. Sicher mag dabei auch das Vorbild der „Großen Kirche" zu Konstantinopel sein Teil beigetragen haben, aber wir gehen sicher nicht fehl in der Annahme, daß kaum ein anderes architektonisches Modell so gut geeignet war, in seiner räumlichen Figur und der damit ermöglichten malerischen Gestaltung die kosmische Schau der orthodoxen Liturgie zu eröffnen. Folglich sind auch nahezu alle in der genuinen orthodoxen Kirchenbautradition stehenden Kirchen Kuppelbauten – nur einige wenige haben den älteren basilikalen Stil bewahrt, so z. B. das Protaton in Karyai auf dem Heiligen Berge. Ansonsten aber weichen höchstens die unter stark abendländischem Einfluß stehenden neueren russischen Kirchen des ausgehenden XVIII. und XIX. Jahrhunderts vom Grundschema ab – und auch hier finden wir (trotz zumeist fehlender Ausmalung) im Regelfall die Kuppelform.[82]

Mehr und mehr wird in der mittel- und spätbyzantinischen Zeit der Versuch unternommen, durch eine immer detailliertere und untergliedertere Ausgestaltung des Bildzyklus, der dann im

XIV. Jahrhundert das Innere der Kirche vollständig mit Malereien oder Mosaiken bedeckt, die ganze Fülle der Heilsgeschichte einzubeziehen: am Ende dieser Entwicklung steht jene Kirchenausmalung, wie sie uns etwa das Handbuch des Dionysios[83] bietet: ähnlich wie in manchen Liturgiekommentaren der Spätzeit besteht auch hier die Gefahr, die Hauptthemen zugunsten einer Überfülle nebensächlicher Bilder einzuschränken, ja, rein optisch fast zu verdrängen. Doch können wir sagen, daß nur wenige Kirchen das gesamte von Dionysios vorgeschlagene Programm haben verwirklichen können. Von daher brachte allein die von den praktischen Gegebenheiten her notwendige Beschränkung auch eine stärkere Betonung des Wesentlichen mit sich, denn naturgemäß wurden zuerst zweitrangige Themen ausgelassen. Im Sinne der weiterhin gültigen Hauptidee will man durch die Ausmalung das Eingreifen Gottes in die Geschichte und in die Welt, den Einbruch des Himmlischen in das Irdische und die daraus erfolgende Verklärung des Menschen aufweisen. So blickt von der Kuppel, vom „Himmel", Christus der Allherrscher herab, er, der selbst das umschriebene Abbild des göttlichen Vaters ist, in dem wir also Gott schauen und durch den wir die hl. Dreifaltigkeit erkennen. Gott, der alles nach seinem Bilde geschaffen hat – das heißt durch den Sohn, sein eigentlichstes Bild![84] – wird eben diesem seinem Christus am Ende der Zeiten den Kosmos übergeben, damit er ihn richte. Richtschnur aber ist dabei, wie ähnlich wir unserem Urbilde geworden sind oder wie weit wir das Abbild verdorben haben.

Unter dem Bilde des Allherrschers sehen wir die Göttliche Liturgie – gleichsam um anzuzeigen, welche tiefe und innere Einheit besteht zwischen dem auf Erden vollzogenen Gottesdienst der Kirche und dem himmlischen Jubel der Engel und Heiligen vor dem Throne des Allerhöchsten. Es sind letztlich nicht zwei verschiedene Gottesdienste, die hier gefeiert werden, sondern ein und derselbe Gott wird in den Formen geehrt, die jedem – Menschen und Engeln – gemäß sind.

Weiterhin wird das Band, das Himmel und Erde vereint, dargestellt durch die Reihe der großen Patriarchen des Alten Bundes: mit Noe begann nach dem Fall des ersten Adam die Heilsgeschichte von neuem, wandte sich Gott der gefallenen Menschheit zu, um sein verdorbenes Bild wiederherzustellen. So führt auch Noe die lange Schar der Erwählten an, jener Männer des Glaubens, die zum Fundament seines Auserwählten Volkes wurden. Gott wollte aber in seiner Güte die Gnade nicht nur einem Stamme vorbehalten: vielmehr sollte dieses Volk die Wurzel sein, aus der der Erlöser aller aufsprießte. Die lange und oftmals so mühevolle Vorbereitung dieser größten Heilstat, des Kommens des Messias, wurde den großen Propheten des Volkes Israel anvertraut, deren Schar – angefangen von Moses über die königlichen Sänger David und Salomon bis hin zu Daniel uns in der folgenden Reihe entgegentritt. Die Erfüllung aber all dessen, was uns von ihnen vorherverkündet wurde, ist in Christus geschehen, der – präexistent vor allen Äonen als das Wort und Abbild des unsichtbaren Vaters – Fleisch annahm aus der allreinen Jungfrau, um die Welt zu erlösen. Sein Leben, sein Auftrag, sein ganzes Heilswirken wurde uns kundgetan von den gotterleuchteten Evangelisten, deren Ikonen wir folgerichtig zwischen der Vorhersage des göttlichen Heilsplanes durch die Propheten und seiner Realisation in Christus angeordnet vorfinden, nämlich in den Zwickeln der Kuppel.

Trotz aller Verkündigung der Evangelisten aber wäre uns Christus verschlossen geblieben, wenn nicht die hl. Kirche ihn uns übermittelt hätte, indem sie in ihrer Überlieferung seiner Person, seinem Leben und seiner Botschaft treu geblieben ist – also jener Mission, die ihr der Herr selbst übertragen hat. Im körperlichen Sinne wurde uns der Erlöser zwar von Maria geschenkt, in einem geistigen Sinne jedoch von der Kirche. Deshalb erblicken wir auf der Apsis des Allerheiligsten die Mutter-Kirche, wie sie sich in der Jungfrau Maria verkörpert, die ja das Urbild der Kirche ist. So wie der Blick des Gläubigen, der in die Kirche eintritt, zuerst auf die Apsis gerichtet ist, so werden wir auch durch das Vorbild der Kirche zu Christus geführt, dessen Leben und Wirken uns in den weiteren Darstellungen begegnet. Dabei bleiben dem Altarraum, der in so besonderer Weise die Gegenwart Gottes zeigen will, jene Motive vorbehalten, welche sich direkt auf die Verbindung der irdischen und der überirdischen Welt in Christus beziehen, also etwa der Verklärung, der Himmelfahrt, der Ausgießung des Hl. Geistes oder der zweiten Parousie des Herrn.

Gen Westen finden wir normalerweise – gleichsam als Widerschein der „Sonne der Gerechtigkeit" – dann Szenen aus dem Leben der Gottesmutter.

Die zweite Reihe der Ausmalungen zeigt die Wunder, die Christus zum Erweise seiner Göttlichkeit gewirkt hat, und welche uns zum besseren Verständnis der ihnen zugeordneten Szenen seines Lebens dienen. So finden wir hier im Altarraum etwa die Darstellung der Apostelkommunion.

In der untersten Reihe begegnen uns dann die verschiedenen Heiligen: die Antwort des Menschen auf den Anruf Gottes. Im Heiligtum sind es die Bischöfe, Priester und Diakone, an erster Stelle stets die hll. Martyrer, die ihr Blut hingegeben haben für den, der sein Fleisch und Blut den Menschen zur Speise reicht, sodann – über den Chorplätzen – die Bilder der großen Mönchsväter und Hymnendichter usw.[85] Selbstverständlich ist die Anordnung der Ausmalung nicht in allen Kirchen vollkommen identisch, sondern „kann vom idealen Gleichgewicht abschweifen, sie kann auch mehr oder weniger vollständig sein; aber wohin sie auch neigen mag: in die christologische, mariologische, hagiographisch-beschreibende (es gibt Kirchen, deren Wände ganz mit Szenen aus dem Leben eines einzigen Heiligen bemalt sind) oder andere Richtungen, der Grundsinn der Ausmalung bleibt immer der gleiche. . . . Stets bleibt eine Kirche das Bild der verklärten Welt, des Reiches Gottes, der Kirche, die zur eschatologischen Erfüllung strebt."[86]

Wir haben bisher aus unseren Überlegungen jene Ikonen ausgespart, die vielleicht am auffälligsten das Bild des orthodoxen Kirchenraumes bestimmen, nämlich die Bilderwand, die Ikonostase. Von ihr sagt Symeon in seiner Kirchenerklärung:

„Die Ikonostase (diástyla) zeigt uns den Unterschied zwischen dem Sichtbaren und dem Unerkennbaren; es ist sozusagen der Grenzbalken zwischen den materiellen und den geistlichen Dingen. Da sie doch im Angesichte des Altares – das heißt ja Christi selber! – steht, sind doch ihre Säulen die der Kirche und versinnbilden somit alle jene, die uns durch ihr Zeugnis für Christus stärken. Oben auf der Ikonostase sind die Säulen dann durch ein ununterbrochenes geschmücktes Querflies verbunden, welches so das Band

der Liebe symbolisiert, das die Gemeinschaft in Christo zwischen den irdischen Heiligen und den himmlischen Wesen darstellt. Deshalb auch befindet sich in der Mitte der heiligen Bilder eine Ikone des Erlösers, ihm zur Seite aber sind seine Mutter und der Täufer, die Engel und Erzengel, die Apostel und all die anderen Heiligen. Dies besagt, daß Christus im Himmel mit allen Heiligen ist, Christus, der nun bei uns ist und Christus, der wiederkommen wird. So beweist auch die Ikonostase, daß das Heiligtum eine Erinnerungsstätte an Christus ist: z. B. der heilige Tisch ist das Grab . . ."[87]

Die Ikonostase[88] – wie wir sie heute kennen – stellt sich als eine hohe, in Holz (so vornehmlich in Rußland) oder Stein gearbeitete Wand dar, auf welcher in mehreren Reihen übereinander Ikonen angeordnet sind. Dabei treffen wir nicht selten Ikonostasen, die in bis zu acht Reihen an die Kirchendecke reichen.[89] In dieser Form hat sich die Ikonostase erst relativ spät – vor allem in Rußland – ausgeprägt, und ist von dort wieder in die übrigen slawischen oder auch griechischen Länder gewandert.

Trotzdem können wir sagen, daß die Ikonostase einen integralen Teil der byzantinischen Kirchenarchitektur seit den ältesten Zeiten darstellt. Barrieren waren seit vorchristlicher Zeit und vor allem im Bereich der kaiserlichen Zeremonien zur Abteilung der besonderen, dem Kaiser bzw. den sonst amtierenden Staatsbeamten vorbehaltenen Plätze üblich. Eine solche Schranke zeigt uns beispielsweise das Relief am Fuße der Theodosios-Säule im Hippodrom zu Konstantinopel.[90] Wie viele andere Gegebenheiten weltlicher, vor allem höfischer Art wurden auch diese Schranken in den kirchlichen Gebrauch übernommen, sobald es sich als notwendig erwies. Dies bezeugt etwa die Schilderung der Basilika von Tyrus, die Eusebios im X. Buch seiner Kirchengeschichte bietet.[91] Das Gotteshaus des IV. Jahrhunderts besaß demzufolge zur Abgrenzung des Altarraumes bereits hölzerne und kunstvoll gearbeitete Chorschranken. Die Beschreibung des Eusebios wird durch zahlreiche archäologische Funde bestätigt, welche uns auch die ungefähre Gestalt der damaligen Altarwände zeigen: zwischen Säulen waren Vorhänge gespannt, die gegebenenfalls durch halbhohe Mauern ergänzt waren. So dürfen wir uns die Ikonostase des ersten Jahrtausends als eine dem frühen abendländischen Lettner weitestgehend entsprechende Chorschranke vorstellen, bei der wir schon die drei späteren Türen, zumindest aber die mittlere derselben vorfinden. Sie war in ihrer Steinkonstruktion noch relativ offen – allerdings sollte man nicht vergessen, daß die Vorhänge zu einigen Höhepunkten des Gottesdienstes geschlossen wurden, wie es auch heute noch in den orientalischen Riten üblich ist, die keine eigentliche Ikonostase kennen (oder doch zumindest nur eine der ursprünglichen Form entsprechende Schranke aufweisen), also etwa dem armenischen oder äthiopischen Ritus. Einen völlig offenen und allgemein zugänglichen Altarraum kannte die Kirchenarchitektur des ersten Jahrtausends nicht, vielmehr

„zeigen diese Wände . . . . das Ende des äußersten Raumes an, an dem sich das Volks befindet, und markieren, wo das Heiligtum beginnt, das nur von der Geistlichkeit betreten werden darf.“[92],

wie der hl. Patriarch Germanos bemerkt. Selbst die Tatsache, daß in einigen sehr frühen Kirchen der Altar in der Mitte der Kirche steht, sollte uns hier zu keinem Trugschluß verführen: auch heute noch kennen äthiopische Kirchen häufig diese Baustruktur (weitgehend ist sie sogar dort die Regel), ohne deswegen auf die Vorhänge und die Abtrennungen zu verzichten.

Solche Frühformen der Ikonostasen finden wir übrigens auch heute noch in zahlreichen athonitischen Kirchen – allerdings verdeckt durch die weitaus jüngeren davorstehenden Bilderwände der Neuzeit.[93]

Doch dürfen wir die Tatsache, daß die Chorschranke des ersten Jahrtausends noch weit von der später typischen Form der Ikonostase entfernt ist, nicht so interpretieren, als hätten Ikonen hier keine Rolle gespielt. „Ikonen wurden mit der Schranke, die das Heiligtum abschloß, sicher viele Jahrhunderte früher in Verbindung gebracht als die Erfindung der klassischen Ikonostase datiert.“[94] Schon der erwähnte Bericht des Eusebios spricht von Verzierungen auf den Tafeln. worunter wir nach unseren archäologischen Erkenntnissen vorrangig Blätterwerk, Monogramme (insbesondere das seit Konstantin allseits verbreitete Christuszeichen) und Weinranken verstehen dürfen. Auch ornamental verwandte Tiere, besonders Vögel, Löwen und andere, tauchen relativ häufig auf.[95] Bald aber gesellen sich ihnen auch speziell christliche Darstellungen zu: so kennen wir aus der Demetrios-Kirche in Thessaloniki in Mosaik gearbeitete Christusbilder auf den Chorschranken.[96] Von da war es nur noch ein relativ kleiner Schritt, bis man Ikonen – die inzwischen ja schon die gesamte Kirche schmückten – auch auf den Sims dieser Altarschranken stellte. Der ikonenfreundliche Patriarch Nikephoros bezeugt uns für das beginnende XI. Jahrhundert die Ausstattung der Gotteshäuser mit solchen überall an den Chorschranken und besonders an ihren Säulen befestigten Ikonen.[97] Verständlicherweise „verwuchsen" diese Ikonen nun immer mehr mit den sie tragenden steinernen Säulen und Platten zu einem Ganzen, wobei es auch zu einer Kanonisierung ihrer Anordnung kam, wie wir sie heute noch kennen. Vor allem aber bewirkte diese Verknüpfung der Chorschranken mit den ihnen beigesellten Ikonen, daß die heutige Ikonostase „auf eine solche Weise mit dem Inneren des orthodoxen Gotteshauses verwachsen ist, daß die Bezeichnung als orthodoxe Kultstätte für manche Leute von einer Ikonostase abhängt".[98] Man muß von daher die Frage stellen, inwieweit die frühchristlichen Chorschranken rein praktische Bedeutung hatten oder ob ihnen darüber hinaus auch schon symbolische Aufgaben zukamen. Eusebios legt den letzteren Gedanken nahe, wenn er bei der Beschreibung der konstantinischen Grabeskirche in Jerusalem sagt:

„Diesen (den Türen) gegenüber war die Hauptsache des ganzen Werkes, die Apsis, oben am Ende der Basilika, gebaut: entsprechend der Zahl der Apostel des Erlösers umgab sie ein Kranz von zwölf Säulen, deren Kapitelle mit sehr großen silbernen Mischkrügen geschmückt waren, die der Kaiser selbst als schönstes Weihegeschenk seinem Gotte dargebracht hatte."[99]

Wenn sicher auch die praktische Aufgabe der Säulen in der Befestigung der Vorhänge vor dem Allerheiligsten gelegen hat, so wird man doch annehmen können, daß sie in ihrer Symbolbedeutung nicht nur Eusebios zugänglich waren, also möglicherweise auch irgendwelche Bezeichnungen trugen, die den Vergleich mit den Aposteln nahelegten, zumal die Zwölfzahl kaum zufällig gewählt worden sein dürfte. Zudem stoßen wir bei einer Reihe von Vätern – etwa bei Gregorios dem Theologen – in relativ früher Zeit auf die schon erwähnten Symboldeutungen des Kirchenraumes, bei denen

auch die Trennschranken zum Heiligtum gewürdigt wird.[100]
Wenn wir uns weiter daran erinnern, daß der „alte, alttestament-
liche Kultus nicht einmal nur als von der Vorsehung eingerichtete
Vorbereitung für den neuen und sein Vorbild von den Christen angenommen wurde, sondern sogar als dessen unerläßliche Begründung (denn nur durch die ‚Transponierung' seiner grundlegenden
Kategorien – Tempel, Priestertum, Opfer – war es möglich, das
Neue der Kirche auszudrücken und zu erläutern als eine Erscheinung des Verheißenen, als Erfüllung des Erwarteten, als eschato-
logische Vollendung)"[101], dann ist wohl anzunehmen, daß auch
die Einteilung des alttestamentlichen Tempels nicht spurlos im
Christentum verschwinden konnte; was im Alten Bunde vorherge-
sagt, vorgebildet war, mußte nach dem Denken der christlichen
Väter seine Erfüllung (und damit seine Entsprechung) in der Vollendung des Neuen Bundes finden. So konnte auch die Trennwand
zwischen Allerheiligstem und Raum des Volkes nicht einfach weg-
gelassen werden, sondern mußte einer Transformierung unterliegen, die weit mehr als das bloße Abschaffen klar machte, daß durch
das Kommen Christi die Schranken zwischen Zeitlichen und Ewigen durchlässig geworden sind. Dieser Gedanke regierte augenscheinlich auch die später so detaillierte Anordnung der Ikonen auf
der Bilderwand, die der Moskauer Metropolit Filaret (Drozdov)
(1782–1857) einmal als Bild der „sukzessiven Entwicklung der
Kirche"[102] gekennzeichnet hat, und die im Laufe des XIV. bis
XVI. Jahrhunderts in Rußland zu der oben skizzierten Maximal-
höhe anwuchs.[103] Dabei ist die Festlegung weitaus strenger als
etwa jene der Kirchenausmalung: von wenigen nationalen Ver-
schiedenheiten abgesehen ändert sich die Anordnung der einzelnen
Ikonen auf der Bilderwand kaum. „Dies zeigt, daß die Ikonostase
im Gesamtgefüge der Kirche ihre ganz spezielle Bestimmung hat,
daß ihre Themen anderen Anforderungen und anderen Zielen unterworfen sind als jene der Wandmalereien des Kirchenschiffs und
des Heiligtums. Es kann sich somit nicht einfach um die Übertragung oder gar eine simple Wiederholung des einen oder anderen
Sujets von einem Ort an den anderen handeln."[104]

Welches sind nun die Ikonen, die im Regelfalle eine „klassische"
Ikonostase bilden? Ihren obersten Abschluß findet sie im Kreuz

bzw. in der Darstellung der Kreuzigung Christi, die ja Anfang und Ziel der Kirche ist, wie es der hl. Germanos formuliert hat.[105] Darunter werden in mehreren Reihen ,,in harmonischer Ordnung und strenger Folgerichtigkeit die Etappen der göttlichen Vorsehung gezeigt".[106] So sehen wir in der obersten Reihe wieder die hll. Vorväter des Alten Bundes mit Abraham an der Spitze; in die Reihe der Heiligen ist in der Mitte – also über der Königspforte – eine besondere Darstellung der jeweiligen Erscheinung Gottes eingeschoben: so finden wir auf einen Blick hier alle Stufen der Offenbarwerdung von der ersten Erscheinung im Alten Bunde angefangen bis hin zu unserem ewigen Hohenpriester Christus, der sich durch diese Pforte seinem neuen Volke unter den Gestalten von Brot und Wein zur Speise darreicht. Im obersten, dem sog. ,,Patriarchen"-Rang, ist an dieser Stelle entweder die Ikone der Dreifaltigkeit (die drei Engel bei Abraham) oder gelegentlich auch (in jüngerer Zeit) die Darstellung des Herrn Sabaoth mit dem Vorewigen Logos und dem Heiligen Geiste zu sehen, wobei letztere Darstellung bekanntlich von der strengen Ikonographie abweicht. Unter den Patriarchen finden wir die Reihe der Propheten, in ihrer Mitte das Bild des vorhergesagten Emmanuel mit der Gottesmutter ,,des Zeichens".[107] Darunter sind in der Regel die zwölf Hochfeste gemalt, unter Umständen durch weitere Festtagsikonen ergänzt. Hier stünde in der Mitte die Ikone der Auferstehung des Herrn. Die nächste Reihe ist zugleich eine der ältesten, wenn nicht die älteste der Ikonostasen überhaupt, denn sie hat sich auf dem etwa von Symeon so betonten oberen Fries der alten Chorschranken entwickelt. Auf ihr finden wir die Kirche des neuen Bundes: in der Mitte Christus – entweder als Pantokrator oder auch als der ewige Hohepriester. Ihm zur Rechten steht die Gottesmutter, sie, die das Bild der Kirche und die Braut des Lammes ist (vgl. Ps. 45,10), auf der anderen Seite Johannes der Vorläufer, der ,,Freund des Bräutigams, der stehet und ihn höret und sich hoch über seine Stimme freut." (Joh. 3,29) In dieser – oftmals als Deisis (Fürbitte) bezeichneten Reihe versinnbildet sich ,,die Auswirkung der Menschwerdung Gottes, die Fülle der neutestamentlichen Kirche und zugleich die Vollendung des eigentlichen Zustandes des Weltalls, die Ordnung des kommenden Äons, wo ,Gott alles in allem ist" (1. Kor.

15,28)."[108] Maria und Johannes gesellen sich weitere neutestamentliche Heilige zu, wobei wir auf die beiden Seiten normalerweise eine korrespondierende oder gar symmetrische Anordnung vorfinden, also je einen Erzengel links und rechts, ebenso die Apostel, Martyrer etc. Gelegentlich wird diese Reihe auch um eine ähnliche erweitert, die dann noch besonders verehrte lokale Heilige enthält. In diesem Falle würde im Mittelfeld die thronende Gottesmutter erscheinen, da sie sich als „der einzige Mensch erwiesen hat, der würdig war, direkt dem Geheimnis unserer Erlösung zu dienen. Ihre Antwort auf den Gruß des Engels ‚Mir geschehe nach deinem Wort!' (Lk. I,38) schuf die Möglichkeit zur rettenden Herabkunft des fleischgewordenen Sohnes Gottes auf Erden."[109]

Die unterste Reihe der Ikonostase, die sog. „örtliche" oder Verehrungsreihe wird von den drei Türen durchbrochen. Hier finden wir in der Mitte neben der Königlichen Pforte die Bilder vom ersten und zweiten Kommen des Herrn, nämlich einmal als das aus der Jungfrau Maria fleischgewordene Kind, sodann als der wiederkehrende Pantokrator mit dem Buche des Lebens. In späterer Zeit wurde die Ikone der Gottesmutter mit dem Kinde vielfach als eine Darstellung der Theotokos mißverstanden und von daher gelegentlich nur die Allreine allein abgebildet; doch wir müssen in diesen beiden Motiven richtigerweise die beiden Parousien des Erlösers sehen, welche verbunden sind durch seine gegenwärtige Erscheinung in den Mysterien von Brot und Wein, die den Gläubigen durch die Königliche Pforte gereicht werden, bzw. in seinem heiligen Evangelium, das von dort aus gezeigt wird. Deshalb auch finden wir auf der Königlichen Pforte die Darstellung der Verkündigung des Erzengels Gabriel an Maria, welche die erste Herabkunft Christi vorbereitete, und der vier Evangelisten, die durch ihr Werk hinüberleiten zum zweiten und endgültigen Kommen des Herrn. „Durch die Annahme der Frohen Botschaft, durch die Zwiesprache im Gebet und endlich durch die Beteiligung am Sakramente des Leibes und Blutes Christi verwirklicht der Mensch den Emporstieg zu dem, was die Deisisreihe darstellt: er geht in die Katholische Einheit der Kirche ein, wird Christo einverleibt (Eph. 3,6)."[110]

In der gleichen Reihe befinden sich sodann die Ikonen besonders verehrter Heiliger, so etwa des Kirchenpatrons (in Rußland nor malerweise auf der rechten, in Griechenland auf der linken Seite vom Betrachter aus). Auf den beiden Seitentüren, welche der Diakon und die übrigen Diener des Altares durchschreiten, hingegen sind üblicherweise entweder die Ikonen heiliger Diakone oder der bei der Göttlichen Liturgie dienenden Engel (dann in diakonaler Gewandung) zu finden.

„So stellt sich uns die Ikonostase als ein geöffnetes Buch dar, das davon zeugt, mit wem wir – die an Christus Jesus Glaubenden – uns in geistlicher Einheit befinden, wen wir als unsere Fürsprecher bei Gott haben und mit wem wir zusammen die eine und einzige Kirche Christi bilden."[111] Und wirklich: dieser Überblick zeigt uns, daß wir es hier keineswegs mit einer bloß zufälligen Ansammlung einiger Ikonen zu tun haben, sondern daß das Schema der Ikonostase von einem durchgängigen Grundgedanken beherrscht wird; sowohl die prinzipielle Trennung von Zeitlichem und Ewigem, von Irdischem und Himmlischem wie auch die Aufhebung dieser Trennung im Gottmenschen Jesus Christus zeigt die Ikonostase. Von den ersten Anfängen des göttlichen Heilshandelns an war dieses auf ein einziges Ziel hingeordnet: den Menschen zu Gott zu erheben. Dies anzuzeigen, finden wir auf vielen Ikonostasen vor allem des vorderasiatischen und balkanischen Raumes auch links vom Kreuz Christi oberhalb aller Reihen der Bilderwand eine symbolische Darstellung des Alten Testamentes (etwa in Form der Gesetzestafeln des Moses), rechts aber des Neuen und Ewigen Bundes (durch Kreuz und Kelch versinnbildet). So ist die Ikonostase (wie das gesamte Gotteshaus) ein Bild der Kirche selbst – doch in einem anderen Sinn, unter einem anderen Aspekt. Während der Kirchenraum – besonders beim liturgischen Geschehen unter Anwesenheit der Gemeinde – das gesamte Universum, den ganzen Kosmos, symbolisiert, weist die Ikonostase mehr die Zukunft auf: die Entwicklung der Kirche auf ihrem Wege des Glaubens und der Treue zum Herrn hin zur Vollendung und Krönung ihrer Geschichte in der zweiten herrlichen Wiederkunft Christi. Vom ersten der Vorväter, von Adam an bis zum Letzten Gericht zeigt sie den Sinn des Heilsgeschehens, der offenbar wird in dem zeitlosen Akte der Eucharistie, in dem ja nach orthodoxem Glauben symbolisch die ganze Heilsökonomie gegenwärtig gesetzt wird.

Wenn man die Ikonostase so sieht, wird man vorsichtig sein mit dem Vorwurf, sie verdecke nur das Geschehen am Altar vor dem Volke. Zunächst einmal „sollte es überflüssig sein, darauf hinzuweisen, daß es nicht die orientalischen Kirchen waren, die in diesem Punkt die frühchristliche Tradition verlassen haben – sie haben sie nur etwas weiterentwickelt –, sondern das Abendland, das spätestens seit der Zeit der Gotik eine eigene, von der gemeinsamen kirchlichen Tradition sich entfernende Entwicklung des Altars und des gesamten Altarbezirks mitgemacht hat."[112] Sodann aber muß hier ein theologisches Argument genannt werden: zwar ist der Vorhang des alttestamentlichen Tempels zerrissen, und der Mensch sieht durch Christi Heilshandeln vor sich den Zugang zum wahren Allerheiligsten, dem Reiche Gottes, von dem das Heiligtum der Kirche irdisches Abbild, Ikone, ist,

„denn nicht in das von Menschenhänden gemachte Heiligtum, welches ein Vorbild des wahren war, ist Jesus eingegangen, sondern in den Himmel selbst, um jetzt vor dem Angesichte Gottes für uns zu erscheinen; und nicht, um oft für sich selbst zu opfern, wie der Hohepriester jedes Jahr in das Allerheiligste eingeht mit fremdem Blute . . ." (Hebr. IX,24f.)

Aber dieses Gottesreich ist in der Ewigkeit, es wird in seiner Fülle erst noch anbrechen, auch wenn wir in der Liturgie schon sein Abbild erblicken. Wenn die Kirche – vor allem in ihrem Gottesdienst, insbesondere in der hl. Eucharistie – auch Anteil an der Ewigkeit hat, so lebt sie doch noch in der Zeit: noch existiert diese Grenze, die erst die zweite Parousie des Herrn endgültig hinwegnehmen wird, für jeden einzelnen von uns aber sein persönlicher Hinübergang in den anderen Äon.

Deshalb sehen wir zwar das Reich Gottes – aber um unserer Schwachheit willen erblicken wir es noch nicht direkt, sondern in den Ikonen und Abbildern. Deshalb auch kann die Ikonostase nicht einfach fortgenommen werden: man mag über ihre Höhe und Größe streiten, etwa in bezug auf die Breite der Königstüren, aber „wie bei allem in der Liturgie, haben wir auch bei der Ikonostase Grundstrukturen, die entweder eingeschränkt, oder aber auch erweitert werden können, niemals aber wegfallen dürfen!"[113]

Über ihre Funktion im architektonischen Gesamtgefüge des

Gotteshauses hinaus ist die orthodoxe Ikone sodann noch in weiterem Sinne mit der Liturgie verbunden[114]: so sind bei einer Reihe von Gottesdiensten Ikonen wesentlich in die rituellen Vollzüge integriert. Dies gilt einmal für die bei Prozessionen mitgeführten Ikonen, bei den – etwa in festtäglichen Morgengottesdiensten – vorgesehenen Verehrungen der Heiligenbilder, dies gilt insbesondere für die Darstellung des Kreuzes Christi, welche zu zahlreichen Segnungen (u. a. auch bei der feierlichen Wasserweihe am Tag der Theophanie) verwandt wird. Vor allem aber trifft das Gesagte auf die Passionsoffizien zu, in deren Verlauf die Ikone der Grablegung Christi (griech. epitaphios, slaw. plaščanica) – zumeist in der Form einer Stickereidarstellung – heutzutage eine tragende, unersetzliche Rolle spielt.[115] Wir erkennen in diesen Gottesdiensten die alte palästinensische Ordnung wieder, die uns im ausgehenden IV. Jahrhundert die abendländische Jerusalem-Pilgerin Aetheria berichtet.[116] Schon damals bildete in Jerusalem ,,bei den Zeremonien – und nicht nur bei jenen des Karfreitags – das Golgotha-Kreuz den beständigen ‚scenischen' Hintergrund im Sinne des dem Kultraum eigenen Kultbildes."[117] In Konstantinopel wird dann gegen Ende des ersten Jahrtausends der Kreis der Passions-Zeremonien erweitert bzw. detailliert, wobei die Grablegungsikone – das Epitaphios-Tuch – an die Stelle des Kreuzes tritt.[118] Interessanterweise hat sich in der heutigen griechischen Praxis die Praxis der Heraustragung des Kreuzes vom Freitag auf den Donnerstagabend verschoben (d. h. der zu diesem Zeitpunkt vorgefeierten Matutin des Freitags), der durch die Lesung der 12 Leidensevangelien gekennzeichnet ist; beim Gesang des 15. Zwischenverses (Antiphonon) trägt der Priester das Bild des Gekreuzigten in die Mitte der Kirche, um vor ihm die Evangelienlesung fortzusetzen. Dieser Gesang zeigt uns in seiner plastischen Anschaulichkeit aufs neue die Einheit von gemaltem und gesungenem Dogma in der orthodoxen Kirche:

,,*Heute hanget am Kreuze er, der die Erde in den Wassern läßt schweben. Eine aus Dornen geflochtene Krone trägt der Engel König. Zur Schmähung wird er in Purpur gekleidet, der den Himmel mit Wolken gewandet, Schläge empfängt er, der im Jordan gerettet den Adam. Mit Nägeln wird angenagelt der Kirche Bräutigam,*

von der Lanze durchstochen der Jungfrau Sohn. Deine Leiden,
o Christus, verehren wir, laß uns erschauen deine herrliche Auf-
erstehung!"

Aus dem Gesagten wird klar, wo somit die tiefste und innigste,
letztlich unlösbare Verbindung von Ikone und Liturgie im orthodoxen Christentum liegt: beide leben aus derselben Wurzel, beide
„verkörpern" im eigentlichsten Sinne des Wortes (d. h. als
Fleischwerdung den gleichen rechten Glauben: die eine in Farbe
und Form, die andere in Wort und Bewegung. Von daher ist es
nicht übertrieben, die orthodoxe Liturgie selbst als eine „lebende
Ikone", ein aus lebendigen Menschen geformtes Abbild himmlischer Herrlichkeit, zu bezeichnen. Für die Ikone gilt ebenso wie
für das gottesdienstliche Mysterium, daß es „im Bilde bezeichnet,
was es bewirkt, und das eben dadurch Wirklichkeit schafft, daß es
bildhaft bezeichnet."[119] In der liturgischen Feier können wir realisieren, was der hl. Gregorios der Theologe in einer seiner Oster-
predigten forderte:

„Bringen wir Opfer dar dem, der für uns gelitten hat und aufer-
standen ist! . . . Opfern wir uns selbst, ein Geschenk, das Gott am
kostbarsten und passendsten ist. Wir wollen unserem Vorbilde die
Abbildlichkeit zurückgeben, unsere Würde erkennen, unser Urbild
ehren, die Bedeutung des Mysteriums erfassen und den Zweck des
Todes Christi! Werden wir wie Christus, da Christus uns gleich ge-
worden ist! Werden wir seinetwillen Götter, da er unseretwegen
Mensch geworden! . . . Jeder gebe alles, alles schenke er als Gabe
dem, der sich für uns als Lösegeld und Sühne hingegeben hat. Keine
Gabe aber wird wertvoller sein als die eigene Person, sofern sie nur
das Mysterium umfaßt und um Christi willen alles wird, was er
unseretwegen geworden ist."[120]

Nicht ein religiöser Konservativismus, ein Festhalten an schon
längst erstorbenen Formen[121], ist also der Grund für die Treue der
Orthodoxie zu ihrem symbolreichen Gottesdienst, sondern das
Wissen darum, daß durch diese Symbolfülle, durch diese Bilder
eine höhere, ansonsten unsichtbare Wirklichkeit faßbar, greifbar
im buchstäblichen Sinne wird. Nicht mehr nur unsere Vorstellung
wird angesprochen, sondern wir sehen vor uns das Heilshandeln
Gottes.

„Heute dienen mit uns unsichtbar die himmlischen Mächte, denn siehe, es tritt herein der König der Herrlichkeit, siehe das geheimnisvolle Opfer, es wird vollzogen und feierlich hereingetragen!",

heißt es im Cheruvikon der Liturgie der Vorgeweihten Gaben in der Großen Fastenzeit; das gewöhnliche Cheruvikon der Liturgie des hl. Johannes Chrysostomos aber beginnt mit den griechischen Worten *„Oi tà cheroubim mystikōs eikonizontes . . ."*, die wir getrost übersetzen können:

„Wir sind nun in mystischer Weise Ikonen der Cherubim . . ."

In uns und durch uns ist die gesamte Kirche beim Gottesdienst gegenwärtig: durch ihre Ikonen an den Wänden und in den Ikonen, die Priester, Diakone, Sänger und Gläubige selbst sind, vereinigen sich die Heiligen, die Engel, ja das Haupt der Kirche, Christus selbst, mit der irdischen Gemeinde. So haben wir lebendigen Anteil am Heilshandeln Gottes, sind in keiner Weise benachteiligt gegenüber jenen, die ihn vor 2000 Jahren erleben durften: Er ist ja auch heute da in gleicher Realität. Es ist „das Gefühl der übermächtigen und dabei konkreten Präsenz . . .; wirklich da, in der Geschichte gewesen, mit den Händen betastet; sozusagen vor unseren Augen hier auf dem Kreuze aufgehängt, auf den Händen des Nikodemus und des Joseph von Arimathia getragen und in das Grab gesenkt und – dies ist das Wort des Lebens, das ewige Leben, das bei dem Vater war und sich uns geoffenbart hat."[122]

Im Heute erleben wir mit: nicht einem längst vergangenen Geschehen wenden wir uns im Gottesdienst zu, um seiner auf eine irgendwie besonders feierliche Art zu gedenken, sondern durch den liturgischen Vollzug wird es Wirklichkeit, wird es anamnetisch gegenwärtig gesetzt – nicht zuletzt auch durch die Ikonen, welche in der orthodoxen Kirche verwandt werden. „Das Wesentliche bei den wundertätigen Kultgegenständen bleibt die Tatsache, daß sie nie von der Liturgie losgelöst werden. Dadurch sind sie der Gefahr des Fetischismus, der Magie und des Zaubers enthoben. Es geschieht kein Wunder um des Wunders willen. Alles ist in den Gottesdienst eingebettet, der zur Verherrlichung des Höchsten dient."[123] Dies wirkt sich auch auf die Stellung des Priesters aus, der nicht aus sich selber bzw. aus einer zu eigen erworbenen Weihevollmacht handelt, sondern als Ikone Christi dem heiligen Opfer dient, wie Johannes Chrysostomos sagt:

„Die heilige Handlung vor uns wird ja nicht durch Menschen-macht vollzogen. Er, der sie einst dort beim Abendmahle vornahm, er selbst ist es, der das Opfer heiligt und umgestaltet."[124]

Folgerichtig heißt es im Gebet des Priesters vor dem Großen Einzug in der Liturgie desselben Kirchenvaters:

„Niemand von denen, die in fleischlichen Begierden und Lüsten befangen sind, ist würdig, vor dich hinzutreten oder sich dir zu na-hen oder dir zu dienen, König der Herrlichkeit; denn dir zu dienen ist etwas Großes und Furchtbares, selbst für die himmlischen Kräf-te. Aber dennoch bist du nach deiner unaussprechlichen und uner-meßlichen Menschenliebe unwandelbar und unveränderlich Mensch geworden und wurdest unser Hoherpriester genannt und hast uns als Gebieter des Alls den heiligen Dienst dieses liturgischen und unblutigen Opfers übergeben. . . . Sieh herab auf mich, dei-nen sündigen und unnützen Knecht, und reinige meine Seele und mein Herz vom bösen Gewissen, und mache mich mit der Gnade des Priestertums Bekleideten durch die Kraft des Heiligen Geistes fähig, vor diesem deinem heiligen Tisch zu stehen und deinen heili-gen und reinsten Leib und dein kostbares Blut zu konsekrieren. . . . Denn du, Christus, unser Gott, bist der Darbringende und der Dargebrachte, der Empfangende und der Hingegebene."

Doch nicht allein Christus wird im Handeln des Priesters, letzt-lich in seiner Person bei diesem liturgischen Geschehen gegenwär-tig, sondern „der Priester erfleht vom ‚Vater der Lichter‘ die Sen-dung des Geistes, auf daß der Sohn erscheine. Es ist also die ganze heilige Ein-Dreiheit, die drei Personen gleichen Wesens, die hier handeln und sich in den geschichtlichen Rahmen der Heilsökono-mie einfügen."[125]

Mit diesen Grundprinzipien ist die Orthodoxie der liturgischen Auffassung der Urkirche in so hohem Maße treu geblieben, daß ei-ner der Väter der abendländischen liturgischen Bewegung des XX. Jahrhunderts – Abt Ildefons Herwegen von Maria Laach – sa-gen konnte: „Wenn etwas das Abendland für eine endliche Wie-dervereinigung mit der Ostkirche bereitmachen kann, so ist es das Leben aus der Liturgie. . . . Der unmittelbar auf Gott hingerichtete Vollzug der liturgischen Feier muß mit der Gnadenspendung an die Christen auch den Geist mitteilen, der dem gesamten christlichen Leben den übernatürlichen Charakter verleiht, der den Mysterien eigen ist."[126] Dabei hatte im römischen Westen im ersten Jahrtausend durchaus der gleiche Geist liturgischer Glaubenserfahrung geherrscht, wie uns z. B. die Predigten des hl. Papstes Leo d. Großen von Alt-Rom zeigen.[127] Doch mehr und mehr wurde im Abendland die Liturgie allein „der offizielle Kult der Kirche, notwendige Äußerung ihres Seins als einer sichtbaren Gesellschaft, also eine Art Staatsaktion"[128], aber nicht mehr lebendiger Ausdruck des mystischen Lebens des Herrenleibes, der Kirche, in dem dieser zusammen mit seinem Haupt der tiefsten Beziehung zu Gott und der gegenseitigen Begegnung, ja, Durchdrungenheit Ausdruck verleiht. Für Männer wie den schon genannten Abt Ildefons, wie P. Athanasius Wintersig und besonders Odo Casel war – wie für die Orthodoxie – Liturgie „wesentlich Verklärungsmittel"[129], d. h. wird durch sie bildhaft sichtbar, daß Gott die gesamte materielle Schöpfung durch die Fleischwerdung seines Sohnes geheiligt, verklärt hat: „Das heilige Mysterium ist der sichtlichste Ausdruck und zugleich die höchste Lebensbestätigung des mystischen Leibes Christi: Haupt und Glieder sind eins in dem Opfer an den Vater, zu dem im heiligen Mysterium durch den Sohn im Heiligen Geiste alle Ehre emporsteigt und von dem durch den Logos und das Pneuma auf die Kirche alle Gnade und Segnung herabsteigt."[130] Diese Gemeinschaft mit dem transzendentalen Gott, dieses – wenn man so will – metaphysische Element der Religion ist im orthodoxen Gottesdienst weit mehr gewahrt als in den abendländischen Riten. Es der römischen Kirche wiederzugeben, war das Bemühen der hauptsächlich benediktinischen Väter der katholischen liturgischen Bewegung unseres Jahrhunderts; doch wir müssen wohl angesichts der Ergebnisse der liturgischen Neuordnungen des II. Vatikanums konstatieren, daß sich die römisch-katholische Gottesdienstauffassung seither eher weiter von der orthodoxen und allgemein urchristlichen Position entfernt hat. Neben dem christologischen und biblischen Element, oder genauer: in engster Verwobenheit mit ihnen, kennzeichnet die orthodoxe Liturgie jene Mystik, die „den Gläubigen von der Erde zum Himmel hebt. . . . Die

Zeremonien des Gottesdienstes stellen das Geheimnis vor Augen, besser gesagt, sie enthüllen es, und sie projezieren es möglichst unverhüllt vor die Augen der Gottesdienstteilnehmer. Im orthodoxen Gottesdienst jedoch wird Realistik[131], das sinnfällige Vorführen und Ausdrücken vermieden, es herrscht die Symbolik und der Mystizismus, und die Atmosphäre des Ewigen verbreitet sich, durch deren Hauch wir der verweslichen Welt entrissen werden und in eine geistige, überirdische Welt eintreten, wo himmlische Ruhe herrscht."[132] Für Byzanz war es eine Selbstverständlichkeit, die wichtigsten Tatbestände anschaulich durch das Bild auszudrücken[133], die Orthodoxie hat sich diesen Weg der Begegnung mit dem Göttlichen, diesen Vorgeschmack künftiger Herrlichkeit erhalten. Die Kirche wird so zu dem, was vorausahnend Platon

„Schauspiel selig Schauender" (théama eudaimónon theatoōn)[134]

nannte: eine auf die Erde gesenkte Ikone der Paradiesesherrlichkeit. Ein Stück dieser Herrlichkeit ist überall dort, wo sich eine Ikone befindet, verdichtet sich bei einem jeden Gottesdienst ins Unaussprechliche. Himmel und Erde fließen in der Kirche ineinander, da alles zur Ikone, zum Abbild des göttlichen Urbildes wird. So wird der Flehruf eines abendländischen Christen verständlich, aus dem die Sehnsucht nach der Ikone spricht: „O heilige Ikone, teures Kleinod des morgenländischen Christentums, teures Kleinod vor allem des russischen Volkes, strahlendes Urbild aus einer fernen religiösen Vergangenheit, Mysterium aus Licht, du bringst uns etwas von dem Licht der Mutterkirche, etwas vom Licht der entsündigten Mutter Erde, von dem Lichte des Paradieses, du zeigst uns einen Schimmer aus dem Reiche der vorbildlichen Schönheit, aus dem Reiche der All-Einheit und des ewigen Lebens."[135]

Wir stehen am Ende unserer Überlegungen: Ikone und Liturgie haben die orthodoxe Christenheit über zweitausend Jahre fest im Bekenntnis des wahren Glaubens erhalten – trotz aller satanischen Stürme und Bedrängnisse, trotz aller Häresien und Fremdherrschaft, trotz Unterjochung und Proselytismus. Ikone und Liturgie haben ihr immer wieder den Weg der Verklärung gezeigt, demgegenüber die Verlockungen dieser Welt nichtig erscheinen mußten.

Auch in unseren Tagen steht die Orthodoxie wieder den Mächten des Fleisches, den materiellen Kräften einer weltimmanenten Ideologie gegenüber – einer Ideologie, die richtig erkannt hat, daß gerade die größte Kraft des Christentums in seiner Beziehung zum transzendenten Gott besteht und die ihm deshalb diese Beziehung zum Vorwurf macht. Und wunderbarerweise erlebt in unseren Tagen die Ikone eine echte Wiedergeburt: befreit von den Überfremdungen der letzten Jahrhunderte strahlt uns wieder das Gesicht der alten orthodoxen Kultbilder entgegen. Die Nachrichten, die wir aus den Kirchen der Bedrängnis erhalten, bestätigen uns immer wieder, daß der orthodoxe Glaube lebt und weitergegeben wird: nicht zuletzt dürfen wir auch das Wirken der göttlichen Gnade in den Ikonen und der heiligen Liturgie dafür verantwortlich machen. So trägt die Mahnung Frucht, die Dionysios am Ende seines Handbuches an die Maler richtet, und mit der auch wir unsere Gedanken abschließen wollen:

„*Das Malen der heiligen Ikonen haben wir nicht nur von unseren heiligen Vätern übernommen, sondern sogar von den heiligen Aposteln und schließlich von Christus selbst, unserem einzigen Gott. . . . Wenn wir ihn als den Gekreuzigten auf einer Ikone sehen, so werden wir uns bewußt, daß ja der Sohn Gottes von der Höhe der Himmel herabgestiegen ist und einen Körper angenommen hat aus der heiligen Jungfrau, auf dem Kreuze gestorben ist, so daß wir frei werden von unseren Sünden und von der Tyrannei des Todes, und daß er den Adam und die bei ihm waren von der Dunkelheit des Hades emporgeführt hat, um sie als erste in seine Königsherrschaft zu geleiten. So beten wir nicht die Farben und die Kunstwerke an, wie jene es blasphemisch behaupten, die wider unsere Kirche streiten, diese Ungläubigen und Irrlehrer, sondern wir beten an unseren Herrn Jesus Christus, der in den Himmeln ist, denn – wie Basilios sagt – die der Ikone erwiesene Ehre geht auf das Urbild über. . . . Und wenn wir irgendeinen Heiligen auf der Ikone sehen, . . . so danken wir Gott, der ihn ermöglicht hat und so viele Kämpfe gewinnen ließ, daß er die Orthodoxie festige. So stellen wir also zu recht all dies dar und verehren die heiligen Bilder. Mögen aber jene, die uns verleumden und Gott lästern, verflucht sein!*"[136]

Textanhang

A. Die dogmatische Definition des VII. Ökumenischen Konzils (II. Nicaenum, 787)[1]

Diese heilige und universale Synode, welche nach der Gnade Gottes und gemäß dem Dekret unserer frommen christusliebenden Kaiser Konstantinos[2] und seiner Mutter Irene[3] zum zweiten Male in der erhabenen Metropolitanstadt von Nikaia, das da in Bithynien liegt, in der Kirche Gottes zur Heiligen Weisheit versammelt ist, hat – der Tradition der katholischen Kirche folgend – das Nachstehende definiert: er, der uns das Licht seiner Erkenntnis geschenkt und die tiefe Dunkelheit der unheilvollen Schattenbilder zerstreut hat, er hat uns auch davon befreit – er, Christus Jesus, unser Gott, der sich seine Kirche ohne jeden Makel und Fehl verlobt hat, der aber auch angeordnet hat, über sie sorgsam zu wachen, und seine Jünger stärkte, da er zu ihnen sprach: „Ich bin bei euch alle Tage bis ans Ende der Zeiten!"[4]

Diese Verheißung aber galt wahrhaftig nicht nur den Jüngern allein, sondern auch uns, die wir durch sie an den Namen des Herrn glauben. Da nun also Leute dieses Vermächtnis Christi verachteten und vom Satan, dem großen Betrüger und unserem Feinde aufgehetzt worden und von der rechten Erkenntnis abgewichen sind, ja, sich der katholischen Kirche entgegenstellten, haben sie wider die Erkenntnis der Wahrheit gesündigt; denn wie ein Sprichwort sagt: die Hauptstützen der eigenen Bauernschaft sind fehlgegangen und haben mit vollen Händen Unfruchtbarkeit gesammelt.[5]

Da sie sich nun nicht einmal gescheut haben, die Gott geziemende Ausschmückung der heiligen Handlungen und Eucharistien (oblationum) mit ihrer Kritik anzugeifern, sich dabei noch Priester nannten, das sie doch wahrlich nicht sind, gilt für sie, was Gott durch den Propheten ausrief: „Der Hirten viele werden meinen Weinberg verderben, mein Erbteil zertreten!"[6]

Fußnoten siehe Seite 290 ff.

Keineswegs ohne eigene Schuld sind sie jenen Männern gefolgt, die sich viele Dinge selbst ausgedacht haben, und so haben sie unsere heilige Kirche angeklagt, die sich doch Gott selbst erwählt hat. Sie aber „machen keinen Unterschied zwischen heilig und profan"[7], denn die Bilder Gottes und seiner Heiligen belegten sie in gleicher Weise wie die Satansstatuen und zusammen mit diesen mit dem Namen „Götzenbilder". So hat denn der Herr Christus, der nicht länger erträgt, daß seine Nachfolge von der Irrlehre dieser Menschen verfälscht werde, uns, die wir ausgestattet sind mit der priesterlichen Würde, von überall her nach seinem Wohlgefallen zusammengerufen; zudem aber rief uns der göttliche Eifer und der Befehl unserer frömmsten Kaiser Konstantinos und Irene, so daß die göttliche Überlieferung der katholischen Kirche durch die gemeinsame Übereinstimmung noch an Autorität gewinnen möge.

Indem wir nun also das uns gesetzte Ziel der Wahrheit mit aller Sorgfalt erstreben und ansteuern, setzen wir nichts hinzu, noch lassen wir irgend etwas (vom Glauben der Kirche) fort, sondern alle Lehren der katholischen Kirche bewahren wir in ihrer Gänze, und als treue Erben der sechs ökumenischen Konzilien bestätigen wir ihre Satzungen. So sprechen wir wie die heiligen Synoden, die einmal im strahlenden Nikaia, sodann in der Kaiserstadt selbst versammelt waren[8]:

Wir glauben an den einen Gott, den Vater, den Allmächtigen, der alles geschaffen hat, Himmel und Erde, die sichtbare und die unsichtbare Welt.

Und an den einen Herrn Jesus Christus, Gottes eingeborenen Sohn, aus dem Vater geboren vor aller Zeit: Licht vom Licht, wahrer Gott vom wahren Gott, gezeugt, nicht geschaffen, eines Wesens mit dem Vater; durch ihn ist alles geschaffen. Für uns Menschen und zu unserem Heil ist er vom Himmel gekommen, hat Fleisch angenommen durch den Heiligen Geist und die Jungfrau Maria und ist Mensch geworden. Er wurde für uns gekreuzigt unter Pontius Pilatus, hat gelitten und ist begraben worden, ist am dritten Tage auferstanden nach der Schrift und aufgefahren in den Himmel. Er sitzt zur Rechten des Vaters und wird wiederkommen in Herrlichkeit, zu richten die Lebenden und die Toten; seiner Herrschaft wird kein Ende sein.

Und an den Heiligen Geist, der Herr ist und lebendig macht, der aus dem Vater hervorgeht, der mit dem Vater angebetet und verherrlicht wird, der gesprochen hat durch die Propheten.

Und an die eine, heilige, katholische und apostolische Kirche. Wir bekennen die eine Taufe zur Vergebung der Sünden und erwarten die Auferstehung der Toten und das Leben der kommenden Welt! Amen!

Wir verfluchen und bannen den Arius und seinen Anhang, und alle, die mit seinen ruchlosen Ansichten übereinstimmen!

Ebenso verfluchen wir den Makedonios und seine Spießgesellen, die zu Recht pneumatomachoi, das heißt ja, Bekämpfer des Geistes genannt werden![9]

Wir bekennen auch unsere Herrin, die heilige Maria, als einzige und wahrhafte Gottesgebärerin, insofern sie wahrlich einen der heiligen Dreifaltigkeit als Christus, unsern Gott, geboren hat, so wie dies zuvor die Synode zu Ephesos[10] festgestellt und den ruchlosen Nestorios und seine Genossen aus der Kirche ausgestoßen hat, da sie gleichsam die Zweiheit der Personen einführten.

Wir jedoch bekennen weiter den, den wir als wahren vollkommenen Gott und wahren vollkommenen Menschen erkennen, der in zwei Naturen für uns Menschen aus der makellosen Jungfrau Maria Fleisch angenommen hat, wie dies die Synode zu Chalkedon erklärt hat[11]: Eutyches hingegen und Dioskoros, die wider seine Göttlichkeit lästerten, hat sie ausgestoßen, und mit diesen zusammen Petrus und Severos sowie eine mit ihnen verbundene, doch in der Lästerung nicht einmütige Bande.

Weiterhin bannen wir die Phantastereien eines Origenes, Evagrios und Didymos[12], wie es die zu Konstantinopel zusammengetretene Synode, die fünfte an der Zahl, gelehrt hat: vielmehr predigen wir die beiden Willen und Handlungen in Christus, entsprechend der Eigenständigkeit der beiden Naturen, so wie es die sechste Synode zu Konstantinopel definiert hat, und mit ihr vereint, schwören wir dem Sergios und Honorius[13], Kyros und Pyrrhos, sowie dem Makarios ab, diesen von aller Ehrfurcht freien Bekämpfern der Frömmigkeit, und wir bannen alle, die mit ihnen übereinstimmen.

Wir hingegen bekennen eines Herzens, daß wir die kirchlichen

Traditionen erhalten wollen, seien sie nun schriftlich oder kraft der Überlieferung gültig und angeordnet; von daher ist die bildhafte Darstellung der Geschichte der evangelischen Verheißung entsprechend, nämlich im Sinne einer leichteren Erfaßbarkeit der wahren und nicht erdachten Fleischwerdung Gottes, und wird so als nützlich empfunden im Hinblick auf die Ähnlichkeit, die sie uns bietet.

Da es sich so verhält und wir damit einen königlichen Weg beschreiten, bleiben wir der Lehre unserer heiligen und gotttragenden Väter verbunden und beachten getreulich die Tradition der katholischen Kirche, in welcher der Heilige Geist wohnt:

Wir definieren also mit aller Umsicht und Sorgfalt, daß die verehrungswürdigen und heiligen Bilder, die auf dieselbe Art und Weise wie auch das verehrungswürdige und lebenspendende Kreuz mit Farben oder Mosaik oder aus einem anderen geziemenden Material in gebührender Weise gemacht worden sind, geweiht und in den heiligen Tempeln Gottes aufgestellt und in Ehren gehalten werden sollen. Ebenso soll man auch bei den heiligen Geräten und Gewändern, bei Wänden und Tafeln, in Privathäusern und auf öffentlichen Wegen verfahren: am meisten soll man das Bild unseres Herrn und Gottes und Erlösers Jesus Christus aufstellen, sodann das unserer unbefleckten Herrin, der Gottesgebärerin, ferner der verehrungswürdigen Engel und schließlich aller heiligen Männer.

Es sollen ja durch die Anschauung der Bilder alle, welche sich in sie versenken, zum Gedächtnis, zur Verlebendigung (recordatio) der Prototypen gelangen wie auch zu dem Verlangen nach ihnen, welchen sie Gruß und volle Verehrung[13a] erweisen, nicht jedoch – die eigentliche Anbetung (vera latria), welche unserem Glauben gemäß allein der göttlichen Natur zukommt. Vielmehr nahen wir uns den Bildern in der Form jener Verehrung, die durch die Darbringung von Weihrauch und Kerzen gekennzeichnet ist und gleicherweise dem ehrwürdigen und lebensspendenden Kreuze und den heiligen Evangelien wie den heiligen Reliquien zukommt, so wie es den Vätern der Kirche zur frommen Gewohnheit geworden ist: die dem Bilde erwiesene Ehre geht auf den Prototyp, das Urbild, über; wer also ein Bild verehrt, der verehrt, was in ihm umschriebener Gehalt ist. So bewahrt es ja die Regel unserer heiligen

Väter, so auch die Tradition der katholischen Kirche, die das Evangelium in aller Fülle – von den fernsten Grenzen bis zu den anderen Grenzen – angenommen hat. Damit bleiben wir dem in Christus lehrenden Paulus und der ganzen apostolischen Versammlung treu und allen heiligen Vätern, die das gleiche meinen, und ,,halten die Überlieferungen, die wir erlernt haben".[14] So jauchzen wir der Kirche zusammen mit dem Propheten die Siegeslieder zu: ,,Sage Lob, Tochter Sions! Juble, Tochter Jerusalem! Freue dich und frohlocke aus ganzem Herzen: die Ungerechtigkeiten deiner Feinde hat Gott von dir genommen, befreit bist du aus des Widersachers Hand. Der Herr, dein König, weilt in deiner Mitten, Friede ist mit dir auf ewige Zeiten!"[15]

Jene aber, die gewagt haben sollten, anderes zu denken, oder gar zu lehren, oder nach Art und Weise der frevlerischen Häretiker die kirchlichen Überlieferungen zu verunglimpfen, oder eine neue und wahnwitzige Phantasterei einzuführen, oder irgend etwas von den geweihten Heiligtümern in der Kirche zu vernichten, seien es Evangelien, oder bemalte Codices, oder die Gestalt des Kreuzes, oder irgendwelche Ikonen, oder die Reliquien der Martyrer, von denen sie gewußt haben, daß sie echt und wahr sind, oder gegen all diese Dinge frech und unziemlich etwas ersonnen haben, was der kirchlichen Satzung zuwiderläuft, oder welche Gott geweihte und für den heiligen Dienst reservierte Wertsachen oder auch den Klöstern gehörende Dinge wie alltägliche profane Gegenstände behandelt haben, sie sollen – wenn es sich um Bischöfe oder Kleriker handelt – abgesetzt werden, sind sie aber Mönche oder Laien, werden sie aus der Kommuniongemeinschaft ausgeschlossen.

Ich, Petrus, durch das Erbarmen Gottes Protopresbyter der heiligsten römischen Kirche zum seligen Petrus und Vertreter für Hadrian, den Papst von Alt-Rom, habe dies definierend unterschrieben.

Ich, Petrus, der unwürdige Priester und Vorsteher des Klosters unseres heiligen Vaters Sabas und beauftragt von Hadrian, dem Papst von Alt-Rom, habe dies definierend unterschrieben.

Ich, Tarasios, durch das Erbarmen Gottes Bischof von Konstantinopel, dem Neuen Rom, habe dies – auf den Lehren der Väter bestehend und voll Eifer für die katholische Kirche – definierend unterschrieben.

Ich, Johannes, durch das Erbarmen Gottes Priester und Patriarchatsassessor, handelnd im Auftrage der drei apostolischen Throne des Orients, von Alexandria, Antiochia und Jerusalem, habe dies – auf den Lehren der Väter bestehend und voll Eifer für die katholische Kirche – definierend unterschrieben. . . .[16]

So ruft die heilige Synode aus:

All dies glauben wir, alles dies wissen wir, alles nehmen wir an und unterschreiben wir:

dies ist der apostolische Glaube, dies ist der Glaube der Väter, dies ist der Glaube der Orthodoxen, dieser Glaube begründet das All!

Da wir an den einen, in der Dreifaltigkeit verherrlichten Gott glauben, erkennen wir in den Ikonen zu verehrende Bilder. Die diesem folgen, entgehen dem Anathema, die aber nicht folgen, werden von der Kirche abgetrennt. Wir aber bestehen auf der Ordnung der alten Kirche, wir bewahren die Gebote der Väter:

wir bannen alle, die anderes lehren und die Kirche verlassen,

wir nehmen die Verehrung der Bilder an,

da wir dies tuen, aber sprechen wir das Anathema aus: einem jeden, der die Worte der Heiligen Schrift über die Götzenbilder auf die verehrungswürdigen Ikonen bezieht: Anathema!

Wer die ehrwürdigen Ikonen als Götzenbilder bezeichnet: Anathema!

Wer sagt, daß die Christen Bilder als Götzen verehren: Anathema!

Allen jenen, die wissentlich mit denen Gemeinschaft halten, die gegen die ehrwürdigen Ikonen reden: Anathema!

Wer anders redet, als daß der Herr Christus, unser Gott, uns vom Götzendienst befreit habe: Anathema!

Jenen, die es wagen, zu behaupten, daß die katholische Kirche irgendwie den Götzendienst angenommen habe: Anathema!

Den Kaisern aber: viele Jahre!

Konstantinos' und seiner Mutter Irene: viele Jahre!

Den siegtragenden Kaisern: viele Jahre!

Dem neuen Konstantinos und der neuen Helena: ein ewiges Gedenken!

Gott erhalte die Herrschaft der erhabenen Kaiser!

Allen Häretikern zusammen aber: Anathema!

Denen, die die Pseudo-Synode wieder die ehrwürdigen Ikonen berufen haben: Anathema! . . .[17]

Da wir nun die Disputationen beenden, mögen wir uns als würdig des Erbarmens und der Gnade unseres ersten und großen obersten Hohenpriesters Jesus Christus, unseres Gottes erweisen, auf die Fürsprache unserer unbezwinglichen Herrin, der heiligen Gottesgebärerin und aller Heiligen.

So sei es – Amen!

B. Die Weihegebete bei der Ikonensegnung[18]

1. Die Gottesdienstordnung bei der Segnung und Weihe einer Ikone Christi und der Feste des Herrn:

Vor den Ambon der Kirche[19] wird ein gebührend bedeckter Tisch gestellt, auf diesen das Bild des Erlösers (bzw. auch mehrere zugleich). Der Priester beräuchert nun – angetan mit Epitrachil und Phelon[20] – ringsum den Tisch und beginnt dann wie gewöhnlich:

Gebenedeit sei unser Gott, allezeit, jetzt und immerdar und von Ewigkeit zu Ewigkeit!

Ein Lektor fährt fort[21]:

Amen! Himmlischer König, Tröster, du Geist der Wahrheit, Allgegenwärtiger und alles Erfüllender, Schatz der Güter und Lebensspender, komm und nimm Wohnung in uns, reinige uns von aller Befleckung und errette, Gütiger, unsere Seelen.

Heiliger Gott, Heiliger Starker, Heiliger Unsterblicher, erbarme dich unser! (dreimal)

Ehre sei dem Vater und dem Sohne und dem Heiligen Geiste, jetzt und immerdar und von Ewigkeit zu Ewigkeit. Amen!

Allheilige Dreifaltigkeit, erbarme dich unser. Herr, sei gnädig unseren Sünden. Gebieter, vergib uns die Übertretungen. Heiliger, sieh an und heile unsere Gebrechen um deines Namens willen.

Herr, erbarme dich! (dreimal)

Vater unser im Himmel . . .

Priester: *Denn Dein ist das Reich und die Kraft und die Herrlichkeit, des Vaters und des Sohnes und des Heiligen Geistes, jetzt und immerdar und von Ewigkeit zu Ewigkeit!*

Lektor: *Amen! Herr, erbarme dich!* (zwölfmal)

Ehre sei . . . jetzt und immerdar . . .

Kommt, lasset uns anbeten vor Gott, unserem Könige!

Kommt, lasset uns anbeten und niederfallen vor Christus, Gott, unserem Könige!

Kommt, lasset uns anbeten und niederfallen vor Christus selbst, unserem Könige und Gott!

Und er liest den 88. Psalm:

Die Erbarmungen des Herrn will ich ewiglich besingen, auf Geschlecht und Geschlecht deine Wahrheit verkünden durch meinen Mund . . .

Und der ganze Psalm bis zum Ende, dann:

Ehre sei . . . jetzt und immerdar . . .

Alleluja, alleluja, alleluja, Ehre sei dir, o Gott! (dreimal)

Diakon: *Lasset uns beten zu dem Herren!*

Volk: *Herr, erbarme dich!*

Priester: *Herr, Gott, Allherrscher, Gott unserer Väter, der du dein Volk, das auserwählte Israel, von der Verlockung zum Götzendienst befreien und dazu führen wolltest, daß es dich als den einzig wahren Gott erkenne und dir immerdar diene und niemals von dir weiche, du hast durch ein Verbot ihm untersagt, sich selbst Bilder und Gleichnisse zu schaffen und als Gott zu verehren und diesen zu dienen, welche dir, dem wahren Gott widersprechen. Andererseits aber hast du geboten, Gleichnisse und Bilder anzufertigen, durch die nicht die fremden Lügengötzen, sondern dein, des einzigen wahren Gottes allheiliger und erhabener Name geheiligt werde; so hast du zuerst dem Moses geboten, in dem Heiligtum deines Gesetzes, auf der Lade des Zeugnisses, zwei goldene Cherubim aufzustellen, zwei weitere aber an den Ecken der Sühnestätte, auf den Vorhängen jedoch eine Menge Cherubim in Seide zu arbeiten und anzubringen.[22] Auch im Altarraum von Salomons Tempel wurden zwei Cherubim aus Zypressenholz, von Gold überzogen, aufgestellt[23]: die Lade aber, in der die steinernen Gesetzestafeln, das goldene Gefäß und Aarons Stab waren[24], hast du geboten, in Ehrfurcht und mit gottgefälliger Verehrung, durch Weihrauch und vor ihnen verrichtete Gebete zu achten; denn wenn sie auch Werke von Menschenhand waren, so bezeichneten sie doch die Majestät deiner Herrlichkeit und trugen in sich das Gedächtnis deiner allgerühmten Wohltaten und eines wunderbaren Wirkens. Eben diese Verehrung aber hast du, als dir selbst erwiesen, gnädig angenom-*

men. *In der Fülle der Zeit jedoch hast du deinen eingeborenen Sohn, unsern Herrn Jesus Christus, gesandt. Geboren von einem Weibe, der Immerjungfrau Maria, hat er Knechtsgestalt angenommen und wurde den Menschen gleich; den Umriß seines allreinen Bildes zeichnete er durch Anlegen eines Tuches an sein allheiliges Antlitz und übersandte ihn dem Abgar, Fürsten von Edessa, und diesen heilte er so von der Krankheit, und allen, die gläubig dorthin kommen und es verehren, gab er unzählige Heilungen und viele wunderbare Wohltaten. So haben auch wir, unser gütiger und allherrschender Gebieter, dieses Bild deines geliebten Sohnes zum Gedächtnis der erlösenden Fleischwerdung geschaffen und zum Gedächtnis all seiner ruhmreichen Wohltaten und Wunder, die er dem Menschengeschlechte erwiesen, da er auf Erden als ein Mensch erschienen ist. Nicht aber haben wir das Bild erstellt, um es zu einem Gott zu machen, sondern wir wissen, daß die dem Bilde erwiesene Ehre auf das Urbild übergeht; deshalb flehen wir unablässig zu dir: blicke gnädig auf uns herab und auf dieses Bild und um der Fleischwerdung Deines Sohnes willen und seiner Erscheinung bei uns, zu deren Gedenken wir ja das Bild angefertigt haben, sende uns deinen himmlischen Segen herab und die Gnade des Allheiligen Geistes, und segne und heilige das Bild; schenke ihm heilende Kraft, alle teuflischen Ränke zunichte zu machen, und erfülle es mit Segen und mit der Kraft jenes heiligen, nicht von Menschenhand gemachten Bildes, welches durch die Berührung mit dem heiligen und allehrwürdigen Antlitz deines geliebten Sohnes so reich ausgestattet wurde; gewähre diesem Bilde, durch seine Kräfte und Wunder zur Befestigung des orthodoxen Glaubens beizutragen und zum Heil deiner Gläubigen, auf daß alle, die vor ihm dich und deinen eingeborenen Sohn und den Allheiligen Geist anbeten und gläubig anrufen, in ihrem Gebet immerdar erhört werden und das Erbarmen deiner Menschenliebe erlangen und die Gnade empfangen.*

Du bist ja unsere Heiligung und dir senden wir die Lobpreisung empor samt deinem eingeborenen Sohne und deinem Allheiligen und guten und lebendigmachenden Geiste, jetzt und immerdar und von Ewigkeit zu Ewigkeit!

Alle: *Amen!*

Priester: *Friede allen!*

Alle: *Und deinem Geiste!*

Diakon: *Beuget eure Häupter vor dem Herrn!*

Alle: *Vor dir, o Herr!*

Priester (liest das folgende Gebet still, nur der Schluß wird laut gesungen):

Merke auf uns, Herr, unser Gott, von deiner heiligen Wohnstatt aus und vom Throne der Herrlichkeit deines Reiches, und schicke du gnädig deinen Segen auf dieses Bild und weihe und heilige es durch die Besprengung mit diesem Weihwasser und gewähre ihm heilende Kraft, auf daß es jede Krankheit und jedes Leid und alle teuflischen Nachstellungen zuschande mache für alle, die sich gläubig zu ihm fliehen, die vor ihm dich anbeten und zu dir beten, die sich zu dir flüchten: möge ihr Gebet allzeit erhört werden und dir wohlgefällig sein.

Durch die Gnade und die Erbarmungen deines eingeborenen Sohnes, mit welchem du gepriesen bist samt deinem Allheiligen und guten und lebendigmachenden Geist, jetzt und immerdar und von Ewigkeit zu Ewigkeit!

Alle: *Amen!*

Und der Priester besprengt das Bild mit Weihwasser; dabei wiederholt er dreimal:

Geheiligt werde dieses Bild durch die Gnade des Allheiligen Geistes und durch die Besprengung mit diesem Weihwasser, im Namen des Vaters und des Sohnes und des Heiligen Geistes. Amen!

Sodann beräuchert der Priester noch einmal das Bild und verneigt sich dann vor ihm und küßt es, ebenso alle Anwesenden. Dabei werden folgende Festgesänge angestimmt:

(im 2. Ton): *Vor deinem allerreinsten Bilde fallen wir nieder, o Gütiger, bittend um die Vergebung unserer Sünden, Christus, Gott! Denn freiwillig wolltest du im Fleische das Kreuz besteigen, um die, die du erschaffen hast, aus der Knechtschaft des Widersachers zu erlösen. Deshalb rufen wir dir dankbar zu: mit Freude hast du das All erfüllt, unser Heiland, der du kamst, die Welt zu retten.*

(im 4. Ton): *Ehre sei . . . jetzt und immerdar . . . Dein göttliches Abbild haben wir auf der Ikone dargestellt, Christus, Gott, die wir deine Geburt aus der Jungfrau klar erkennen: da wir uns deiner un-*

sagbaren Wundertaten und der freiwillig erduldeten Kreuzigung erinnern, wollen wir auch von ihnen künden. Von nun an werden die Dämonen voller Schrecken vertrieben, die Übeltäter aber schluchzen im Elende wie all ihre Genossen.

Und der Gottesdienst schließt mit der Entlassung:

Priester: *Weisheit! Ehre sei dir, Christus, Gott, unsere Hoffnung, Ehre sei dir!*

Alle: *Ehre sei . . . jetzt und immerdar . . . Herr, erbarme dich!* (dreimal) *Vater, Gib den Segen!*

Priester: *Der in seiner unaussprechlichen Vorsehung vor seinem freiwilligen Leiden auf ein Linnen ein Abbild seines allheiligen und menschenliebenden Antlitzes – nicht gemacht von Menschenhand – einprägen wollte, Christus, unser wahrer Gott, möge durch die Gebete seiner allreinen Mutter und aller seiner Heiligen sich unser erbarmen und uns erretten, denn er ist gut und menschenliebend.*

2. Die Weihe von Ikonen der Allerheiligsten Dreifaltigkeit

Im Grundablauf entsprechen die Weihen der anderen Ikonen jenen einer Christusikone, nur die Gebete und der vorangestellte Psalm sowie die abschließenden Troparien wechseln.

Bei einer Dreifaltigkeitsikone wird der 66. Psalm gelesen und das erste Gebet lautet:

Herr, Gott, der du in der Dreifaltigkeit verherrlicht wirst, den der Verstand nicht zu begreifen, noch in Worte zu fassen vermag, den keiner der Menschen je sah! Doch genauso wie wir es aus den heiligen Schriften und den Lehren der gottverkündenden Apostel gelernt haben, so glauben wir auch, und so bekennen wir dich als den anfanglosen Vater und deinen Sohn von gleichem Wesen, und deinen Geist auf gleichem Throne und von gleicher Natur. So kündet uns ja auch die Schrift des Alten Bundes von deiner Erscheinung im Bilde der drei Engel, die dem allgerühmten Patriarchen Abraham zuteil[25] wurde. Zur Zeit der neuen Gnade aber erschien der Vater in der Stimme, der Sohn im Fleische im Jordan und der Heilige Geist in der Erscheinung einer Taube.[26] Und wiederum war es der Sohn, welcher im Fleische auffuhr in den Himmel und sitzet zur

Rechten des Vaters und auf seine Apostel den Tröstergeist herab-
sandte in Gestalt feuriger Zungen.[27] Auf dem Tabor aber zeigte
sich den drei Jüngern der Vater in der Stimme, der Heilige Geist in
der Wolke und der Sohn im über alles strahlenden Lichte[28]: da wir
nun allzeit dieser Heilsereignisse gedenken, bekennen wir dich, den
einzigen ruhmreichen Gott, nicht allein mit den Lippen, sondern
zeichnen auch dein Bild, nicht um es zu vergöttern, sondern um
immer, wenn wir es mit unseren körperlichen Augen ansehen, mit
unseren geistigen Blicken dich, unsern Gott, zu schauen und ihn zu
verehren, ja, dich, unseren Schöpfer, Erlöser und Heiligen zu rühmen und hoch zu preisen und uns deiner unermeßlichen Wohltaten
zu erinnern: die dem Bilde erwiesene Ehre geht ja auf das Urbild
über! Da wir nun diese Ikone vor deiner Majestät in der eben aus-
gesprochenen Absicht niedergelegt haben, flehen wir und bitten,
daß wir deine Güte uns gnädig stimmen: schaue gnädig auf diese
Ikone und sende deinen himmlischen Segen und in deinem dreimalheiligen Namen segne und heilige sie, auf daß alle, die sie
fromm ehren und vor ihr dich demütig anbeten und gläubig anflehen, das Erbarmen erlangen und die Gnade empfangen mögen;
auch sollen sie von allen Übeln und Leiden befreit werden, die Vergebung aber der Sünden erlangen und des Himmelreiches gewürdigt werden.

Durch deine Gnade und die Erbarmungen und die Menschenliebe des einzigen in der Dreifaltigkeit verherrlichten Gottes, des
Vaters und des Sohnes und des Heiligen Geistes, dem die Ehre ist,
jetzt und immerdar . . .

Das zweite Gebet:

Herr, Gott, der du in der Heiligen Dreifaltigkeit verherrlicht
und angebetet wirst, erhöre nun unser Gebet und sende herab deinen göttlichen, himmlischen Segen und segne und heilige dieses Bild
durch die Besprengung mit diesem Weihwasser zu deiner Ehre und
zum Heil deiner Menschen. Du bist ja unsere Heiligung und dir
senden wir die Lobpreisung empor, dem Vater und dem Sohne und
dem Heiligen Geiste, jetzt und immerdar . . .

Der Festgesang bei der abschließenden Ikonenverehrung[29]:

(im 8. Ton): Kommt, Völker, die dreipersönliche Gottheit laßt
uns verehren, den Sohn in dem Vater, mit dem Heiligen Geist.

Denn es zeugte zeitlos der Vater den gleichewigen, gleichthronenden Sohn. Und der Heilige Geist war in dem Vater, mit dem Sohne verherrlicht, eine einzige Macht, eine einzige Wesenheit, eine einzige Gottheit. Diese verehrend, sprechen wir alle: Heilig bist du, o Gott, der durch den Sohn unter dem Beistand des Heiligen Geistes das All geschaffen. Heilig, Starker, bist du, durch den wir den Vater erkannt und der Heilige Geist in der Welt erschien. Heilig, Unsterblicher, Tröstergeist, der aus dem Vater hervorgeht und ruhet im Sohn: Heilige Dreiheit, Ehre sei dir.

3. Die Weihe von Ikonen der allerreinsten Gottesgebärerin

Es wird der 44. Psalm gelesen und dann als erstes Gebet:

Herr, unser Gott, der du wolltest, daß dein Sohn das göttliche Wort, das mit dir ewig ist vor aller Zeit und von einem Wesen, Fleisch annehme aus der allreinen Immerjungfrau Maria: du hast sie durch die allreine Geburt Christi aus ihr zur Gottesgebärerin gemacht und so allen Gläubigen einen Beistand, eine Helferin und Fürbitterin geschenkt: schaue nun herab auf uns, die wir dich demütig anrufen und sie wahrhaft Gottesgebärerin nennen und wegen ihrer Fürbitte bei dir gläubig anrufen. Mögen um ihrer Fürbitten willen unsere Flehrufe und Wünsche erfüllt werden: sende auch die Gnade deines Allheiligen Geistes auf diese Ikone, die deine Knechte zu Ehre und Andenken der Gottesgebärerin angefertigt haben, und segne und heilige sie mit deinem himmlischen Segen. Gewähre ihr auch Kraft und die Stärke der Wundertat. Mache sie zu einer Stätte der Heilung und zu einem Quell der Genesung für alle, die sich in Krankheiten zu ihr flüchten und um der Gottesgebärerin willen von dir Hilfe erflehen. Alle aber, die vor dieser Ikone die allgepriesene Jungfrau und Mutter unseres Herrn Jesus Christus, deines geliebten Sohnes, würdig verehren und als die bei dir helfende Fürsprecherin des Christenvolkes um Hilfe in ihren Bedrängnissen und Nöten anrufen, ihnen allen gewähre du Errettung, Beistand und rasche Hilfe. Gib ihnen gnädig Verzeihung der Sünden und laß sie die von dir erbetene Gnade alsbald empfangen und das von deiner Menschenliebe erwünschte Erbarmen erlangen,

220

damit sie Tischgenossen des Himmelreiches werden.

Durch die Erbarmungen deines, aus der Gottesgebärerin im Fleische geborenen Sohnes, unseres fleischgewordenen Gottes und Erlösers Jesus Christus, mit welchem dir gebühret alle Herrlichkeit, Ehre und Anbetung samt deinem Allheiligen und guten und lebendigmachenden Geiste, jetzt und immerdar . . .

Das 2. Gebet:

Gebieter, Gott, Vater und Allherrscher! Der du eine aus dem ganzen Menschengeschlechte, nämlich die reine Taube und das unbefleckte Lamm, die Immerjungfrau Maria, zur Mutter deines eingeborenen Sohnes erwählen wolltest, und sie durch die Herabkunft des Allheiligen Geistes ihm zur geheiligten Wohnstatt bestimmt hast, du hast sie so für höher und ehrwürdiger als die Cherubim und Seraphim, für die Ruhmreichste der ganzen Schöpfung, zum Anwalt und zur Fürsprecherin des Menschengeschlechtes erklärt. Auf ihre Fürbitten und ihren Beistand hin segne und heilige durch deine Gnade bei der Besprengung mit diesem Weihwasser diese Ikone hier, die zu Ehre und Andenken der Gottesgebärerin und deines aus ihr fleischgewordenen eingeborenen Sohnes von gleichem Wesen, zu deinem Gedenken – als seines anfanglosen Vaters – und zum Ruhme deines Allheiligen und lebendigmachenden Geistes geschaffen worden ist. Erweise die Allreine allen, die gläubig vor der Ikone zu dir beten, als eine Heilerin der geistigen und körperlichen Gebrechen und als eine Befreiung von allen feindlichen Nachstellungen sowie als einen mächtigen Schutz. Laß also unsere Bitten bei dir eine wohlgefällige Aufnahme finden.

Durch die Erbarmungen deines, aus der Gottesgebärerin im Fleische geborenen Sohnes, unseres fleischgewordenen Gottes und Erlösers Jesus Christus, mit welchem dir gebühret alle Herrlichkeit, Ehre und Anbetung samt deinem Allheiligen und guten und lebendigmachenden Geiste, jetzt und immerdar . . .

Zum Schluß singt man die Festtroparien zur Gottesmutter, wenn eine Ikone geweiht wurde, die ein eigenes Fest hat bzw. einem Festereignis im Leben der Allreinen gewidmet ist. Sodann (bzw. an deren Stelle) folgende Gesänge:

(im 1. Ton): *Unter dein Erbarmen fliehen wir, Gottesgebärerin Jungfrau, verschmähe nicht unsere Gebete in unsern Nöten, son-*

dern erlöse uns aus dem Elend, einzig Reine und Gepriesene! Gottesgebärerin, Jungfrau, freue dich, gnadenerfüllte Maria, der Herr ist mit dir. Gesegnet bist du unter den Weibern und gesegnet ist die Frucht deines Leibes, denn du hast geboren den Heiland unserer Seelen. Ehre sei . . .

Von deiner heiligen Ikone, allreine Gottesgebärerin, werden unzählige Heilungen und Genesungen zuteil allen, die sich gläubig zu ihr flüchten und von Herzen deinen Beistand anrufen. So suche denn auch heim, Jungfrau, meine Gebrechen und heile gnädig die Wunden des Körpers und der Seele. Jetzt und immerdar . . .

Mit Liebe verehren wir deine heilige Ikone, du reine Jungfrau, und verkünden dich einstimmig als die wahre Muttergottes, wir verehren dich gläubig, die du als Schützerin und mächtiger Beistand erschienen bist: du aber halte fern von uns alles Übel, da du ja alles vermagst.

4. Die Weihe von einer oder mehreren Heiligenikonen

Man liest Ps. 138 und das erste Gebet lautet:

Herr, Gott, Allherrscher, Gott unserer Väter, der du einst im Alten Bunde angeordnet hast, ein Abbild der Cherubim aus Holz und Gold und aus Seidenstoff im Zelte des Zeugnisses anzufertigen, du verwirfst auch heutzutage nicht die Ikonen und Abbilder deiner Heiligen, sondern nimmst sie an, damit deine gläubigen Knechte, wenn sie auf diese schauen, dich verherrlichen, der du jene verherrlicht hast, und sich bemühen, in Leben und Taten ihnen nachzueifern, um so durch die Heiligen deiner Gnade und der Aufnahme ins Himmelreich gewürdigt zu werden. So bitten wir dich, schaue jetzt hernieder auf diese Ikone, die zum Ruhm und Andenken deines heiligen . . . angefertigt und gezeichnet wurde, und segne sie mit deinem himmlischen Segen und heilige sie, ebenso alle, welche sie verehren und vor ihr dich anbeten und anrufen, den heiligen . . . aber um Fürbitte bei dir anflehen. Als ein gnädiger Erhörer der Bitten deines Knechtes und Freundes sei auch ein guter und reicher Spender: errette sie von jeglichem Leid und aller Bedrängnis, von jeder Krankheit des Leibes und der Seele und würdige sie der von *dir erflehten Gnaden und Barmherzigkeiten auf die Fürbitten deines heiligen . . .*

Du bist ja der Quell der Heiligung und der Spender der guten Gaben, und dir senden wir die Lobpreisung empor, dem Vater und dem Sohne und dem Heiligen Geiste, jetzt und immerdar . . .

Und das zweite Gebet:

Herr, unser Gott, den Menschen hast du nach deinem Bilde und Gleichnis erschaffen, und – nachdem dieses Bild durch den Ungehorsam des Erstgeschaffenen[30] zerstört war – hast du es erneuert durch die Menschwerdung deines Christus, der Knechtsgestalt annahm und von Ansehen als ein Mensch erfunden ward.[31] So hast du deine Heiligen wieder zur ersten Würde geführt, sie, deren Abbilder wir fromm verehren, die Heiligen, welche dein Bild und Gleichnis sind, ehren wir ja! Da wir aber diese ehren, ehren und rühmen wir dich als das Urbild. Darum bitten wir dich, sende deine Gnade und segne durch die Besprengung mit diesem Weihwasser dieses Bild und heilige es zu deinem Ruhme und zu Ehre und Andenken deines heiligen . . . Alle aber, die dieses Bild verehren und vor ihm ihre Bitten zu dir richten, segne und würdige gnädig, von dir Erbarmen zu erlangen.

Durch die Gnade und die Erbarmungen und die Menschenliebe deines eingeborenen Sohnes, mit welchem du gepriesen bist samt deinem Allheiligen und guten und lebendigmachenden Geiste, jetzt und immerdar . . .

Und man singt bei der Verehrung der Ikone das Festtroparion.

C. Das Bildprogramm der byzantinischen Kirchenausmalung (aus dem Handbuch des Dionysios)[32]

Wenn du eine Kuppelkirche (tourlaíos) ausmalen willst, so mache in die Kupola einen Kreis verschiedener Farben, die denen des Regenbogens gleichen wie sie bei Regenwetter in den Pfützen erscheinen; in die Mitte aber male den segnenden Christus, der das Evangelium auf seiner Brust hält und umschreibe es mit der Titulatur „Jesus Christus der Allherrscher". Um diesen Kreis herum male die Menge der Cherubim und der Throne und schreibe dazu: „So sehet nun, daß ich allein es bin, und daß kein andrer Gott ist außer mir!"[33] „Ich habe die Erde gemacht, und den Menschen darauf geschaffen; meine Hände spannten die Himmel aus!"[34] Unter den Pantokrator male ringsum die anderen Chöre der Engel und in die Mitte davon – also im Osten – die Jungfrau mit beiderseits erhobenen Händen; schreibe aber über sie folgende Inschrift: „Die Mutter Gottes, die Königin der Engel." Ihr gegenüber – also im Westen – male den Vorläufer, unter beide den Propheten. Unter die Propheten aber schreibe rund um die Kupola dieses Troparion: „Das Firmament derer, die du gemacht hast: stärke, o Herr, die Kirche, welche du erlöst mit deinem ehrwürdigen Blute."[35] Darunter, auf die Rundungen (gōnía) der Gewölbezwickel (kamára) male im Osten das nicht von Menschenhand gefertigte Bild Christi (mandylion) und auf die gegenüberliegende Seite den heiligen Ziegelstein.[36] Auf der rechten Seite male Jesus Christus, der das offene Evangelium hält mit den aufgeschlagenen Worten: „Ich bin der Weinstock, ihr aber seid die Reben."[37], links hingegen den jugendlichen Christus-Emmanuel mit einer Schriftrolle, die sagt: „Der Geist des Herrn ist über mir, darum hat er mich gesalbt."[38] Von diesen vier Motiven sollen Rebzweige ausgehen, die bis zu den Evangelisten in den Zwickeln reichen und die Apostel in ihr Wachstum einbeziehen. In den darüber frei bleibenden Raum zwischen jedem Zwickel male drei Propheten mit Rollen, die ein jeder auf das Fest zeigen, von dem sie prophetisch künden.

Der Anfang der ersten Malzone

In den Altarraum, also in die Mitte der östlichen Apsis[39] – nämlich unter die eben erwähnten Propheten – male die Jungfrau auf einem Throne sitzend, die Christus als ein Kind hält, darüber aber diese Inschrift: „Die Mutter Gottes, die höher ist als die Himmel." Auf die beiden Seiten male die zwei Erzengel Michael und Gabriel[40], die ihre Reverenz erweisen. Dann beginne, von links an[41] die zwölf Hochfeste[42] sowie die Ereignisse der Passionsgeschichte und die Begebenheiten nach der Auferstehung zu malen.[43] Male sie rundum in der ganzen Kirche unter die Propheten, bis du rechterhand wieder bei dem Bilde der Jungfrau anlangst. So wird die erste Reihe gemalt.

Der Anfang der zweiten Malzone

Unter die Jungfrau male die Heilige Liturgie[44] und links davon beginnend die heiligen Werke und Wunder Christi. Dies setze fort, bis du rechts wieder beim Bilde der Heiligen Liturgie anlangst und so die zweite Zone füllst. In die zwei Kuppeln des Altarraumes aber male folgendes: in jene der Prothesis[45] Christus in bischöflichen Gewändern auf einer Wolke sitzend und segnend; er hält ein Evangelienbuch, das bei den Worten geöffnet ist: „Ich bin der gute Hirte."[46] Über ihm steht die Inschrift „Jesus Christus – der große Hohepriester". In einem Kreis um ihn herumstehend male Cherubim und Throne, darunter aber ringsum[47] male eine Reihe von Bischöfen, welche du willst, und darunter das Opfer des Abel und des Kain und das Opfer des Manasse.

In die Konche der Prothesis-Apsis male die Abnahme Christi vom Kreuz.

In die andere Seitenkuppel[48] male Jungfrau und Kind; sie hält ihre Hände betend zu beiden Seiten ausgestreckt.[49] Dazu folgende Inschrift: „Die Mutter Gottes, weiter als die Himmel."[50] darunter wieder rundum in der Kuppel eine Reihe von Bischöfen, wie du es willst. Darunter aber sollst du malen: Moses, der den brennenden Dornbusch anschaut[51]; die drei Kinder im Feuerofen[52]; Daniel in der Löwengrube[53] und die Gastfreundschaft Abrahams.[54]

Außerhalb des Altarraumes, das heißt in die erste der vier Nischen beim Diakonikon[55], male den Engel des Großen Rates, der auf einer Wolke von vier Engeln getragen wird[56] und eine Rolle hält, auf der steht: ,,Ich komme von Gott und kehre zu ihm zurück; nicht aus eigenem Wollen bin ich gekommen, sondern aus dem Wollen dessen, der mich gesandt!" Schreibe aber dazu ,,Jesus Christus, der Engel des Großen Rates". Auf die andere korrespondierende Nische male den Emmanuel auf einer Wolke, der durch die Schriftrolle sagt: ,,Der Geist des Herrn ist über mir, darum hat er mich gesalbt."[57] In die vier Ecken der Wolke male die vier Symbolgestalten der Evangelisten.[58] In die dritte Nischenseite male aber den Erzengel Michael, der ein Schwert in seiner Rechten und eine Rolle in der Linken trägt, darauf steht: ,,Jene, die ohne ein reines Herz zum reinen und göttlichen Hause Gottes kommen, werde ich niederstoßen mit meinem Schwerte." In die vierte und letzte Nischenseite aber male den Vorläufer auf einer Wolke, die rechte Hand zum Segen erhoben, in der Linken aber ein Kreuz und eine Schriftrolle mit den Worten: ,,Tut Buße, denn das Himmelreich ist nahe!"[59]

Darunter in die freien Räume, die durch die Nischen zur Hauptkuppel gebildet werden[60], male Moses mit den Gesetzestafeln, Aaron, der das goldene Gefäß und den blühenden Stab hält – beide in hohenpriesterlichen Gewändern mit der Mitra[61], sodann Noa mit der Arche in der Hand und Daniel mit einer Schriftrolle. Auf der anderen Seite bei der Nische male den Propheten Samuel mit dem Ölhorn und dem Weihrauchgefäß, Melchisedek, der drei Opferbrote auf dem Diskos trägt, den Propheten Zacharias, den Vater des Vorläufers mit einem Weihrauchgefäß – alle in hohepriesterlicher Gewandung, ferner den gerechten Job, der eine Krone trägt und eine Schriftrolle mit den Worten hält: ,,Gepriesen sei des Herren Name, von nun an bis in Ewigkeit!"[62] In die noch verbleibenden Zwischenräume male die zwölf Apostel.

Über die zwei östlichen Säulen male die Verkündigung der Muttergottes, bei der hinter der Jungfrau der Prophetenkönig David steht mit einer Schriftrolle und folgendem Text: ,,Höre, Tochter, und schau und neige dein Ohr!"[63] Hinter dem Engel aber soll

Isaias stehen, der auf die Jungfrau zeigt und auf einer Schriftrolle sagt: ,,Siehe, die Jungfrau wird empfangen und einen Sohn gebären und sein Name soll sein Emmanuel!"[64]

Auf die vier Säulenkapitelle schreibe diese Worte: auf die erste Säule: ,,Dies Haus ward erbaut vom Vater!" auf die zweite Säule: ,,Dies Haus ward befestigt vom Sohne!" auf die dritte Säule: ,,Dies Haus ward erneuert vom Geiste!" auf die vierte Säule: ,,Heilige Dreifaltigkeit, Ehre sei dir!"

Der Anfang der dritten Malzone
Innerhalb des Altarraumes male unter die Göttliche Liturgie die Austeilung des geheiligten Leibes und Blutes an die Apostel[65], rechts davon, also bis hin zur Ikonostase, aber male das Folgende: den Einzug der Jungfrau in den Tempel, Moses und Aaron, die die Liturgie im Heiligtum des Zeugnisses darbringen. Links male bis zur Ikonostase: die Leiter Jakobs und die Bundeslade beim Einzug in Jerusalem. Außerhalb des Altarraumes – also ringsum in der Kirche auf der rechten und linken Seite – male eine Auswahl aus den Gleichnissen, sodann die Erhöhung des Kreuzes, und die Wiederherstellung der heiligen Ikonen.[66] Auf die westliche Wand – über den Eingang in die Kirche – male das Entschlafen der Gottesmutter und andere Feste der Jungfrau. Auf diese Weise wird die dritte Reihe vollendet.

Der Anfang der vierten Malzone
Unter die dritte Reihe male ringsum in der Kirche und im Allerheiligsten halbfigurige Heilige; dabei sollen Bischöfe im Altarraum gemalt werden, draußen aber die Ränge der Martyrer und Heiligen und Hymnendichter, so wie du selbst sie anordnen willst. Auf diese Art und Weise wird die vierte Reihe vollendet.

Der Anfang der fünften Malzone
Direkt unter die vierte Reihe male im Heiligtum in einem Rund um den heiligen Altar die heiligen Bischöfe mit Basilios dem Großen auf der Rechten und dem Chrysostomos auf der Linken und andere berühmte Bischöfe mit ihren Schriftrollen und deren Aufschriften.[67] Nahe bei dem Opfertisch[68] aber male den heiligen

Petrus von Alexandrien, der eine Rolle hält, die besagt: „Wer hat dein Gewand so zerrissen?" Vor ihn aber male Christus als Kind auf dem Altare stehend und ein zerrissenes Gewand tragend, mit der Rechten segnend und mit der Linken eine Schriftrolle tragend, die besagt: „Petrus, es war der unverständige und ruchlose Arius!"[69] Unter die Wölbungen male die heiligen Diakone, draußen[70] aber in den Chornischen male die großen und heiligen Martyrer, mit dem heiligen Georg auf der rechten und dem heiligen Demetrios auf der linken Seite, und all die anderen, ihrem Range entsprechend, ferner die Anargyren[71] und die heiligen Konstantin und Helena, die das Kreuz Christi zwischen sich tragen. Auf die Westwand male rechts den heiligen Antonios, aber links den heiligen Euthymios und die anderen heiliggesprochenen Männer und Hymnendichter mit ihren Schriftrollen und deren Inschriften.[72] Außerhalb der Kirchentüren aber male rechts den Erzengel Michael mit einem Schwert, der auf einer Rolle sagt: „Ich bin der große Streiter Gottes, so trag ich das Schwert; jene, die da eintreten mit Ehrfurcht, werde ich bewachen und verteidigen; für sie kämpfe ich und sie schütze ich. Jene aber, die unreinen Herzens eintreten, werde ich ohne Gnade mit meinem Schwerte niederstrecken."[73] Links den heiligen Gabriel, der diese Worte auf eine Rolle schreibt: „Ich schreibe auf, wie jene sind, die eintreten, da ich diesen wahrheitsliebenden Federkiel in der Hand trage; über jene, die wohl denken, werde ich wachen, die aber solches nicht tun, werd ich verderben."

Über die Tür male Christus als ein dreijähriges Kind auf einer Decke, das Haupt in eine Hand gestützt, vor ihm die in Ehrfurcht stehende Gottesmutter, ringsum Engel mit Fächern in ihren Händen, die dem Kind zufächeln. Darunter mache eine Inschrift mit folgendem Texte: „Diese heilige und geweihte Kirche des heiligen und geweihten Klosters von . . . wurde auf Kosten des . . . ausgemalt im Jahre . . ."

Anmerkungen

Alle Zitate aus den Kirchenvätern sind, sofern nicht eigens anders vermerkt, folgenden Ausgaben entnommen (Originaltexte):

Mansi: J. D. Mansi, Sacrorum conciliorum nova et amplissima collectio, Florenz 1759 ff.

PG: J. P. Migne, Patrologiae cursus completus, series Graeca, Paris 1857 ff.

PL: J. P. Migne, Patrologiae cursus completus, series latina, Paris 1844 ff.

Dabei bezeichnet die römische Ziffer jeweils den entsprechenden Band, die arabische Ziffer die Kolumne und gegebenenfalls ein Majuskelbuchstabe den Teil der Kolumne.

Deutsche Übersetzungen sind, sofern nicht andere Quellen verwandt wurden, nach:

BKV: Bibliothek der Kirchenväter (sog. ,,Kösel-Ausgabe"), Kempten - München 1911–1931 (S. Ausgabe).

Dabei kennzeichnet die Bandangabe die fortlaufende Zählung, die in Klammern gesetzte Benennung den jeweiligen Band des einzelnen Autors. Folgt nach der Seitenangabe eine zweite Ziffer, so handelt es sich dabei um die Seitenzahl des Werkes, bei der ersten hingegen um die des Bandes.

Zitate aus den gottesdienstlichen Büchern der orthodoxen Kirche sind im Regelfall nur insoweit gekennzeichnet, als es zu ihrem Auffinden in den entsprechenden liturgischen Ausgaben notwendig ist. Auf Angabe einer bestimmten Edition wurde normalerweise verzichtet, zumal die Übersetzung meist direkt aus dem slawischen Text (nach Möglichkeit unter Berücksichtigung des griechischen Originals, sofern dieses existiert) erfolgte.

Alle kursiv gesetzten Zitate beinhalten – im weitesten Sinne – Primärquellen. Sekundärquellen sind wie üblich durch Anführungszeichen im Text gekennzeichnet.

Anmerkungen
zum Vorwort

[1] Ioann I. Sergiev, Polnoe sobranie sočinenij, Bd. I, Kronstadt 1890, S. 428 f.

[2] Wenn hier und im Folgenden stets das Wort „orthodox" verwandt wird, so bedarf dies einer Erklärung: zwar trifft manches, ja weitgehend das meiste des Gesagten auch auf die beiden anderen Zweige der Ostkirche, also die Alt-Orientalen und die Unierten, zu, insofern sie der ursprünglichen gemeinsamen Wurzel treu geblieben sind. Leider muß man aber konstatieren, daß dies keineswegs immer der Fall war – und zwar um so weniger, je mehr es das eigentlich spirituelle Verständnis der Ikone angeht. Wenn auch die äußeren Formen noch zu einem erheblichen Teil beibehalten wurden, so traten im Sinnverständnis doch bedeutsame Verschiebungen infolge des andauernden Abgeschnittenseins von der genuinen spirituellen, liturgischen und theologischen Tradition ein. So unterlagen die Unierten oftmals nur allzu leicht dem von außen importierten abendländischen Einfluß (vgl. etwa: Cirillo Korolevskij, d. i. Charon, U'Uniatisme, in: Irénikon-Collection, No. 5–6, Amay s/Meuse 1927, S. 30 ff.). – Bei den nicht-chalzedonensischen Kirchen finden wir infolge ihrer abweichenden Christologie auch eine durchaus von der orthodoxen verschiedene Ikonentheologie – wieder ein Hinweis auf die enge Verbindung von Ikone und christologischem Dogma (vgl.: Paul Krüger, Der Ritus der Ikonenweihe nach dem westsyrischen Pontifikale und seine theologische Deutung im Vergleich zur byzantinischen Ikone, in: Ostkirchliche Studien, 14. Bd., Würzburg 1965, S. 292–304; oder: Walter Raunig (Hrsg.), Religiöse Kunst Äthiopiens (Katalog der Ausstellung des Instituts für Auslandsbeziehungen), Stuttgart 1973, bes. S. 40 ff. – mit reicher Bibliographie auf S. 310–324). Hier macht sich natürlich auch die Trennung von der Gesamtkirche ab dem IV. Ökumenischen Konzil bemerkbar, welche eine eigentliche Reflexion zur Ikonentheologie gar nicht erst aufkommen läßt. Somit erscheint die Verwendung des Wortes „orthodox" als alleinige Bezeichnung für alle (byzantinisch-)ostkirchlichen Gegebenheiten durchaus als gerechtfertigt. Wenn Alt-Orientalen und Unierte zu einem gewissen Teil mit der orthodoxen Tradition konform gehen und die aus ihr resultierenden Frömmigkeitsformen teilen, so beweist dies, daß sie hier eben jener Spiritualität verhaftet sind, mit der sie jahrhundertelang in Einheit und Einmütigkeit lebten, die (im Falle der Alt-Orientalen) ihnen zu einer wechselsei-

tigen Befruchtung verhalf, bzw. der sie (als Unierte) entstammen und die jene ihrer eigentlichen Mutterkirche ist.

[3] Wladimir Weidlé, Les Icônes byzantines et russes, Mailand 1962; zitiert nach: Stefan Jeckel, Russische Metallikonen (Katalog der Ausstellung im Akzisehaus des Kulturgeschichtlichen Museums Osnabrück vom 15. Dezember 1976 bis 9. Januar 1977), Osnabrück 1976, S. 11.

[4] Reinhold Schneider, Pfeiler im Strom, Wiesbaden 1958; zitiert nach: Ruhrwort, Jg. 20, No. 19 vom 13. Mai 1978, S. 14.

[5] Jeckel, Metallikonen, a.a.O., S. 11.

[6] Klaus Gamber, Liturgie heute – Zur Problematik der gegenwärtigen Reformen, Regensburg 1969, S. 18 f.

[7] Für die römisch-katholische Kirche hat sich die Erkenntnis der Wichtigkeit orientalischer Traditionen auch für die innerabendländische Entwicklung verbalisiert im Ökumenismusdekret „Univertatis redintegratio", Kap. 14–18, insb. Kap. 18. Leider wird man konstatieren müssen, daß ein Großteil der dem II. Vatikanum folgenden Reformen, vor allem auf liturgischem Gebiet, nicht als Realisation dieser theoretischen Überlegungen verstanden werden können: Vieles war eher geeignet, in der Praxis des Glaubensvollzuges neue Gräben zur Orthodoxie aufzutun (etwa die weitere Klerikalisierung des geistlichen Amtes durch die Abschaffung der sog. „niedrigen Weihen", welche im Leben der orthodoxen Kirchen gerade die Kluft zwischen Klerus und Laientum in sinnvoller Weise schließen bzw. verhindern u.a.m.).

Anmerkungen
zu Ikone und Liturgie – Mysterium fascinosum

[1] Traudl Seifert (Hrsg.), Sigismund zu Herberstein, Reise zu den Moskowitern 1526, München 1966, S. 152 u. 125.

[2] Richard Chanceller, The First Voyage to Russia, in: Lloyd E. Berry / Robert O. Crummey (Hrsg.), Rude and Barbarous Kingdom – Russia in the Accounts of Sixteenth Century English Voyagers, Madison-London 1968, S. 35 f.

[3] Johann Glen King, Die Gebräuche und Ceremonien der Griechischen Kirche in Rußland, Riga 1773, S. 29 f.

[4] Karl Schwarzlose, Der Bilderstreit – ein Kampf der griechischen Kirche um ihre Eigenart und um ihre Freiheit, Gotha 1890; zitiert nach: Ernst Benz, Die Ostkirche im Lichte der protestantischen Geschichtsschreibung von der Reformation bis zur Gegenwart (Reihe: Orbis Academicus III/1), München 1952, S. 205.

[5] Adolf von Harnack, Das Wesen des Christentums, 2. Aufl., Leipzig 1900, S. 135 f.

[6] Vergl.: Igor' Grabar, Istorija Russkago Iskusstva, Bd. VI: Istorija živopisi, Bd. I – Do-mongol'skaja epocha, Moskau 1915, S. 5, vor allem Anm. 1.

[7] Vergl. u. a.: Bild am Sonntag vom 22. September 1968; Die Welt vom 13. März 1971; FAZ vom Freitag, 5. Dezember 1975.

[8] Fürst E. N. Trubetzkoy, Die religiöse Weltanschauung der altrussischen Ikonenmalerei, Paderborn 1927, S. 4. – Einige weitere, z. T. erstmals publizierte Aufsätze desselben Verfassers zum gleichen Thema in: Eugene N. Trubetskoi, Icons – Theology in Color (übers. von G. Vakar), Crestwood 1973.

[9] Vergl. den gleichnamigen Artikel von D. Schütze in der Fachzeitschrift: Management heute + Marktwirtschaft, Nr. 4, 1975, S. 62 f.

[10] Ebd., S. 62.

[11] Helmut Brenske, Ikonen, München 1976, S. 122. – Dort findet sich eine vom Autor, der selbst Ikonenhändler ist, verfaßte Statistik, aus der hervorgeht, daß in den Jahren seit 1970 die durchschnittliche Preissteigerung russischer Ikonen des XVIII. und XIX. Jahrhunderts fast 300 % beträgt. Vgl. auch das Interview mit H. Brenske, Sachwertanlagen in Kunst, insbesondere in Ikonen, in: Wirtschaft & Investment – Fachjournal für Geldanlage, Heft 7/1974; bzw. kritischer: Wolfgang Heinz/Heinz-Otto Mühleisen, Ikonen – eine sichere Kapitalanlage?, in: Handelsblatt, 11./12. März 1977, S. 23; zum Problem der Fäl-

schung und des Ikonenmarktes überhaupt von denselben Verfassern: Gefälschte Ikonen – Wachsende Probleme für den Sammler, in: Sammler-Journal, 7. Jg., Nr. 4, April 1978, S. 245; und: Ikonen – Aspekte der Kunstfälschung und des Betrugs, in: Kultur – Kriminalität – Strafrecht (Festschrift für Thomas Würtenberger), Berlin 1977, S. 219–239; sowie: Ikonenfälschung – Die Beiträge von Kunstwissenschaft, Theologie, von Kriminologie, Kriminalistik und Rechtswissenschaft, in: Das Münster, Heft II, 1977, S. 93–111 (mit Abb.).

[12] Vgl.: Helmut Brenske, Ikonen – Schlüssel zum Verständnis der russischen Seele, in: Sammler-Journal, Nr. 5, Mai 1973, S. 51 ff. Dort finden sich etwa folgende bezeichnenden, jede Ikonentheologie auf den Kopf stellenden Sätze: ,,Nach Auffassung der orthodoxen Kirche ist jede geweihte Ikone ein Glücksbringer. Der abgebildete Heilige ist ein Teil dieser Ikone geworden." (ebd., S. 51)

[13] Vergl.: Vom Sammler zum Händler – Das Interview mit dem Ikonenexperten H. Brenske, in: Sammler-Journal, 10. Jg., Nr. 10, Oktober 1976, S. 429: ,,Es ist ein bekanntes Phänomen, daß über die Hälfte der heutigen Ikonensammler Ärzte und Apotheker sind. Das ist vielleicht darauf zurückzuführen, daß hier die Voraussetzungen besonders günstig sind, als Humanisten von Haus aus oder als Kunstbegeisterte, diese etwas abseitige Kunst zu erkennen, zu erfassen und zu bewahren."

[14] Sergij Bulgakov, Pravoslavie – Očerki učenija Pravoslavnoj Cerkvi, Paris o. J., S. 298.

[15] Herbert Bury, Russian Life To-Day, London - Milwaukee 1915, S. 21.

[16] Vgl. u. a.: Mk. 5,25–34 und Apg. 5,12 ff.

[17] Zitiert nach: W. Jardine Grisbrooke, Spiritual Counsels of Father John of Kronstadt – Select Passages from ,,My Life in Christ", London 1967, S. 86.

[18] Gemeint ist die der Ikonenmalerei eigene Umrißzeichnung, welche – am Beginn des eigentlichen Malaktes stehend – die Form des Motives genau festlegt.

[19] Nikolaj Leskov, Zapečatlennyj angel, Kap. IX, in: Sobranie Sočinenij, Bd. IV, Moskau 1957, S. 348; dt. Ausgabe: Nikolaj Leskov, Der versiegelte Engel und andere Erzählungen, München 1961, S. 39.

[20] Vgl.: Johannes Schumilin, Zur Psychologie der Ikonenverehrung, München 1960, S. 14 ff.

[21] Zitiert nach: Richard Biedrzynski, Fenster zur Ewigkeit – Aus alten Ikonen, Feldafing 1965, S. 4. – Interessant ist, daß den Initiator des Recklinghäuser Ikonenmuseums und jetzigen Direktor, Thomas Grochowiak, 1955 gerade die Beziehung der Ikonenmalerei zu Kandinskijs frühen Werken zur Schaffung dieses Museums anregte, vgl.: Ikonen-

Museum (Katalog), 5. Aufl., Recklinghausen 1976, S. 3.

[22] Zitiert nach: Nikolaus von Arseniew, Die russische Frömmigkeit (Reihe: Bibliothek für orthodoxe Theologie und Kirche, Bd. 3), Zürich 1964, S. 71.

[23] Ebd., S. 73.

[24] Vgl.: Pierre Pascal, Die russische Volksfrömmigkeit (Reihe: Orthodoxe Beiträge, Heft II), Marburg 1966, S. 17.

[25] Timothy Ware, L'Orthodoxie – L'Eglise des sept Conciles, Paris 1968, S. 355 f.

[26] Übersetzt nach: Izbornik – Sbornik proizvedenij literatury Drevnej Rusi, Moskau 1969, S. 68.

[27] Georges Florowsky, The Elements of the Liturgy in the Orthodox Church, in: One Church, Bd. XIII, Nr. 1/2, New York 1959, S. 24.

[28] Peter Hauptmann, Die Katechismen der Russisch-Orthodoxen Kirche – Entstehungsgeschichte und Lehrgehalt (Reihe: Kirche im Osten, Monographien, Bd. 9), Göttingen 1971, S. 14.

[29] Vgl. u. a.: Klaus Gamber, Liturgie heute – Zur Problematik der gegenwärtigen Reformen (Institutum Liturgicum Ratisbonense), Regensburg 1969, S. 5 u. 16: ,,Warum orientieren wir uns nicht eher an den orientalischen Riten? Hier lebt noch ein gutes Stück Frühkirche weiter. Im Osten hat man manche Fehlentwicklung des Westens nicht mitgemacht. . . . Auch wir können uns heute dieser Feierlichkeit kaum entziehen, wenigstens diejenigen von uns, die noch einen Sinn bewahrt haben für den Gottesdienst als einer Kulthandlung und die vom Ritus des Ostens etwas mehr wissen, als daß er ziemlich lang dauert. Die Liturgie ist in der byzantinischen Kirche zu einem wahrhaften Mysterienspiel geworden, wobei sich Spiel und Wirklichkeit in einmaliger Weise vermischen. Was im feierlichen Spiel dargestellt wird, ist zugleich sakramentale Wirklichkeit. . . . Die Gläubigen werden so zu Mitspielern am heiligen Geschehen."

[30] Nach russischem Volksbrauch trägt man die Kerze, welche man am Gründonnerstagabend während des Gottesdienstes, genauer gesagt, während der Lesung der 12 Leidensevangelien, in den Händen trug, dann brennend nach Hause, um dort damit alle Lämpchen vor den Ikonen für das kommende Jahr neu zu entzünden, vor allem aber, um über allen Türen ein Kreuz mit dem Ruß der Kerze einzubrennen.

[31] Ivan Šmelev, Leto Gospodne, II. Teil: Pascha, in: Naš žurnal, Nr. 2 (März), Buenos Aires 1972, S. 65 f.; dt. Übersetzung: Iwan Schmeljow, Wanja im heiligen Moskau – Der Roman meiner Jugend, Freiburg 1958, S. 75 f.

[32] Pamjat' i pochvala knjaz'u russkomu Volodimeru, in: Makarij (Bulga-

kov), Istorija russkoj cerkvi, Bd. I, St. Petersburg 1889, S. 249–257; dt. Übersetzung in: Karl Rose, Grund und Quellort des russischen Geisteslebens – Von Skythien bis zur Kiewer Rus (Reihe: Studien aus dem Institut für Ost- und Südslawische Religions- und Kirchenkunde der Humboldt-Universität, Bd. 1), Berlin (Ost) 1956, S. 185–191.

[33] Zitiert nach: Arseniew, Frömmigkeit, a.a.O., S. 75.

[34] Zitiert nach: Vera Zander, Seraphim von Sarow – Ein Heiliger der orthodoxen Christenheit, Düsseldorf 1965, S. 90.

[35] Vgl. diesen Gedanken bei: Reinhold von Walter, Von russischer Frömmigkeit, in: Julius Tyciak u. a. (Hrsg.), Der christliche Osten – Geist und Gestalt, Regensburg 1939, S. 94–119.

[36] Mysli o bogosluženii Pravoslavnoj Cerkvi – Iz dnevnika o. Ioanna Kronštadtskogo, Jordanville 1954, S. 127 u. 135.

[37] Bury, Russian Life, a.a.O., S. 103.

[38] Josef Andreas Jungmann, Liturgie und Kirchenkunst (Antrittsrede, gehalten anläßlich der Inauguration zum Rector magnificus des Studienjahres 1953/54 am 14. November 1953 in der Aula der Leopold-Franzens-Universität), Innsbruck o. J., S. 7 und 16.

[39] Bulgakov, Pravoslavie, a.a.O., S. 279.

Anmerkungen
zu Die Ikonentheologie und ihre Entwicklung

[1] Léonide Ouspensky, Symbolik des orthodoxen Kirchengebäudes und der Ikone, in: Ernst Hammerschmidt u. a. (Hrsg.), Symbolik des orthodoxen und orientalischen Christentums (Reihe: Symbolik der Religionen, Bd. X), Stuttgart 1962, S. 76.

[2] Trubetskoi, Icons, a.a.O., S. 36.

[3] Igor Grabar, Vorwort, in: Victor Lasareff/Otto Demus, UdSSR – Frühe russische Ikonen (Reihe: Unesco-Sammlung der Weltkunst), Paris 1958, S. 5. – Es ist aber bezeichnend, daß trotz der dadurch bedingten ideologischen Klimmzüge ausgerechnet Ikonen zum Thema des die UdSSR charakterisierenden Bandes der Unesco-Reihe von der zuständigen sowjetischen National-Kommission ausgewählt wurden.

[4] So unter vielen anderen Beispielen der Versuch, Andrej Rublev zum Anführer einer Protestbewegung zu machen, der – unter Wahrung des Deckmantels der Treue zum ikonographischen Schema – in Wirklichkeit andere philosophische Ideen habe darstellen wollen, besonders auf seiner berühmten Dreifaltigkeitsikone die damalige politische Zerrissenheit Rußlands, vgl.: Michail V. Alpatov, Andrej Rublev, Moskau 1959, S. 22 f.

[5] Reinhold von Walter, Einige Wesensmerkmale der Ikonenmalerei, in: Ein Leib / Ein Geist – Einblicke in die Welt des christlichen Ostens (hrsg. von der Abtei St. Joseph zu Gerleve), Münster o. J., S. 112.

[6] Alexej A. Hackel, Ikonen – Zeugen ostkirchlicher Kunst und Frömmigkeit, Freiburg 1951, S. 13 f.

[7] Vgl. beispielsweise: W. Ellinger, Die Stellung der alten Christen zu den Bildern in den ersten vier Jahrhunderten, in: Studien über christliche Denkmäler (hrsg. von J. Ficker), Neue Folge, Heft 20, Leipzig 1930, S. 22 f.; L. Bréhier, L'Art Chrétien, Paris 1928, S. 13 u.a.m.

[8] Vgl.: Orationes de imaginibus, II, cap. 22 (PG XCIV, 1308 D).

[9] Vgl.: Bazalel Narkiss (Hrsg.), Geschichte der jüdischen Kultur in Bildern, Zürich 1973, S. 62 f.; und: E. L. Sukenik, Ancient Synagogues in Palestine and Greece, London 1934, S. 27 ff.; vgl. auch: H. L. Strack/P. Billerbeck, Kommentar zum Neuen Testament aus Talmud und Midrash, Teil IV, 1, München 1928, S. 385–394; danach hielten die meisten rabbinischen Theologen „die bildliche Darstellung von Tieren für erlaubt . . ., falls die Tiergestalt nicht ein Symbol der Gottheit sein sollte", konnten Juden sogar heidnische Bildwerke in Besitz nehmen, wenn der nichtjüdische Verkäufer „aus eigenem Antrieb den

götzendienerischen Gegenstand als solchen entweiht oder nichtig gemacht hatte. Das konnte dadurch geschehen, daß er den Götzen zusammenklopfte oder daß er ein Stück von ihm abschlug oder daß er ihn an einen Israeliten verkaufte. Dadurch verlor der betreffende Gegenstand seinen götzendienerischen Charakter und durfte zur Nutznießung nunmehr gebracht werden." (a.a.O., S. 386 ff.)

10 De Bello Judaico, libr. V, cap. V, 4; zitiert nach: Moses I. Finley (Hrsg.), Josephus – The Jewish War and Other Selections, New York 1965, S. 264 f.

11 Narkiss, Kultur, a.a.O., S. 82.

12 Vgl. Ez. 37,1 ff.

13 Narkiss, Kultur, a.a.O., S. 83.

14 Wilhelm Nyssen, Frühchristliches Byzanz (Reihe: Sophia – Quellen östlicher Theologie, Bd. 2), Trier, 5. Auflage 1978, S. 20.

15 Carl Maria Kaufmann, Handbuch der christlichen Archäologie (Reihe: Wissenschaftliche Handbibliothek, III. Reihe, Bd. V), 2. Aufl., Paderborn 1913, S. 245.

16 Vgl.: Wilhelm Neuss, Die Kunst der alten Christen (Reihe: Von heiliger Kunst), Augsburg 1926, S. 19 ff.

17 Leonid Ouspensky/Wladimir Lossky, Der Sinn der Ikonen, Bern-Olten 1952, S. 25, Anm. 1.

18 Ennead. I, 6,9; zitiert nach: Peter Metz, Elfenbein der Spätantike, München 1962, S. 5.

19 Vgl.: II. Apologie Justins d. Martyrers, Kp. VI, 3.

20 Apologie, Kap. I, 5; zitiert nach: BKV Bd. 12 (Frühchristliche Apologeten II), Kempten - München 1913, S. 26.

21 Vgl.: W. Ellinger, Zur Entstehung und Entwicklung der altchristlichen Bildkunst, in: Studien über christliche Denkmäler, Neue Folge, Heft 23, Leipzig 1934; E. Kitzinger, The cult of images in the age before iconoclasm, in: Dumberton Oaks Papers, Bd. VIII, Cambridge (Mass.) 1954.

22 Ouspenky/Lossky, Sinn, a.a.O., S. 25.

23 Vgl.: Contra Celsum, libr. VIII, 17–18; ediert: M. Borret (Hrsg.), Contre Celse, Bd. IV (Reihe: Sources Chrétiennes, Nr. 150), Paris 1969.

24 Paedagogos I, libr. III, cap. XI (PG VIII, 633).

25 Vgl.: Leonid Uspenskij, Pervye ikony Spasitelja i Bożiej Materi, in: Żurnal Moskovskoj Patriarchii, Nr. 2 (Februar), Moskau 1958, S. 44–51.

26 Epistola ad Constantiam Aug. (PG XX, 1546). – Diese Äußerung des Eusebios sollte übrigens beim Bilderstreit (vor allem in der Argumenta-

tion der Ikonoklastensynode von 754) noch eine gewichtige Rolle für die Bilderfeinde spielen und nicht unwesentlich dazu beitragen, daß späterhin die Rechtgläubigkeit des Eusebios (u. a. von den Patriarchen Germanos I., Nikephoros I. und Photios) in Frage gestellt wurde, vgl.: Friedhelm Winkelmann, Die Beurteilung des Eusebius von Cäsarea und seiner Vita Constantini im griechischen Osten, in: Johannes Irmscher (Hrsg.), Byzantinistische Beiträge (Gründungstagung der Arbeitsgemeinschaft Byzantinistik in der Sektion Mittelalter der Deutschen Historiker-Gesellschaft vom 18. bis 21. 4. 1961 in Weimar), Berlin 1964, S. 91–120, bes. S. 97 ff. – vgl. zu dieser Zeit: Leonid Uspenskij, Cerkovnoe iskusstvo v epochu svjatago Konstantina, in: Žurnal Moskovskoj Patriarchii, Nr. 10, 1958, S. 42–47; ferner: V. D. Lichačeva, Tradicii antičnogo iskusstva v rannevizantijskoj stankovoj živopisi, in: Z. V. Udal'cova (Hrsg.), Vizantijskie očerki – Trudy sovetskich učenych k XV meždunarodnomu kongressu vizantinistov, Moskau 1977, S. 236–244.

[27] Mt. 9,20–23; Mk. 5,24–34, und Lk. 8,43–48.

[28] PG XX, 680; deutsch: Heinrich Kraft (Hrsg.), Eusebius von Caesarea – Kirchengeschichte, München 1967, S. 334.

[29] Vgl.: E. Von Dobschütz, Christusbilder, in: Texte und Untersuchungen zur Geschichte der altchristlichen Literatur, Neue Folge, Bd. 3, Leipzig 1899, Beilage VII A, Beleg 2 zu Kap. 2; A. Wifstraud, Die alte Kirche und die griechische Bildung, Bern - München 1967, S. 24.

[30] Leslie Barnard, The Theology of Images, in: Anthony Bryer / Judith Herrin (Hrsg.), Iconoclasm – Papers given at the Ninth Spring Symposium of Byzantine Studies – University of Birmingham, Birmingham 1977, S. 9.

[31] Gemeint sind die Grabstätten.

[32] Mansi, XIII, 292 D.

[33] Vgl.: Karl Holl, Die Schriften des Epiphanius gegen die Bilderverehrung, in: Gesammelte Aufsätze zur Kirchengeschichte, Bd. II, Der Osten, Tübingen 1928, S. 351 ff. – Die Echtheit der Schriften des Epiphanius, welche schon Johannes Damaskenos anzweifelte (vgl.: Orationes de imaginibus, I, cap. 25 – PG XCIV, 1257 A), dürfte nach den Forschungen Holls als erwiesen anzusehen sein.

[34] Vgl.: Ellinger, Stellung, a.a.O., S. 56.

[35] Vgl.: Nyssen, Byzanz, a.a.O., S. 34.

[36] Vgl.: F. van der Meer, Altchristliche Kunst, Köln 1960, S. 149.

[37] Viktor N. Lazarev, Istorija vizantijskoj živopisi, Bd. I, Moskau 1947, S. 38.

[38] Vgl.: André Grabar, Martyrium – Recherches sur le culte des reliques

et l'art chrétien antique, Paris 1946, S. 8. – Außerdem: Neuss, Kunst, a.a.O., insbesondere die Abschnitte: „Die Anfänge der christlichen Kunst in der zömeterialen Malerei" (S. 15–28) und „Die jüngeren sepulkralen Fresken und die Sarkophagplastik" (S. 47–58).

[39] Vgl. u. a.: Walter Felicetti-Liebenfels, Geschichte der byzantinischen Ikonenmalerei von ihren Anfängen bis zum Ausklang, Lausanne 1956, S. 13; L. Bréhier, La Civilisation Byzantine, Paris 1950, S. 267 ff.; André Grabar, La Peinture Byzantine, Paris 1953, S. 16; Paul Huber, Athos – Leben, Glaube, Kunst, Zürich 1969, S. 293, u.a.m.

[40] Hilde Zaloscer, Vom Mumienbildnis zur Ikone, Wiesbaden 1969, S. 11.

[41] Ebd., S. 28.

[42] Ebd., S. 68.

[43] Vgl.: E. Henneke, Neutestamentliche Apokryphen, Tübingen - Leipzig 1904, S. 435 f.

[44] Vgl.: Felicetti-Liebenfels, Ikonenmalerei, a.a.O., S. 18 f.

[45] Vgl.: Grabar, Recherches, a.a.O., S. 8 ff.

[46] Vgl.: PG XL, 333–337; eine deutsche Übersetzung findet sich bei: J. Strzygowski, Orient und Rom, Leipzig, S. 118 ff.

[47] Elliger, Entstehung, a.a.O., S. 70.

[48] Zaloscer, Mumienbildnis, a.a.O., S. 35.

[49] Mansi XIII, 301 D.

[50] Stromata, VII, 11 (PG IX, 488) – Zur Grundeinstellung des Klemens vgl.: Friedrich Normann, Christos Didaskalos – Die Vorstellung von Christus als Lehrer in der christlichen Literatur des ersten und zweiten Jahrhunderts (Reihe: Münsterische Beiträge zur Theologie, Heft 32), Münster 1967, S. 153 ff.

[51] Vgl.: Leonid Uspenskij, Cerkovnoe iskusstvo v epochu sv. Konstantina, in: Žurnal Moskovskoj Patriarchii, Nr. 10 (Oktober), Moskau 1958, S. 43.

[52] Vgl.: Karl Holl, Der Anteil der Styliten am Aufkommen der Bilderverehrung, in: Gesammelte Aufsätze zur Kirchengeschichte, Bd. II: Der Osten, Tübingen 1928, S. 388–398 (ebenso in: Philotesia für Paul Kleinert, 1907, S. 51–66).

[53] Vgl.: PL XLI, 850 f.

[54] Vgl.: PG CXX, 222 D.

[55] Vgl.: Dobschütz, Christusbilder, a.a.O., S. 40 ff.

[56] Vgl.: Felicetti-Liebenfels, Ikonenmalerei, a.a.O., S. 20.

[57] Wiedergabe nach: S. V. Bulgakov, Nastol'naja kniga dlja svjaščenno-cerkovno-služitelej, 2. Aufl., Charkov 1900, S. 287.

[58] J. B. Segal, Mysterien der Sabier – Die Sternenanbeter von Harran, in:

Edward Bacon, Versunkene Kulturen – Geheimnis und Rätsel früherer Welten, München - Zürich 1963/1970, S. 132; vgl. auch: A. F. J. Klijn, Edessa – Die Stadt des Apostels Thomas (Reihe: Neukirchener Studienbücher, Bd. 4), Neukirchen-Vluyn 1965, S. 29ff.

[59] Istoria Ecclesiastica, libr. I, Cap. 13; vgl. Kraft, a.a.O., S 111–114.

[60] Ouspensky, Symbolik, a.a.O., S. 70, Anm. 57.

[61] Trebnik, Bd. II, Moskau 1902, S. 111.

[62] Vgl.: Š. Ja. Amiranašvili, Istorija gruzinskogo iskusstva, Moskau 1950, S. 126.

[63] Vgl.: Franz Kaulen (Hrsg.), Wetzer und Weltes Kirchenlexikon, Bd. III, 2. Aufl., Freiburg i. Br. 1884, S. 303 (Stichwort: Christusbilder).

[64] Uspenskij, Pervye ikony, a.a.O., S. 45, Anm. 1.

[65] Vgl.: C. Henze, Lukas der Muttergottesmaler, Löwen 1948.

[66] De imaginibus orationes, I, 328 (PG XCIV, 1277 C).

[67] Vgl.: Nyssen, Byzanz, a.a.O., S. 44.

[68] Zitiert nach: BKV Bd. 45 (Johannes Chrysostomos VII), München 1924, S. 272.

[69] Homilia in Barlaam Mart. – Hom. XVII,3 (PG XXXI, 489).

[70] Homilia XIX, 2 (PG XXXI, 508).

[71] De spiritu Sancto, cap. XVIII (PG XXXII, 145); zitiert nach: Manfred Blum (Hrsg.), Basilius von Cäsarea – Über den Heiligen Geist (Reihe: Sophia – Quellen östlicher Theologie, Bd. 8), Freiburg i. Br. 1967, S. 73.

[72] Ebd.

[73] Comment. in Isaiam Prophetam, cap. XIII; zitiert nach: Nyssen, Zeugnis, a.a.O., S. 33. Interessanterweise begründet auch der bedeutendste serbische Theologe der Gegenwart, Archimandrit Dr. Justin (Popović) (1894–1979) in seiner jüngst erschienenen Dogmatik die Ikone von der Gottebenbildlichkeit des Menschen her, vgl. Archimandrit Dr. Justin Popović, Dagmatika Pravoslavne Cerkve, III. Bd., Beograd 1978, S. 683ff. – Ein frühes Zeugnis für die Tragweite dieser Anthropologie stellt eine Bestimmung des Codex Theodosianus (9,40,2) dar, die ihrerseits wahrscheinlich bereits auf eine Novelle Konstantins des Großen aus dem Jahre 315 zurückgeht und lautet: ,,Wenn jemand zu den Spielen oder zum Bergwerk verurteilt ist, . . . soll er nicht am Gesicht gebrandmarkt werden . . ., denn das nach dem Gleichnis der himmlischen Schönheit gebildete Antlitz darf nicht geschändet werden." (zitiert nach: H. Dörries, Das Selbstzeugnis Kaiser Konstantins, Göttingen 1954, S. 168).

[74] De spiritu Sancto, cap. XVIII (PG XXXII, 147); zitiert nach: Blum,

Basilius, a.a.O., S. 75.

[75] Vgl.: Oratio contra Arianos III, 5 (PG XXVI, 332).
[76] Vgl.: PG XXXVII, 591–595.
[77] Vgl.: Carmina (PG XXXVII, 737).
[78] Oratio IV, Contra Iulianum, I, 80 (PG XXXV, 605f.).
[79] De Deitate Filii et Spiritus Sancti (PG XLVI, 572 C).
[80] Homilia in S. Mart. Theodorum; zitiert nach: Uspenskij, Cerkovnoe iskusstvo, a.a.O., S. 43.
[81] Vgl.: Epistola XXXII (PL LXI, 339).
[82] Epistola in Olympiodorem (PG LXXIX, 577).
[83] Uspenskij, Cerkovnoe iskusstvo, a.a.O., S. 44.
[84] Vgl.: Lazarev, Istorija, a.a.O., S. 51.
[85] Nyssen, Byzanz, a.a.O., S. 44.
[86] Zitiert nach: Bryer/Herrin, Iconoclasm, a.a.O., S. 181.
[87] Zitiert nach: Byzanz, a.a.O., S. 46.
[88] Mansi II, 11.
[89] Kaufmann, Archäologie, a.a.O., S. 247.
[90] Vgl.: Zaloscer, Mumienbildnis, a.a.O., S. 36.
[91] Ouspensky/Lossky, Sinn, a.a.O., S. 28.
[92] Vgl.: Bréhier, L'Art, a.a.O., S. 67.
[93] Vgl.: Kaufmann, Archäologie, a.a.O., S. 251–416.
[94] „Im Gesetze" heißt zur Zeit des Alten Bundes.
[95] Zitiert nach: Périclès-Pierre Joannou, Discipline Générale Antique (IIe–IXe s.), Bd. I, 1: Les canons des Conciles Oecuméniques (Reihe: Fonti della Pont. Commissione per la redazione del codice di diritto canonico orientale, Bd. IX), Grottaferrata (Roma) 1962, S. 218ff.
[96] Ouspensky/Lossky, Sinn, a.a.O., S. 30.
[97] Gen. 38, 34f. in der Fassung der LXX.
[98] Mansi XIII, 43ff.
[99] C. H. W. Wendt in der Einleitung zum Katalog der Ikonenausstellung in der Kunsthalle Basel vom 5. April bis 18. Mai 1952, S. 7.
[100] Ouspensky, Symbolik, a.a.O., S. 70.
[101] Orationes de imaginibus I, cap. 22 (PG XCIV, 1, 1256 A).
[102] Stromata I, 5 (PG VIII, 717); zitiert nach: H. Rüssel, Die providentielle Bedeutung der griechischen Philosophie im Lichte des Christentums (Aufsätze zur Geschichte der Antike und des Christentums), Berlin 1937, S. 54; vgl. auch: Normann, Didaskalos, a.a.O., S. 156f.
[103] De perfecta christiani forma (PG XLVI, 252 B).
[104] Vgl. dazu ausführlich: Endre v. Ivánka, Plato Christianus – Übernahme und Umgestaltung des Platonismus durch die Väter, Einsiedeln 1964, S. 158f.

[105] De beatitudinibus, or. VI (PG XLIV, 1269C und 1272B).

[106] Ivanka, Plato, a.a.O., S. 225.

[107] De hier, eccl., cap. II; zitiert nach: BKV Bd. 2 (Dionysius Areopagita), Kempten - München 1911, S. 109.

[108] 1. Thess. 4,17.

[109] Lk. 20,36.

[110] De Divinis nominibus I, 4 (PG III, 592 BC); zitiert nach: Walther Tritsch (Hrsg.), Dionysios Areopagita – Mystische Theologie und andere Schriften (Reihe: Weisheitsbücher der Menschheit), München-Planegg 1956, S. 32f.

[111] Vgl.: J. Vanneste, La théologie mystique du pseudo-Denys l'Aréopagite, in: F. L. Cross (Hrsg.), Studia Patriatica, Bd. V – Teil III (Reihe: Texte und Untersuchungen zur Geschichte der altchristlichen Literatur, Bd. 80), Berlin-Ost 1962, S. 411f.

[112] Nyssen, Byzanz, a.a.O., S. 48.

[113] Vgl.: Harnack, Wesen, a.a.O., S. 135.

[114] Epistola VI ad Sosipatrem sac. (PG III, 1077 A); zitiert nach: Tritsch, Dionysios, a.a.O., S. 179.

[115] Endre von Ivánka (Hrsg.), Dionysius Areopagita – Von den Namen zum Unnennbaren (Reihe: Sigillum, Bd. 7), Einsiedeln o. J., S. 19; vgl. auch: Ivánka, Plato, a.a.O., S. 243 ff.

[116] De hier, eccl., cap. III; zitiert nach: BKV, a.a.O., 121f.

[117] Vgl.: Basilius Zenkowsky/Hilarion Petzold, Das Bild des Menschen im Lichte der orthodoxen Anthropologie (Reihe: Orthodoxe Beiträge, Bd. IV), Marburg 1969, S. 14–23; ferner: Das Bild vom Menschen in Orthodoxie und Protestantismus (III. Theol. Gespräch zwischen dem Ökumenischen Patriarchat und der EKD), Beiheft zur Ökumenischen Rundschau, Nr. 26, Stuttgart 1974, insbes. S. 21 ff.

[118] Aus der Fülle der zum Ikonoklasmus erschienenen Literatur seien hier nur genannt: Bryer/Herrin, Iconoclasm, a.a.O., passim; Karl Schwarzlose, Bilderstreit, a.a.O., passim; H. von Campenhausen, Die Bilderfrage als theologisches Problem der alten Kirche, in: Zeitschrift für Theologie und Kirche, 49. Jg., Paderborn 1952, S. 49f. – Weitere Literaturangaben bei: Hans-Georg Beck, Kirche und theologische Literatur im byzantinischen Reich (Reihe: Byzantinisches Handbuch im Rahmen des Handbuches für Altertumswissenschaft, 12. Abt., 2. Teil, 1. Bd.), München 1959, S. 296 ff. – Eine historische Darlegung der Epoche bei: Georg Ostrogorsky, Geschichte des byzantinischen Staates (Reihe: Byzantinisches Handbuch im Rahmen des Handbuches der Altertumswissenschaften, 12. Abt., 1. Teil, 2. Bd.), 3. Aufl., München 1963, S. 130–152 (mit zahlreichen weiterführenden Literaturan-

gaben), ferner: Fedor Uspenskij, Očerki po istorii vizantijskoj obrazovannosti, St. Petersburg 1892; Viktor N. Lazarev, Vizantijskaja živopis', Moskau 1971, bes. S. 20–37; ders., Istorija vizantijskoj živopisi, I. Bd., Moskau 1947, S. 11–22; Georgij Ostrogorskij, Soedinenie voprosa o sv. ikonach s christologičeskoj dogmatikoj v sočinenijach pravoslavnych apologetov rannego perioda ikonoborčestva, in: Seminarium Kondakovianum, I. Bd., Prag 1927, S. 35–48 u.v.a.m.

119 Zitiert nach: Reinhold Lange, Imperium zwischen Morgen und Abend – Die Geschichte von Byzanz in Dokumenten, Recklinghausen 1972, S. 31. – Als Textausgabe vgl.: C. de Boor (Hrsg.), Theophanis Chronographia, Leipzig 1883–85 (Reprint: Hildesheim 1963); eine teilweise deutsche Übersetzung in: Leopold Breyer (Hrsg.), Bilderstreit und Arabersturm in Byzanz – Das 8. Jahrhundert (717–813) aus der Weltchronik des Theophanes (Reihe: Byzantinische Geschichtsschreiber, Bd. VI), 2. Aufl., Graz - Wien - Köln 1964. Zur Bedeutung der Chronik vgl.: K. N. Uspenskij, Očerki po istorii ikonoborčeskogo dviženija v Vizantijskoj imperii v VIII–IX vv. – Feofan i ego chronografija, in: Vizentijskij Vremennik, Bd. III, Moskau/Leningrad 1950, S. 393–438.

120 Neuss, Kunst, a.a.O., S. 98.

121 Lange, Imperium, a.a.O., S. 32.

122 Zitiert nach: Hugo Rahner, Kirche und Staat im frühen Christentum, München 1961, S. 453; kritischer Text bei: E. Caspar, Gregor II. und der Bilderstreit, in: Zeitschrift für Kirchengeschichte, 52. Jg., 1933, S. 84–89.

123 Vgl.: Felicetti-Liebenfels, Ikonenmalerei, a.a.O., S. 37.

124 (Metropolit) Emilianos Timiadis, Lebendige Orthodoxie – eine Selbstdarstellung der Orthodoxie im Kreise der christlichen Kirchen, Nürnberg-Eichstätt 1966, S. 237.

125 Ebd., S. 236.

126 Zitiert nach: Breyer, Bilderstreit, a.a.O., S. 91 ff.

127 In: W. Ellinger, Zur bilderfeindlichen Bewegung des 8. Jahrhunderts, in: Forschungen zur Kirchengeschichte und zur christlichen Kunst, Festgabe zum 70. Geburtstag von Johannes Ficker, 1931, S. 40–60; zitiert nach: H. P. Gerhard (d.i.: H. P. G. Skrobucha), Welt der Ikonen, 5. Aufl., Recklinghausen 1974, S. 28.

128 Lange, Imperium, a.a.O., S. 33 f.

129 De imaginibus, or. I, 16 (PG XCIV, 1245); zitiert nach: Herbert Hunger, Byzantinische Geisteswelt, Baden-Baden 1958, S. 121 f.

130 De imaginibus, or. I,21 (PG XCIV, 1252 D).

131 Vgl.: Hieronymus Menges, Die Bilderlehre des hl. Johannes von Da-

maskus, Münster 1938 (mit ausführlichem Literaturverzeichnis, S. VII–XII); Peter Kawerau, Das Christentum des Ostens (Reihe: Die Religionen der Menschheit, Bd. 30), Berlin - Köln - Mainz 1972, S. 108–113; Joseph Nasrallah, Saint Jean de Damas – Son époque, sa vie, son oeuvre, Harissa 1950; Günter Lange, Die katechetischen Funktionen des Bildes in der griechischen Theologie des sechsten bis neunten Jahrhunderts (Reihe: Schriften zur Religionspädagogik und Kerygmatik, Bd. 6), Würzburg 1969; G. Ladner, The Concept of the Image in the Greek Fathers and the Byzantine Iconoclastic Controversy, in: Dumbarton Oaks Papers, 7. Jg., 1953, S. 1–34. Als wohl beste komprimierte Darlegung darf gelten: Theodor Nikolaou, Die Ikonenverehrung als Beispiel ostkirchlicher Theologie und Frömmigkeit nach Johannes von Damaskos, in: Ostkirchliche Studien, 25. Jg., Heft II–III, Würzburg 1976, S. 138–165. Eine grundlegende Damaskenos-Bibliographie bietet: Anastasios Kallis, Handapparat zum Johannes-Damaskenos-Studium, in: Ostkirchliche Studien, 16. Bd., Heft 2/3, Würzburg 1967, S. 200–213 (insgesamt 236 Titel).

[132] Vgl.: PG XCIV, 1236 C.

[133] Vgl.: PG XCIV, 1236 f.

[134] Aus diesem Grunde gibt es in der genuinen orthodoxen Ikonographie bis heute keine eigentlichen Darstellungen Gott Vaters: er wird einzig als einer der drei Engel bei Abraham oder – schon seit dem IV. Jahrhundert – durch das bereits vorchristliche Symbol der aus dem Himmel ragenden Hand dargestellt, also in jenen Formen, die biblisch bezeugt sind.

[135] PG XCIV, 1240 B.

[136] Vgl. Menges, Bilderlehre, a.a.O., S. 67 ff.

[137] De Fide orthodoxa cap. IV, 16 (PG XCIV, 1172 B).

[138] Vgl.: PG XCIV, 1245.

[139] Vgl.: Menges, Bilderlehre, a.a.O., 91 ff.

[140] PG XCIV, 1237 f. – Bei Hunger, Geisteswelt, a.a.O., S. 120, wird nicht klar zwischen ,,Anbetung'' und ,,Verehrung'' unterschieden.

[141] PG XCIV, 1248 D.

[142] PG XCIV, 1249 D; vgl. auch: 1352; bei: Menges, Bilderlehre, a.a.O., S. 94–109.

[143] Vgl.: Kawerau, Christentum, a.a.O., S. 112.

[144] Vgl.: PG XCIV, 1301.

[145] Ebd., 1305.

[146] De Fide orthodoxoa, libr. 4,16 (PG XCIV, 1252); zitiert nach: BKV Bd. 44 (Johannes von Damaskus), München 1923, S. 227.

[147] Vgl.: PG XXXV, 1049–1052.

[148] „Ē gar tēs eikonos timē pros to prototypon diabainei, phēsin o theios Basileios"; vgl.: PG XXXII, 1249 C.

[149] De Fide orthodoxa, 1. 4,16, a.a.O.

[150] Theophanes, nach: Lange, Imperium, a.a.O., S. 38.

[151] Vgl.: Ch. Hefele/H. Leclerq, Histoire des Conciles, Bd. III/2, Paris 1910, S. 738.

[152] Nach: Lucian Lamża, Patriarch Germanos I. von Konstantinopel (715–730) – Versuch einer engültigen chronologischen Fixierung des Lebens und Wirkens des Patriarchen (Reihe: Das östliche Christentum, Neue Folge, Heft 27), Würzburg 1975, S. 200ff. – Diese Vita dürfte eine der Hauptquellen für die frühe ikonoklastische Zeit darstellen.

[153] Vgl. eine ausführliche Darstellung bei: A. V. Kartašev, Vselenskie Sobory, Paris 1963, S. 736–748 (hier auch zur Vor- und Nachgeschichte des Konzils).

[154] Ostrogorsky, Geschichte, a.a.O., S. 149.

[155] Ebd.

[156] Ouspensky/Lossky, Sinn, a.a.O., S. 34.

[157] Mansi XIII, 376; vgl. die vollständige Übersetzung der Definition im Textanhang.

[158] Menges, Bilderlehre, a.a.O., S. 8.

[159] PG XCIV, 1301 C bzw. 1233 BC – Dies darf aber nicht so mißverstanden werden, als seien Schrift und Tradition dualistisch zu verstehen, d. h. gegebenenfalls gar gegeneinander ausspielbar, vgl.: Nikos Nissiotis, Die Theologie der Tradition als Grundlage der Einheit, in: I. R. Nelson/W. Pannenberg (Hrsg.), Um Einheit und Heil der Menschheit, Frankfurt 1973, S. 201–211. Johannes nimmt hier Bezug auf einen Abschnitt Basilios des Großen in dessen Abhandlung über den Hl. Geist (vgl. PG XXXII, 188 AB) und die darin enthaltenen Gedanken zur nicht-schriftlichen Tradition der Kirche, vgl. auch: Emmanuel Amand de Mendieta, The „Unwritten" and „Secret" Apostolic Traditions in the Theological Thought of St. Basil of Caesarea (Reihe: Scottish Journal of Theologiy Occasional Papers, Nr. 13), Edinburg - London 1965, bes. Kap. 2, III und IV; ferner: Georges Florovsky, The Function of Tradition in the Ancient Church, in: ders., Bible, Church, Tradition – An Eastern Orthodox View (Reihe: Gesammelte Werke, Bd. I), Belmont 1972, S. 73–92.

[160] Vgl. dazu: Nikolaou, Ikonenverehrung, a.a.O., S. 141, bes. Anm. 14.

[161] So u. a.: PG XCIV, 1232f.; 145 C; 1256f.; 1277 B; 1281 A; 1284 A; 1288 C; 1297 B; 1300–1305; 1320f.

[162] Vgl.: Menges, Bilderlehre, a.a.O., S. 45–60; Nikolaou, Ikonenvereh-

rung, a.a.O., S. 149f.

[163] PG XCIV, 1248 C bzw. 1336 A.
[164] Nikolaou, Ikonenverehrung, a.a.O., S. 152; vgl.: PG XCIV, 1336 B: „dià sōmatikēs theōrías erchómetha epì tēn pneumatikēn theōrían ...“
[165] PG XCIV, 1236 BC und 1249 D.
[166] Nikolaou, Ikonenverehrung, a.a.O., S. 162.
[167] Zitiert nach: Lange, Imperium, a.a.O., S. 42f.
[168] Kartašev, Sobory, a.a.O., S. 763.
[169] Vgl.: D. Serruys, Les actes du concile iconoclaste de l'an 815, in: Mélanges d'Archeologie et d'Histoire, Bd. XXIII, Paris 1903.
[170] H. Hennephof, Textus byzantini ad Iconomachiam pertinentes in usum academicum, Leipzig 1969, Text 265; ferner: Bryer/Herrin, Iconoclasm, a.a.O., S. 184. – Vgl. auch: P. J. Alexander, The Iconoclastic Council of St. Sophia (815) and its Definition, in: Dumbertan Oak Papers, Jg. 7, 1953, S. 35–66; ders., The Patriarch Nicephorus of Constantinople – Ecclesiastical Policy and Image Worship in the Byzantine Empire, Oxford 1958.
[171] Vgl.: PG XCIV, 1240ff.
[172] Vgl.: PG XCIX, 341f.
[173] PG XCIX, 1188f.
[174] Ebd., 1189.
[175] Vgl.: Irénikon, XLIV. Jg., Nr. 2, Chevetogne 1976, S. 207.
[176] John Meyendorff, Byzantine Theology – Historical Trends and Doctrinal Themes, 2. Aufl., London - Oxford 1975, S. 47.
[177] Leslie Barnard, The Theology of Image, in: Bryer/Herrin, Iconoclasm, a.a.O., S. 13.
[178] Ostrogorsky, Geschichte, a.a.O., S. 183.
[179] Festtroparion (Apolitikion) des 1. Fastensonntages.
[180] Aus den Gesängen zum Luzernarium (Ps. 148ff.) der kleinen Vesper (von dem kretischen Priester Nikolaos Blastos) am 1. Fastensonntag.
[181] Aus den Gesängen zum Luzernarium (Ps. 148ff.) der großen Vesper am 1. Fastensonntag.
[182] Vgl.: Abel Couturier, Cours de Liturgie Grecque-Melkite, II. Bd. (Office divin), Jerusalem - Paris 1914, S. 239; und (mit genauer Beschreibung der Prozession): Neophytos Edelby, Liturgikon – Meßbuch der byzantinischen Kirche, Recklinghausen 1967, S. 92.
[183] Aus der 5. Ode des Kanons zur Prozession.
[184] Aus der 7. Ode des Kanons zur Prozession.
[185] Datierung nach: Karl Krumbacher, Geschichte der byzantinischen Literatur von Justinian bis zum Ende des oströmischen Reiches (Reihe: Handbuch der klassischen Altertumswissenschaft, 9. Bd., 1. Abt.),

2. Aufl., München 1897, S. 264. – Wolfgang Buchwald vertritt demgegenüber die Ansicht: ,,Der Verfasser ist nicht bekannt", vgl.:
W. Buchwald u. a. (Hrsg.), Tusculum-Lexikon griechischer und lateinischer Autoren des Altertums und Mittealters, München 1963, S. 172.
[186] Vgl.: PG CIX, 1100 B.
[187] Vgl.: PG CIX, 173 ff.
[188] Vgl.: PG C, 1244–1261.
[189] Vgl.: A. Ehrhard, Überlieferung und Bestand der hagiographischen
und homiletischen Literatur der griechischen Kirche (Reihe: Texte und
Untersuchungen Nr. 51, II. Bd.), Leipzig 1938, S. 244 f.
[190] Vgl.: Juan Mateos SJ, Le Typicon de la Grande Eglise – Ms. Sainte-
Croix Nr. 40, Xe siècle (Reihe: Orientalia Christiana Analecta, Nr. 165
und 166), 2 Bde., Rom 1962 und 1963.
[191] Mateos, Typicon, a.a.O., 2. Bd., S. 21. – Heutzutage wird dieses Troparion zur Ikonenverehrung bzw. zur Prozession gesungen.
[192] Vgl.: PG CLV, 155 bzw. 553 D und 625 B.
[193] Vgl.: Aleksandr P. Lopuchin (Hrsg.), Pravoslavnaja Bogoslovskaja
Enciklopedija, Bd. I: A – Archelaja, Petrograd 1900, Sp. 689–700;
weitere Beschreibungen (mit historischen Anmerkungen) bei: Konstantin Nikol'skij, Anathematstvovanie (otlučie ot cerkvi), soverša-
emoe v pervuju nedelju velikago posta, St. Petersburg 1879; ders., Posobie k izučeniju Ustava Bogosluženija Pravoslavnoj Cerkvi, 6. Aufl.,
St. Petersburg 1900, S. 593 ff. – Eine vollständige deutsche Übersetzung des russischen Ritus bei: Johann Glen King, Die Gebräuche und
Ceremonien der Griechischen Kirche in Rußland, Riga 1773,
S. 370–378; der griechische Text wird wiedergegeben (in Auswahl)
bei: Nicolaus Nilles, Kalendarium Manuele utriusque Ecclesiae Orientalis et Occidentalis, II. Bd., Innsbruck (Oeniponte) 1897, S. 109–120.
[194] Posledovanie molebnago penija o obraščenii zabludšich pevaemago v
nedelju Pravoslavija, St. Petersburg 1902 (Nachdruck: Jordanville
1967), S. 18 ff.
[195] Nach: Nikol'skij, Posobie, a.a.O., S. 594.
[196] Unter den verschiedenen Ausgaben nach: King, Gebräuche, a.a.O.,
S. 374 f. – Nilles, Kalendarium, a.a.O., S. 110, bietet einen offenbar
älteren Text, in dem sich mehrere Verfluchungen der Ikonoklasten finden.
[197] King, Gebräuche, a.a.O., S. 375.
[198] Vgl.: Nilles, Kalendarium, a.a.O., S. 115.
[199] Zitiert nach dem griechischen Text (der lateinische beinhaltet mehrere
Interpolationen!) in: Henricus Denzinger, Enchiridion Symbolorum,
21.–23. Aufl., Freiburg 1937, Nr. 337, S. 165.

[200] Festtroparion (Apolitikion) zum Fest der Väter des VII. Ökumenischen Konzils im Oktober (der genaue Termin des Feiertages wechselt, vgl.: Minia – Mesjac Oktovrij, Kiew 1894, Bl. 100f.)

Anmerkungen
zu Die künstlerische Realisation der Ikonentheologie

[1] Ouspensky/Lossky, Sinn, a.a.O., S. 37.

[2] PG XCIX, 332 D – 333 A.

[3] Vgl.: V. P. Rjabušinskij, Les éléments portraitiques dans les icones russes, in: Actes du VIe Congrès d'études byzantines, Paris 1948, II. Bd., Paris 1951.

[4] Vgl.: PG XCIX, 421.

[5] Georgij Florovskij, Vizantijskie otcy V.–VIII. stoletij, Paris 1933, S. 249.

[6] Nach: N. Subbotin (Hrsg.), Dejanija Moskovskich soborov 1666/1667 godov, Moskau 1893 (Reprint: Westmead 1969), Kap. 43, Bl. 23.

[7] Vgl.: D. E. Kožančikov, Stoglav, St. Petersburg 1863, Kap. 27, S. 95 u. a.; eine Ausgabe mit franz. Übersetzung bietet: E. Duchesne (Hrsg.), Le Stoglav ou Les Cent Chapitres (Reihe: Bibliothèque de l'Institut Français de Petrograd, 5. Bd.), Paris 1920.

[8] PG XCIX, 488.

[9] Ouspensky, Symbolik, a.a.O., S. 74.

[10] Ouspensky/Lossky, Sinn, a.a.O., S. 38.

[11] PG XCIX, 421.

[12] Ouspensky/Lossky, Sinn, a.a.O., S. 39.

[13] Zitiert nach: Beck, Kirche, a.a.O., S. 305.

[14] Léonid Ouspensky, Essai sur la Théologie de l'Icone dans l'Eglise Orthodoxe (Reihe: Receuil d'Etudes Orthodoxes – Editions de l'Exarchat Patriarcal Russe), Paris 1960, S. 194. – Dieses Werk kann als die grundlegende Untersuchung zur Ikonentheologie aus streng gläubiger orthodoxer Sicht bezeichnet und empfohlen werden!

[15] PG III, 437.

[16] Ouspensky/Lossky, Sinn, a.a.O., S. 41.

[17] Ernst Chr. Suttner, Vom Sinn der Ikonen, in: Der christliche Osten, XXXI. Jg., Heft 3, Würzburg 1976, S. 91.

[18] Ouspensky/Lossky, Sinn, a.a.O., S. 40.

[19] Leicht gekürzt nach: Vyšnyj Pokrov nad Afonom ili Skazanija o sv. čudotvornych na Afone proslavivšichsja ikonach, Moskau 1902, S. 69–71; vgl. auch: Georg Heydock, Gnadenbilder und deren Legenden vom Berg Athos, o. O. 1965, S. 20f.; Benedikt Stolz, Panhagia – Marienlegenden vom Athos, Essen 1965, S. 54f.; R. M. Dawkins, The Monks of Athos, London 1936, S. 295 (dort eine leichte Variante der

Legenden); insbesonders: Otto Meinardus, A Typological Analysis of the Traditions Pertaining to Miraculous Icons, in: Ernst Chr. Suttner/Coelestin Patock (Hrsg.), Wegzeichen – Festgabe zum 60. Geburtstag von Prof. Dr. Hermenegild Biedermann (Reihe: Das östliche Christentum, Neue Folge, Heft 25), Würzburg 1971, S. 201–232.

[20] Vgl.: Stroganovskij Ikonopisnyj licevoj Podlinnik (Faksimile-Druck), Moskau 1869; Nachdruck (mit deutschen Bezeichnungen) unter dem Titel: Ikonenmalerhandbuch der Familie Stroganow, München 1965.

[21] Vgl. zu ihm: Paul Hetherington (Übers.), The „Painter's Manual" of Dionysios of Fourna, London 1974, S. I–IV. – Dies ist die bestkommentierte Ausgabe und Übersetzung des Handbuches.

[22] Vgl.: G. Loumyer, Les Traditions Techniques de la Peinture Mediévale, Bruxelles - Paris 1920, S. 64. – Bei der erwähnten Handschrift handelt es sich um ein anonymes Manuskript des IX./X. Jahrhunderts in Lucca, Biblioteca capitolare, Canon. Arm. I.C.L. Eine Besprechung bei: E. Berger, Beiträge zur Entwicklungsgeschichte der Maltechnik, III., München 1897, S. 9–21.

[23] Hetherington, Manual, a.a.O., S. III.

[24] Athanasios Papadopoulos-Kerameus (Hrsg.), Ermeneia tēs zographikēs technēs . . ., St. Petersburg 1909, S. 5 ff. (= fol. 36–44 des cod. gr. 708 der jetzigen Saltykov-Ščedrin-Staatsbibliothek in Leningrad); eine erste deutsche Übersetzung (basierend auf einem anderen Manuskript mit einigen Fehlern) ist: Godehard Schäfer (Hrsg.), Das Handbuch der Malerei vom Berge Athos, Trier 1855; eine leicht veränderte Ausgabe: Elisabeth Trenkle u. a. (Hrsg.), Malerhandbuch des Malermönches Dionysios vom Berge Athos, München 1960. – Ein guter Kommentar bei: Hetherington, Manual, a.a.O., passim. Einen Versuch, das Malerhandbuch durch Übertragung seiner technischen Angaben in die heutigen Gegebenheiten auch dem zeitgenössischen Künstler nutzbar zu machen, bietet: N. Brkić, Tehnologija slikarstva, vajarstva i ikonografija, Belgrad 1973 (dort auch eine weitgehende Übersetzung des Textes).

[25] Wendt, Katalog, a.a.O., S. 6.

[26] Papadopoulos-Kerameus, Ermeneia, a.a.O., S. 120 (= fol. 274).

[27] Ebd., S. 119 (= fol. 273).

[28] Heinz Skrobucha, Maria – Russische Gnadenbilder (Reihe: Iconographia Ecclesiae Orientalis), Recklinghausen 1967.

[29] Die restlichen 26 Typen sind entweder nicht nach ihrem Erscheinungsjahr spezifiziert oder aber genaue Kopien anderer, vor allem griechischer Ikonen.

[30] So fehlt z. B. die Kolomensker Ikone der Gottesgebärerin, welche erst

nach der Oktoberrevolution erschien und zum Trost der russischen Emigration wurde; vgl.: Russkaja Pravoslavnaja Cerkov' Zagranicej, II. Bd., Jerusalem 1968, S. 1154 ff.; und (mit Abbildung): Paul Schmidt, Die Bekehrung Rußlands durch Maria, Freiburg - Konstanz - München 1958, S. 14 f.

[31] Nach: N. D. Tal'berg, Prostrannyj mesjaceslov Svjatych v Zemle Rossijskoj prosijavšich i kratkija svedenija o čudotvornych ikonach Božiej Materi, Jordanville 1951, S. 98.

[32] Vgl. zu ihm: A. Semenov-Tjan-šanskij, Otec Ioann Kronštadtskij, New York 1955; Peter Hauptmann, Johann von Kronstadt – „Der große Hirte des russischen Landes", in: Kirche im Osten, III. Jg., 1960, S. 33–71; Johannes von Kronstadt, Mein Leben in Christo – Aus dem Tagebuch, Bd. I, Hochberg 1976, S. 5–17.

[33] Karl Christian Felmy, Predigt im orthodoxen Rußland (Reihe: Kirche im Osten – Monographienreihe Bd. 11), S. 175.

[34] Vgl.: A. Nikolaevskij, Velikij Pastyr' Zemli Russkoj, München 1948, S. 29, bzw.: Ioann Kronštadtskij, Christianskaja Filosofija, St. Petersburg 1902 (Reprint: 1969), Vorsatzblatt.

[35] Vgl.: Nikolaus Thon, Der hl. Nektarios von Aigina, in: Der christliche Osten, XXX. Jg., Heft 6, Würzburg 1975, S. 172–174 (dort sowohl Photographie wie Ikone).

[36] Vgl.: Erzbischof Antonij (Mel'nikov), Svjatoj ravnoapostol'nyj archiepiskop Japonskij Nikolaj, in: Bogoslovskie Trudy, Bd. 14, Moskau 1975, S. 5–61 (Photographie nach S. 32) bzw. Umschlagbild (Ikone) in: Žurnal Moskovskoj Patriarchii, Nr. 7, Moskau 1970.

[37] Ein solcher Versuch, auch die westlichen Heiligen wieder für die eine Kirche fruchtbar zu machen und dem im Westen lebenden orthodoxen Christen vor Augen zu stellen, findet sich seit einigen Jahren in dem von Erzpriester Sergius Heitz herausgegebenen „Orthodoxen Kirchenkalender", wo alle Festtage der altkirchlichen abendländischen Heiligen mitverzeichnet sind, vgl.: Orthodoxer Kirchenkalender – Jahr des Herrn 1977 (hrsg. von der Orthodoxen Parochie zu den Hl. Erzengeln), Düsseldorf 1977.

[38] Vgl. z. B.: Gerhard Eberts, Rheinische Heilige auf Ikonen-Gold, in: Weltbild – Das Magazin für kritische Leser, Nr. 26 vom 23. Dezember 1975, S. 14–18 (mit Abbildungen); ferner: Orthodox Saints of the West, The Old Calendarist – Journal of the St. George Orthodox Information Service, Nr. 46, VI. Jg., London 1976, S. 1–7. – In dieser Zeitschrift werden häufig westliche Heilige vorgestellt (auch mit ihren Ikonen, zumeist Werken der hier vorbildlichen Bruderschaft des hl. Serafim von Sarov in Walsingham).

[39] Constantine Cavarnos, Byzantine Thought and Art – A Collection of Essays, Belmont 1968, S. 74.

[40] PG III, 997 A.

[41] W. Schöne, Über das Licht in der Malerei, Berlin 1954, S. 14 (vgl. auch: S. 11–19).

[42] Vgl.: John O. Meany, A Mystic as a „Psychoanalyst", in: Diakonia, Bd. VI, Nr. 2, 1971, S. 99–113; und (als grundlegende Untersuchung zu Symeon): Walther Völker, Praxis und Theoria bei Symeon dem Neuen Theologen. – Ein Beitrag zur byzantinischen Mystik, Wiesbaden 1974; auch: Hermenegild M. Biedermann, Das Menschenbild bei Symeon dem Jüngeren dem Theologen (949–1022) (Reihe: Das östliche Christentum, NF, Heft 9), Würzburg 1949, bes. ab S. 93.

[43] Zitiert nach: Kilian Kirchoff (Übers.), Symeon der Neue Theologe – Licht vom Licht – Hymnen, Hellerau 1930, S. 9, 12 f., 172 ff.

[44] Völker, Praxis, a.a.O., S. 320.

[45] Vgl.: Jean Meyendorff, St. Grégoire Palamas et la mystique orthodoxe (Reihe: Maîtres spirituels, Bd. 20), Paris 1959; ders., Introduction à l'étude de Grégoire Palamas, Paris 1959; Endre v. Ivánka, Zur hesychastischen Lichtvision, in: Kairos, 13. Jg., 1971, S. 81–96; ders., Plato, a.a.O., S. 389–448; F. Uspenskij, Očerki po istorii vizantijskoj obrazovannosti, St. Petersburg 1892, S. 246–364; I. Hausherr, La méthode d'oraison hésychaste, in: Orientalia Christiana, IX. Jg., Rom 1927, S. 97–209; Vasilij Krivošein, Asketičeskoe i bogoslovskoe učenie sv. Grigorija Palamy, in: Seminarium Kondakovianum, 8. Bd., Prag 1936, S. 99–151 (auch in deutscher Übersetzung von Hugolin Landvogt in: Das östliche Christentum, Bd. 8, Würzburg 1939); A. Ammann, Die Gottesschau im palamitischen Hesychasmus – Ein Handbuch der spätbyzantinischen Mystik, Würzburg 1938; Gerhard Podalsky, Zur Gestalt und Geschichte des Hesychasmus, in: Ostkirchliche Studien, 16. Bd., Heft 1, Würzburg 1967, S. 15–32; vgl. vor allem aber die wichtige Untersuchung: A. Vasil'ev, Andrej Rublev i Grigorij Palama, in: Žurnal Moskovskoj Patriarchii, Nr. 10, 1960, S. 33–44.

[46] Vgl.: PG CL, 1324 D.

[47] Vgl.: Bernhard Schultze, Grundfragen des theologischen Palamismus, in: Ostkirchliche Studien, 24. Bd., Heft 2/3, September 1975, S. 134 f.; ferner: L. H. Grondijs, The Patristic Origins of Gregory Palamas' Doctrine of God, in: Cross, Studia Patristica, a.a.O., S. 323–328.

[48] PG CLI, 433 B.

[49] Zitiert nach: Vladimir Lossky, Die mystische Theologie der morgenländischen Kirche (Reihe: Geist und Leben der Ostkirche, Bd. I), Graz - Köln - Wien 1961, S. 285. – Das Hauptwerk des hl. Gregorios liegt in

einer kritischen Ausgabe (mit französischer Parallelübersetzung und ausgezeichneter Einführung) vor: Jean Meyendorff (Übers.), Grégoire Palamas – Défense des saints hésychastes (Reihe: Spicilegium Sacrum Lovaniense, Bd. 30 u. 31), 2. Bd., Louvain 1959. Diese beiden Bücher sind ein Schlüssel zum Verständnis der heutigen, mehr und mehr an der patristischen Tradition des Palamismus orientierten orthodoxen Theologie.

⁵⁰ PG CL, 1361 C – Diese Schrift wird heutzutage meist einem der Mitstreiter des hl. Gregorios, dem Athener Metropoliten Michael Choniates (1138–1222) zugeschrieben, vgl.: Beck, Kirche, a.a.O., S. 637.

⁵¹ PG CL, 1233 D.

⁵² Lossky, Theologie, a.a.O., S. 298.

⁵³ PG XXXIV, 544.

⁵⁴ Vgl. (mit guten Väterbelegen): J. Reil, Die frühchristlichen Darstellungen der Kreuzigung Christi, Leipzig 1904; ferner (mit teilweise etwas kühnen Thesen): Klaus Wessel, Die Kreuzigung (Reihe: Iconographia Ecclesiae Orientalis), Recklinghausen 1966.

⁵⁵ Vgl.: Thomas Egloff, Die Ikone der Kreuzigung, in: Catholica Unio – Ostkirchliche Zeitschrift, 45. Jg., Heft 1, März 1977, S. 6.

⁵⁶ Ebd.

⁵⁷ PG LXXXVII, 3940 (vgl. auch: ebd., 3952 ff.).

⁵⁸ Festtroparion (Apolitikion) zu Ostern.

⁵⁹ 5. Stichiron zu den Psalmversen, Morgengottesdienst am Karfreitag (sog. „12 Evangelien").

⁶⁰ Die einzelnen Ikonentypen der hauptsächlichen Feste finden sich in der Reihe „Iconographia Ecclesiae Orientalis", hrsg. von Heinz Skrobucha, Recklinghausen. Kürzere, aber theologisch gehaltvolle Einführungen bietet Thomas Egloff in der „Ostkirchlichen Zeitschrift – Catholica Unio", hrsg. vom Schweizerischen Katholischen Ostkirchenwerk (Adligenswilerstraße 13, 6006 Luzern), Jg. 44 f., 1976 f.

⁶¹ Schöne, Licht, a.a.O., S. 21.

⁶² Konrad Onasch, Die Ikonenmalerei – Grundzüge einer systematischen Darstellung, Leipzig o. J. (1967), S. 46.

⁶³ Vgl. ausführlicher und an Beispielen exemplarisch belegt: Konrad Onasch, Das Problem des Lichtes in der Ikonenmalerei Andrej Rublevs – Zur 600-Jahr-Feier des großen russischen Malers 1960, Berlin 1962, S. 6 ff.

⁶⁴ PG III, 336 C; vgl.: BKV Bd. 2, a.a.O., S. 83.

⁶⁵ Vgl.: Herbert Hunger, Reich der neuen Mitte – Der christliche Geist der byzantinischen Kultur, Graz - Wien - Köln 1965, S. 84–89.

⁶⁶ Zitiert nach: E. Heimendahl, Licht und Farbe – Ordnung und Funk-

tion der Farbwelt, Berlin 1961, S. 205.

[67] PG XXXV, 840 A.

[68] Ouspensky, Symbolik, a.a.O., S. 85.

[69] Maksim Ispovednik, Kap. 67, in: Dobrotuljubie, Bd. 3, Moskau 1888, S. 264.

[70] Vgl. u. a.: Oswald Loretz (Übers.), Im Namen Jesu ist Heil – von einem Mönch der Ostkirche (d. i. Lev Gillet), 2. Aufl., Innsbruck - Wien - München 1966; Alla Selawry (Hrsg.), Das immerwährende Herzensgebet – Ein Weg geistiger Erfahrung, Weilheim 1970. – Das Philokalia existiert in deutscher Übersetzung nur in Auszügen: Jean Gouillard (Hrsg.), Kleine Philokalie zum Gebet des Herzens, Zürich 1957; und: Matthias Dietz/Igor Smolitsch (Hrsg.), Kleine Philokalie – Belehrungen der Mönchsväter der Ostkirche über das Gebet, 2. Aufl. Einsiedeln - Zürich - Köln 1976. – Wertvoll sind auch: Emmanuel Jungclaussen (Hrsg.), Aufrichtige Erzählungen eines russischen Pilgers, Freiburg - Basel - Wien 1974.

[71] Vgl.: Onasch, Ikonenmalerei, a.a.O., S. 59ff.

[72] PG XLIV, 137.

[73] Zitiert nach: Des hl. Gregor von Nazianz Seligpreisung der verschiedenen Lebensformen, in: Stimme der Orthodoxie, Nr. 1, 1977, S. 33f.

[74] Ouspensky/Lossky, Sinn, a.a.O., S. 41.

[75] Trubetskoi, Icons, a.a.O., S. 57.

[76] Trubetskoi, Icons, a.a.O., S. 23.

[77] PL XXXII, 661.

[78] Vgl.: Nikolaus Thon, Himmlischer König, Tröster, du Geist der Wahrheit – Der Hl. Geist nach dem orthodoxen Pfingstgottesdienst, in: Orthodoxe Stimmen, 22. Jg., 2. Vierteljahr, Nr. 86, 1975, S. 16ff.; ferner: Leonid Uspenskij, Prazdnik i ikony Pjatidesjatnicy, in: Žurnal Moskovskoj Patriarchii, Nr. 6, 1957, S. 50–58.

[79] Trubetskoi, Icons, a.a.O., S. 27.

[80] Vgl.: Iže vo svjatych otca našego avvy Isaaka Siriinina, Slova podvižničeskie, Moskau 1858, S. 298ff.

[81] Z. B. an der Außenwand der Demetrios-Kathedrale zu Vladimir an der Kljazma aus dem XII. Jahrhundert.

[82] Ouspensky/Lossky, Sinn, a.a.O., S. 41.

[83] Ouspensky, Symbolik, a.a.O., S. 85.

[84] Als zwei Beispiele aus einer großen Fülle seien hier erwähnt: Jan van Eyck, Maria mit Kind, 1434 (Museum des Louvre), mit dem Panorama Lüttichs, und: Konrad Wirtz, Der wunderbare Fischzug Petri, 1444 (Museum für Kunst und Geschichte, Genf), mit einer detaillierten Abbildung des Genfer Sees; beide in: F. W. Fischer/J. J. M. Timmer,

Spätgotik (Reihe: Kunst der Welt, Serie 9, Bd. 3), Baden-Baden 1971,
S. 129 bzw. 168.

[85] Vgl.: Kira Kornilowitsch/Abraham Kaganowitsch, Illustrierte Geschichte der russischen Kunst – Von den Anfängen bis zum Ende des
18. Jahrhunderts, 3. Aufl., Genf 1975, S. 82. – Im übrigen bietet dieses
Buch ein Beispiel für die ideologisch geprägte Interpretation der Ikonen in der offiziellen sowjetischen Kunstgeschichte: a.a.O., S. 83 f.

[86] Suttner, Sinn, a.a.O., S. 93.

[87] PG XCIV, 1337.

[88] Vgl.: Ouspensky/Lossky, Sinn, a.a.O., S. 41, Anm. 1.

[89] Onasch, Ikonenmalerei, a.a.O., S. 194. – Allgemein kann dies als ein
Beispiel dafür gelten, wie trotz reichen Wissens eine Fehlinterpretation
der Ikonenmalerei möglich ist, wenn sie nicht von ihrer theologischen
Verankerung her angegangen wird, denn schon Patriarch Nikipho-
ros I. hatte bemerkt: ,,Wie die Kirchen die Namen der Heiligen empfangen, so tragen ihn durch die Aufschrift auch deren Bilder, und sie
werden dadurch geheiligt!" (PG C, 477 f.).

[90] Ouspensky/Lossky, Sinn, a.a.O., S. 45.

[91] Dies ist der Terminus technicus für: eine kirchliche Ehe schließen.

[92] Kožančikov, Stoglav, a.a.O., S. 150–154. Die bei Rudolf Jogaditsch,
Das Leben des Protopopen Avvakum, Berlin - Königsberg 1930,
S. 22 f., gegebene Übersetzung dieser Stelle ist fehlerhaft. Vgl. auch:
George Ostrogorskij, Les décisions du ,,Stoglav" concernant le pein-
ture d'images et les principes de l'iconographie byzantine, in: L'art by-
zantin chez les slaves – Recueil dédié à la mémoire de Theodore
Uspenskij, I., Paris 1930, S. 393–410.

[93] M. N. Sokolowa, Die orthodoxe Ikone, in: Stimme der Orthodoxie,
Heft 1, 1970, S. 51.

[94] Vgl.: ebd., S. 52.

[95] Zur eigentlichen handwerklichen Maltechnik vgl.: Leonid Uspenskij,
Technika ikonopisi, in: Zurnal Moskovskoj Patriarchii, Nr. 10, 1956,
S. 68–70; ferner: Onasch, Ikonenmalerei, a.a.O., S. 78–106 (kurzge-
faßt): ders., Zum Problem der Ästhetik in der altrussischen Ikonenmalerei, in: Irmscher, Beiträge, a.a.O., S. 414 ff. – Eine sehr detaillierte
Beschreibung der alten Maltechniken bietet natürlich auch das Handbuch des Dionysios von Fourna, vgl.: Papadopoulos-Kerameus, Ermeneia, a.a.O., S. 9–44 (= Trenkle, Malerhandbuch, a.a.O.,
S. 15–42). Allerdings sind diese Anweisungen auf Grund der heute
weitgehend verschiedenen Maße, der Unmöglichkeit, bestimmte In-
gredienzien zu erhalten etc., größtenteils praktisch so nicht mehr nachvollziehbar. Wesentlich praxisorientierter, aber in vielen Bestimmun-

gen doch heute für die meisten Maler nicht nachvollziehbar, bietet eine sehr detailreiche Einführung in die Maltechnik auch: Heinz Skrobucha (Hrsg.), Die Ikonenmalerei – Technik und Vorzeichnungen, Recklinghausen 1978.

[96] Pavel Florenskij, Ikonostas, Manuskript, S. 47 u. 49; zitiert nach: (Archimandrit) Anatolij Kuznecov, Pravoslavnaja ikona kak odno iz vyraženij dogmatičeskogo učenija Cerkvi, in: Žurnal Moskovskoj Patriarchii, Nr. 9, 1970, S. 75.

[97] Vgl. zu ihm: Evdokimov, Christus, a.a.O., S. 204–212.

Anmerkungen
zu Die Ikonenmalerei in ihrem Verhältnis zur abendländischen Kunstauffassung

[1] Von daher scheint mir die Erklärung, daß es sich bei der Entdeckung der Ikonenkunst durch den abendländischen Christen „in der Tat um eine Wiederentdeckung" handele, „denn bereits unsere romanische Kirchenkunst hatte in dieselbe Tradition gehört" (Suttner, Sinn, a.a.O., S. 91) nicht ganz zutreffend: sicher gilt dies für die äußeren Formen der Romanik und auch weitgehend der Frühgotik, ob aber im Regelfall auch für den geistigen Gehalt bzw. das Selbstverständnis dieser Kunstepochen, muß m. E. – zumindest teilweise – bezweifelt werden.

[2] Vgl.: S. 55, Anm. 122.

[3] Zitiert nach: Rahner, Kirche, a.a.O., S. 441. Im gleichen Sinne einer rein pädagogischen Wirksamkeit der Bilder formuliert auch das Gebet der feierlichen Segnung im Rituale Romanum: „Allmächtiger, ewiger Gott! Du verbietest es nicht, Bildnisse deiner Heiligen zu schnitzen oder zu malen; denn so oft wir diese Bilder mit körperlichen Augen ansehen, sollen wir die Taten deiner Heiligen und deren Tugenden mit den Augen des Geistes betrachten zur Nachahmung . . ." (zitiert nach: Paulus Lieger, Das Römische Rituale, Klosterneuburg 1936, Kap. 25, S. 251). Diese seltsame Gespaltenheit der römischen Kirche gegenüber den Bildern finden wir wieder in der ebenso unbefriedigenden wie halbherzigen Stellung des II. Vatikanums (in der Liturgiekonstitution „Sacrosanctum Concilium", Art. 125), wo es heißt: „Firma maneat praxis, in ecclesiis sacras imagines fidelium venerationi proponendi; attamen moderato numero et congruo ordine exponantur, ne populo christiano admiratione inficiant, neve indulgeant devotioni minus rectae.", wozu Karl-Josef Schmitz einmal treffend bemerkte: „Wie unverständlich und widersprüchlich! Entweder alles oder nichts! Als lenke die zahlreiche Darstellung von Heiligen bei der Feier der Liturgie vom Wesentlichen ab, wo wir doch wissen, daß die Engel und Heiligen bei der Feier – in vielen Präfationen wird das ausdrücklich gesagt – unsichtbar zugegen sind." (Karl-Josef Schmitz, Die Problematik der heutigen kirchlichen Monumentalmalerei, in: Schwarz auf Weiß – Informationen und Berichte der Künstler-Union Köln, Nr. X/2 vom 10. August 1978, S. 33).

[4] Vgl.: Hefele/Leclerq, Histoire, a.a.O., S. 1242. Sicher war dabei der Bilderstreit für Karl nur ein Mittel zum Zweck: er, der sich der Frag-

würdigkeit seines politischen Handelns durchaus bewußt war, mußte unbedingt eine Aufwertung seines Reiches gegenüber dem Kaisertum der Romäer zuwegebringen. Konnte er diesem eine Häresie anhängen, so war er frei vom Vorwurf des Landesverrates gegenüber dem einzigen legitimen römischen Kaiser; dann stieg sein immer wieder erhobener Anspruch, der eigentliche Nachfolger des alten Römerreiches zu sein, der Lenker Europas (vgl. dazu: Rolf-Joachim Sattler, Europa – Geschichte und Aktualität des Begriffes, Braunschweig 1971, S. 25 ff.). Daß die Argumente der Hoftheologen Karls dem eigentlichen Problem der Bilderfrage intellektuell kaum gerecht wurden, spielte dabei nur eine unerhebliche Rolle: schließlich waren die Akten der Frankfurter Synode ja nicht dazu bestimmt, die orthodoxen Theologen in Konstantinopel zu überzeugen, sondern sie sollten den Untertanen Karls – vor allem in den ,,unsicheren" italienischen Gebieten – klar machen, wer von nun an als das neue Oberhaupt der Christenheit anzusehen sei.

[5] Vgl.: H. Schrade, Vor- und frühromanische Malerei – Die karolingische, ottonische und frühsalische Zeit, 1958, Kap. IV bis VI; ferner: G. Haendler, Epochen karolingischer Theologie – Eine Untersuchung über die karolingischen Gutachten zum byzantinischen Bilderstreit, 1958, passim.

[6] Rahner, Kirche, a.a.O., S. 491. – Leider wird diese gerechte Beurteilung der orthodoxen Kirche und dem oströmischen Staat zumeist im Abendland nicht zuteil: zu sehr hat sich – bis in unsere Tage – das (Vor-)Urteil eingenistet, welches im jahrhundertelangen Streit von Kaiser- und Papsttum mit seinem Hin und Her zwischen absoluter Herrscher- oder Priester-Macht etwas nahezu nur Positives, im Versuch der ,,Symphonia" des Ostens aber ausschließlich Negativa sieht.

[7] Hefele/Leclerq, Histoire, a.a.O., S. 1078 bzw. 1242.

[8] Zitiert nach: Graber, Martyrium, a.a.O., S. 356, Anm. 2.

[9] Felicetti-Liebenfels, Ikonenmalerei, a.a.O., S. 38.

[10] Wir meinen – wie im Folgenden gezeigt werden soll – auch heute wieder in steigendem Ausmaß.

[11] Gerhard (Skrobucha), Welt, a.a.O., S. 41.

[12] Heinrich Dittmar, Der Kampf der Kathedralen – Politik, Macht und Kirchenbau im Ringen zwischen Ost und West, Wien - Düsseldorf 1964, S. 47 u. 49f.

[13] Suttner, Sinn, a.a.O., S. 91.

[14] Vgl. etwa die Apokalypse des Facundus aus Léon, 1047 (Madrid, Biblioteca Nac., fol. 43); eine Einführung bietet: Wilhelm Nyssen, Spanische Apokalypsen, ferner: Juan Ainaud, Romanische Malereien in Spanien, München 1962, bes. Tafeln 6, 9, 17 u. 22.

[15] Vor allem das zu Recht berühmte Book of Kells, um 700 (Dublin, Trinity College); vgl. auch: Charles Thomas, Umkämpfte Inseln – Das keltische Britannien und die Angelsachsen, in: David Talbot Rice (Hrsg.), Morgen des Abendlandes – Von der Antike zum Mittelalter, München - Zürich 1965, S. 241–268. – Interessant ist in diesem Zusammenhang die These Kelleys, daß es sich bei dem berühmten Bild, daß dem hl. Austin von Canterbury übergeben wurde (und sich in seiner Ikonographie findet), um eine Kopie des Nicht-von-Menschenhand-gemachten Bildes Christi gehandelt habe, vgl.: Christopher Pierce Kelley, Canterbury's First Icon, in: Sobornost, Series 7, Nr. 3, Sommer 1976, S. 193–197. – Dies wäre ein weiteres Beispiel intensiver Beeinflussung des keltischen und angelsächsischen Raumes durch Konstantinopel.

[16] So z. B. auf dem Bronzebeschlag der Minderner Fibel, VII. Jahrhundert (Trier, Rheinisches Landesmuseum, Inv. Nr. 19 136 a); vgl.: Julius Baum, Die Magierfibel von Attalens, Bern 1943.

[17] Z. B. eine bronzene Gürtelschnalle aus La Balme (Haute Savoie), VII. Jahrhundert (Genf, Musée d'Art et d'Histoire).

[18] Vgl.: David Talbot Rice, Kunst aus Byzanz, München 1959, Tafel 59.

[19] Vgl.: Giuseppe Bovini, Sarcofagi paleocristiani di Ravenna – Tentativo di classificazione cronologica (Reihe: Coll. Amici delle Catacombe, Nr. 20), Città del Vaticano 1954, S. 51 (Abb. 36).

[20] Vgl. weiterführend: Wolfgang F. Volbach, Elfenbeinarbeiten der Spätantike und des frühen Mittelalters, Mainz 1952 (bes. Abb. Nr. 140 und 142); Julius Baum, La Sculpture figurale en Europe à l'époque mérovingienne, Paris 1935; Peter H. Feist, Byzanz und die figurale Kunst der Merowingerzeit, in: Irmscher, Beiträge, a.a.O., S. 399–412; Wilhelm Holmqvist, Kunstprobleme der Merowingerzeit (Reihe: Kungl. Vitterhets Hist. och Antikv. Akad. Handlingar, No. 47), Stockholm 1939; Ernst Heinrich Zimmermann, Vorkarolingische Miniaturen (Reihe: Denkmäler der deutschen Kunst, Bd. III/1), Berlin 1916; Paolo Verzone, Werdendes Abendland (Reihe: Kunst der Welt, Serie 4, Bd. 3), Baden-Baden 1967.

[21] Verzone, Abendland, a.a.O., S. 6.

[22] Vgl. etwa das Perikopenbuch Kaiser Heinrichs II. (Clm. 4452 der Bayerischen Staatsbibliothek, München) mit dem Tetraevangelium des bulgarischen Herrschers Ivan Alexandar; bei: Albert Boeckler, Das Perikopenbuch Kaiser Heinrichs II. (Reihe: Werkmonographien zur bildenden Kunst, Nr. 58), 2. Aufl., Stuttgart 1960; und: Ljudmila Shivkova, Das Tetraevangelium des Zaren Ivan Alexandăr, Recklinghausen 1977.

[23] Beispielsweise das sog. Kruzifix des Erzbischofs Gero, Köln, zwischen 970–76 (Kölner Dom); Abbildung bei: Erich Kubach/Viktor H. Elbern, Das Frühmittelalterliche Imperium (Reihe: Kunst der Welt, Serie 6, Bd. 3), Baden-Baden 1968, S. 233.

[24] Vgl. den vorderen Deckel des Codex Aureus Epternacensis, Trier 983–991, Elfenbein um 1030 (Nürnberg, Germanisches Nationalmuseum); Abb. bei: Kubach/Elbern, Imperium, a.a.O., S. 203.

[25] Anton Legner (Hrsg.), Rhein und Maas – Kunst und Kultur 800–1400 (Ausstellung des Schnütgen-Museums der Stadt Köln und der belgischen Ministerien für französische und niederländische Kultur – Katalog), Köln 1972, S. 169.

[26] Z.B. der Schöpfer der Majestasminiatur im Stuttgarter Gundold-Evangeliar (Württembergische Landesbibliothek, Bibl. 4° 2).

[27] Vgl.: Legner, Rhein, a.a.O., S. 171.

[28] Als zwei typische Beispiele unter vielen seien hier genannt das Echternacher Perikopenbuch, um 1035 (Brüssel), Bibliothèque Royale, Ms. 9428) und der Deckel des Freckenhorster Codex Aureus aus dem letzten Viertel des XI. Jahrhunderts (Münster, Staatsarchiv – Ms. VII, 1315); einige Abb. bei: Legner, Rhein, a.a.O., S. 184 f.

[29] Ouspensky/Lossky, Sinn, a.a.O., S. 47.

[30] Vgl.: André Grabar, Die mittelalterliche Kunst Osteuropas (Reihe: Kunst der Welt, Serie 6, Bd. 1), Baden-Baden 1968.

[31] Brüssel, Bibliothèque Royale, Ms. 10527.

[32] London, British Museum, Add. ms. 17737–38.

[33] Abbildungen bei: Legner, Rhein, a.a.O., S. 297 f.

[34] Berlin, Staatliche Museen (Stiftung Preußischer Kulturbesitz), Skulpturenabteilung, Inv. Nr. 2969; Abb. bei: Legner, Rhein, a.a.O., S. 301 u. (bunt) nach S. 308.

[35] So z.B. die Hovener Madonna, Köln, um 1170 (Kloster Marienborn, Zülpich-Hoven); Abb. bei: Legner, Rhein, a.a.O., S. 302 (dort auch weitere Beispiele: S. 303).

[36] Ouspensky/Lossky, Sinn, a.a.O., S. 43.

[37] Als besonders herausragendes Beispiel kann hier der Schrein der hll. Drei Könige des Nikolaus von Verdun und seiner Kölner Nachfolger (zwischen 1181 und 1230) genannt werden.

[38] Brüssel, Bibliothèque Royale, Ms. 4609 (467); Abb. bei: Legner, Rhein, a.a.O., S. 342 f., bes. (bunt) nach S. 356.

[39] Lüttich, Kirche Saint-Jean; Abb. bei: Legner, Rhein, a.a.O., S. 327.

[40] Ebd.

[41] Vgl.: Konstantin Kalokyris, The Essence of Orthodox Iconography, Brookline/Mass. 1971, S. 48 ff.

[42] Zitiert nach: Hermann Schulz, Mittellateinisches Lesebuch – Auswahl aus dem lateinischen Schrifttum des Hochmittelalters, Teil I: Texte, Paderborn 1965, S. 83. – Interessant ist ein Vergleich mit der deutschen Fassung des Paul Gerhardt von 1656, welche die in der mittelalterlichen Hymne begonnene Anthropozentrik noch verstärkt:

,,O Haupt voll Blut und Wunden, voll Schmerz bedeckt mit Hohn, o Haupt, zum Spott gebunden mit einer Dornenkron; o Haupt, sonst schön gezieret mit höchster Ehr und Zier, jetzt aber hoch schimpfieret: gegrüßest seist du mir! . . .

Die Farbe deiner Wangen, der roten Lippen Pracht ist hin und ganz vergangen; des blassen Todes Macht hat alles hingenommen, hat alles hingerafft, und daher bist du kommen, von deines Leibes Kraft! . . .

Ich danke dir von Herzen, o Jesu, liebster Freund, für deines Todes Schmerzen, da du's so gut gemeint. Ach gib, daß ich mich halte zu dir und deiner Treu und, wenn ich nun erkalte, in dir mein Ende sei.

Wenn ich einmal soll scheiden, so scheide nicht von mir, wenn ich den Tod soll leiden, so tritt du dann herfür; wenn wir am allerbängsten wird um das Herze sein, so reiß mich aus den Ängsten kraft deiner Angst und Pein."

(Zitiert nach: Evangelisches Kirchengesangbuch – Ausgabe für die Landeskirchen Rheinland, Westfalen und Lippe, Gütersloh - Witten - Neukirchen o. J., Lied Nr. 63).

[43] Sämtliche Troparien aus der 1. Stasia der Enkomia am Morgen des Großen Samstags (Karsamstag).

[44] Vgl.: O. Bardenhower, Geschichte der altkirchlichen Literatur, 4. Bd., Freiburg 1924, S. 20ff.; und: Anton Baumstark, Der Orient und die Gesänge der Adoratio Crucis, in: Jahrbuch für Liturgiewissenschaft, 2. Jg., Münster 1922, S. 1–17.

[45] Zitiert nach: Liber Usualis Missae et Officii, Rom - Paris - New York 1960, S. 737. – Zur byzantinischen Entsprechung vgl.: Nikolaus Thon, Die Mitfeier von Leiden und Auferstehung des Herrn in der Symbolik des orthodoxen Gottesdienstes, in: Orthodoxe Stimmen, 22. Jg., 1. Vierteljahr, Nr. 85, 1975, S. 10.

[46] Kurt Seeberger, Vorwort, in: Bodo W. Jaxtheimer, In den Himmel geworfen – Das Wunder der gotischen Baukunst, München 1968, S. 8.

[47] Ebd.

[48] Dittmar, Kampf, a.a.O., S. 51.

[49] Vgl. z.B. den verlorenen Holzschuh auf Hugo van der Goes' ,,Die Hirten an der Krippe" (Mittelstück des Protinari-Altares), um 1475 (Uffizien, Florenz); Abb. bei: Fischer/Timmers, Spätgotik, a.a.O., S. 142.

[50] Derzeit im Wallraf-Richartz-Museum, Köln; Abb. bei: Fischer/Timmers, Spätgotik, a.a.O., S. 171.

[51] (Metropolit) Stylianos Harkianakis, Orthodoxe Kirche und Katholizismus – Ähnliches und Verschiedenes, München 1975, S. 85.

[52] Jaime Huguet, Altar der hll. Abdon und Sennen (Mittelfeld), 1458–60, ebd.; Abb. bei: Fischer/Timmers, Spätgotik, a.a.O., S. 197.

[53] Vgl.: Duccio, Einzug in Jerusalem von der „Maestà", 1308–11 (Sienna, Museo dell'Opera del Duomo); Abb. bei: Manfred Wundram, Frührenaissance (Reihe: Kunst der Welt, Serie 9, Bd. 1), Baden-Baden 1970, S. 12. – Der Kommentar (a.a.O., S. 10) deckt sich nicht mit unserer Interpretation.

[54] Zitiert nach: Wundram, Frührenaissance, a.a.O., S. 5.

[55] Vgl. etwa die dortige Darbringung Christi im Tempel; Abb. bei: Wundram, Frührenaissance, a.a.O., S. 7.

[56] Wundram, Frührenaissance, a.a.O., S. 6.

[57] Vgl. etwa den Martinszyklus des Simone Martini, ca. 1322–26, in der Unterkirche von S. Francesco (Assisi); ein bezeichnendes Bild dieses Überganges ist auch: Gentile da Fabriano, Anbetung der Könige, 1423 (Florenz, Uffizien), in dem zwar im Rahmen noch bei der Darstellung des segnenden Christus ikonenhafte Züge lebendig sind, aber die Hauptbilder sich in der Lust an dekorativer Ausgestaltung des Details ergehen; Abb. bei: Wundram, Frührenaissance, a.a.O., S. 59.

[58] Vgl. unter vielen anderen Beispielen: Domenico Veneziano, Thronende Madonna, ca. 1445–50 (Florenz, Uffizien) oder die Maria der Verkündigung des Jacopo della Quercia, 1421 (Berlin-Dahlem, Staatliche Museen, Skulpturen-Abteilung) mit Desiderio da Settignano's Büste einer jungen Dame, ca. 1455 (Florenz, Museo Nazionale del Bargello); Abb. sämtlich bei: Wundram, Frührenaissance, a.a.O., S. 7, 97 u. 137.

[59] Vgl.: Giambone, St. Michael, ca. 1440 (Settignano, Sammlung Berenson); Abb. bei: Wundram, Frührenaissance, a.a.O., S. 73.

[60] Vgl. Peruginos Apoll und Marsyas, gegen 1490 (Paris, Louvre) mit dem hl. Sebastian Antonello da Massinas, 1476 (Dresden, Staatliche Gemäldegalerie); Abb. bei: Wundram, Frührenaissance, a.a.O., S. 187 bzw. 215.

[61] Vgl. die Darstellung der Verdammten in Luca Signorellis Jüngstem Gericht, 1499–1504 (Capella di S. Brizio am Dom zu Orvieto), ein direkter Vorläufer Michelangelos.

[62] Vgl. Abb. bei: F. J. Bayer, Raffael und Michelangelo (Reihe: Die Kunst dem Volke, V. Sondernummer), München 1925, Tafel IV.

[63] Abbildungen bei: Charles de Tolnay/Ettore Camesasca, Tout l'oeuvre

peint de Michel-Ange, Paris 1967, Tafeln XLII–LIII und Kommentar 73.

[64] Vgl. Abb. bei: Victor Lasareff/Otto Demus, UdSSR – Frühe russische Ikonen, Paris 1958, Tafel IX.

[65] Liana Bortolon, Leonardo da Vinci und seine Zeit, Wiesbaden 1965, S. 16.

[66] Vgl. die Abb. bei: Bortolon, Leonardo, a.a.O., S. 18.

[67] Vgl.: Papadopoulos-Kerameus, Ermeneia, a.a.O., S. 129–139 (= Trenkle, Malerhandbuch, a.a.O., S. 115–123).

[68] Vgl.: Paul Huber, Athos – Leben, Glaube, Kunst, Zürich - Fribourg 1969, S. 365 ff.

[69] Eine Gegenüberstellung mehrerer Szenen findet sich bei: Hubert, Athos, a.a.O., S. 368 ff. (Abb. 212–217). – Die besonders erwähnte Darstellung ist: S. 372 f. (Abb. 216 f.).

[70] Vgl. weiter: Will Durant, Die Renaissance – Eine Kulturgeschichte Italiens von 1304–1576 (Reihe: Kulturgeschichte der Menschheit, 5. Bd.), 2. Aufl., Bern - München 1961.

[71] Vgl.: Delio Cantimori, Vernunft, Unvernunft und Glaube – Wider das traditionelle Christentum, in: Denys Hay (Hrsg.), Die Renaissance, Berlin - Darmstadt - Wien 1968, S. 145–162.

[72] Zitiert nach: Stephan Lackner, Grünewald (Reihe: Galerie der großen Maler, Nr. 32), Bergisch Gladbach 1967, S. 2.

[73] Vgl.: Adolf Spamer, Das kleine Andachtsbild vom 14.–20. Jahrhundert, München 1930.

[74] Georg Wunderle, Um die Seele der heiligen Ikonen – Eine religionspsychologische Betrachtung (Reihe: Das östliche Christentum, Neue Folge, Heft 5), 3. Aufl., Würzburg 1947, S. 58 f.

[75] Harkianakis, Orthodoxe Kirche, a.a.O., S. 76.

[76] Vgl. etwa: die Kreuzigungen Christi aus Basel (Öffentliche Kunstsammlungen) und Karlsruhe (Staatliche Kunsthalle) und natürlich der Isenheimer Altar (Colmar, Museum Unterlinden).

[77] Vgl.: sog. Stuppacher Madonna (Stuppach) oder die zweite Schauseite des Isenheimer Altares; sämtliche Abb. bei: Lackner, Grünewald, a.a.O., Tafeln II, VI–VII, XV u. XVII.

[78] Lackner, Grünewald, a.a.O., Einleitung.

[79] PL CLXXXIII, 1072.

[80] PG LIX, 84.

[81] Stichira zu den Psalmversen in der Sext des Großen Freitags (Karfreitags).

[82] Vgl.: Cavarnos, Thought, a.a.O., S. 79–84.

[83] Vgl.: Igor' Grabar', Feofan Grek – Očerk is istorii drevnerusskoj živo-

pisi, Kazan' 1922; Viktor N. Lazarev, Theophanes der Grieche und seine Schule, Wien - München 1968 (dort zahlreiche weitere Literaturangaben). Ferner: Gerol'd I. Vzdornov, Freski Feofana Greka v cerkvi Spasa Preobraženija v Novgorode – K 600-letiju suščestvovanija fresok, Moskau 1976.

[84] M. Uspenskij/V. Uspenskij, Zametki o drevnerusskom ikonopisanii – Izvestnye ikonopiscy i ich proizvedenija (sv. Alimpij i Andrej Rublev), St. Petersburg 1901, S. 35–76; M. V. Alpatov, Andrej Rublev, Moskau 1959; Viktor N. Lazarev, Andrej Rublev i ego skola, Moskau 1966; M. V. Alpatov (Hrsg.), Andrej Rublev i ego epocha, Moskau 1971, besonders: Z. Blankov, Rublev i van Ejk (van Eyck), ebd., S. 270 ff.

[85] Vgl.: V. I. Antonova, Drevnerusskoe isskustvo v sobranii Pavla Korina, Moskau o. J. (ca. 1960); zwei dort gegenüberstehende Ikonen des hl. Maksim Grek und des hl. Isaakij von Dalmatien erläutern exemplarisch das in dieser Untersuchung über den Portraitcharakter der Ikone Gesagte, vgl.: ebd., Abb. 140 bzw. 141.

[86] André Grabar, Byzanz – Die byzantinische Kunst des Mittelalters (vom 8. bis zum 15. Jahrhundert), Baden-Baden 1964, S. 65.

[87] Vgl. dazu: N. Kondakoff, Histoire de l'Art Byzantin, 2. Bd., Paris 1891, S. 30 ff.; A. Grünwald, Byzantinische Studien – Zur Entstehungsgeschichte des Pariser Psalters Ms. grec. 139 (Reihe: Schriften der philosophischen Fakultät der Deutschen Universität in Prag, Heft 1), Brünn 1929; Kurt Weitzmann, Das klassische Erbe in der Kunst Konstantinopels, in: Antike und Neue Kunst (Wiener Kunstgeschichtliche Blätter III), 1954, S. 54 ff.; ders., Die Byzantinische Buchmalerei des 9. Jahrhunderts, Berlin 1935; ders., Geistige Grundlagen und Wesen der Makedonischen Renaissance (Reihe: Arbeitsgemeinschaft für Forschung des Landes Nordrhein-Westfalen, Geisteswissenschaften, Heft 107), Köln - Opladen 1963; Vladislav P. Darkevič, Svetskoe iskusstvo Vizantii – Proizvedenija vizantijskogo chudožestvennogo remesla v Vostočnoj Evrope X–XIII veka, Moskau 1975, S. 244 ff.

[88] Weitzmann, Grundlagen, a.a.O., S. 49.

[89] Vgl.: D. Ajnalov, Vizantijskaja živopi's XIV. stoletija, St. Petersburg 1971, S. 150.

[90] Vgl.: David Talbot Rice, Byzantinische Malerei – Die letzte Phase, Frankfurt 1968, S. 177 ff. – Der Verfasser geht von der These einer starken ost-westlichen gegenseitigen Beeinflussung aus, muß aber mehrmals gestehen, daß „direkte Beziehungen zwischen beiden nicht nachweisbar sind" (ebd., S. 73). Er verweist besonders auf Fresken in Makedonien (Ochrid, Nerezi u. a.), welche etwa bei Giotto Parallelen hätten (ebd., S. 84), doch scheinen mir seine Beweise (etwa der Vergleich

der Abb. 12 und 73) nicht vollkommen schlüssig, zum andern besagt eine gewisse Berührung der beiden Kunststile noch nichts über die dahinter stehende geistig-theologische Haltung: selbst wenn wir einige solcher Entsprechungen anerkennen (und bei der Fülle der von Rice vorgebrachten Beispiele ist dies wohl notwendig), ist immer noch zu fragen, ob nicht bei den westlichen Malern künstlerische Unsicherheit zur Anlehnung an Byzanz führte, bei einigen Byzantinern hingegen in der Epoche der Lateinerherrschaft und der Unionsverhandlungen ein Abweichen von der Norm der kirchlichen Tradition, zumindest aber eine Verunsicherung gegenüber dieser vorliegt. Dies würde die Nähe beider erklären, aber andererseits nichts über die grundsätzlich verschiedenen Auffassungen von religiöser Kunst besagen. Und letztlich ,,ist es doch sehr wahrscheinlich, daß der Aufschwung und die schnelle Entwicklung der byzantinischen Malerei am Ende des 13. Jahrhunderts auf Betreiben der byzantinischen Geistlichkeit und besonders der ‚Hesychasten‘ genannten Mönche, verlangsamt und dann völlig unterbrochen wurde. Während ihre Gegner, die sich weiterhin dem Beispiel der Humanisten und Theologen des Westens anschlossen, einige Gründe zur Bevorzugung einer Art von ‚Nominalismus‘ hatten, also einer Kunst, welche die Natur spiegelt und die sichtbare Erscheinung der Dinge, hatten die Hesychasten einerseits als stärker in der nationalen Vergangenheit verwurzelte ‚Realisten‘ (das heißt ausschließlich beschäftigt mit der einzigen irrationalen Realität der göttlichen Dinge) wohl Gründe, um alles aus der religiösen Kunst ausschließen zu wollen, was dieser ‚Realität‘ fremd war. Der Triumph dieser rigorosen Mönche um die Mitte des 14. Jahrhunderts fällt zusammen – und wahrscheinlich nicht zufällig – mit der definitiven Bildung einer religiösen Kunst." (Grabar, Byzanz, a.a.O., S. 202 ff.).

[91] Vgl.: Lazarev, Theophanes, a.a.O., S. 241 ff.

[92] Vgl.: Cavarnos, Thought, a.a.O., S. 85 ff.

[93] Vgl.: Rice, Malerei, a.a.O., S. 191.

[94] Cavarnos, Thought, a.a.O., S. 95.

[95] Als Kuriosum sei jene Ikone der Kreuzigung erwähnt, die der später zum Kardinal erhobene griechische Metropolit Bessarion mit nach Italien brachte und dort dem Kloster der Brüder der Schuola della Carità übergab, wo sie als ,,Reliquiar des Kardinals Bessarion" berühmt wurde: es gibt nämlich ein Gemälde von Gentile Bellini, welches diese Übergabe (und damit beide Kunstrichtungen in einem Bild!) zeigt; vgl. (die Originalikone) bei: David Talbot Rice, Die Kunst im byzantinischen Zeitalter, München - Zürich 1968, S. 255; und das Gemälde bei: Hay, Renaissance, a.a.O., S. 125.

[96] Wort und Mysterium – Der Briefwechsel über Glauben und Kirche 1573 bis 1581 zwischen den Tübinger Theologen und dem Patriarchen von Konstantinopel (Reihe: Dokumente der Orthodoxen Kirchen zur Ökumenischen Frage, Bd. II), Witten 1958, S. 16 (Einleitung).

[97] Ebd., S. 112.

[98] Ebd., S. 165.

[99] Ebd., S. 212.

[100] Ebd., S. 213.

[101] Der Begriff „schetikōs" wird schon im Glaubensbekenntnis des hl. Gregorios Palamas zur Kennzeichnung der auf das Urbild ausgerichteten Verehrung der Ikonen gebraucht, wenn es dort heißt: „Außerdem verehren wir kniefällig – gemäß seiner Beziehung (schetikōs) das heilige Bild des dargestellten Gottessohnes . . ., wir beziehen die Verehrung auf das Urbild." (PG CLI, 765). Patriarch Jeremias hatte diesen Ausdruck in seinem 2. Schreiben wieder aufgegriffen, wenn er sagt: „. . . der Heiligen, die wir durch . . . Heiligenbilder gemäß ihrer Beziehung – nicht in kultischer Anbetung – kniefällig verehren (schetikōs kai ouk apolytōs, ou latreutikōs proskynoumenais)"; vgl.: Wort, a.a.O., S. 112. – Trotzdem also Schweigger das Wort wohl bekannt ist, hat er sich offenbar nicht die Mühe gemacht, auch die dahinter stehende Theologie in ihrer Begründung zu begreifen.

[102] Salomon Schweigger, Ein newe Reyßbeschreibung auß Teutschland nach Constantiponel und Jerusalem, Nürnberg 1608, S. 219; zitiert nach: Benz, Ostkirche, a.a.O., S. 31.

[103] Vgl.: Benz, Ostkirche, a.a.O., S. 307ff., 364ff. und 323ff.; für Heiler auch: Friedrich Heiler, Die Ostkirchen, München - Basel 1971, S. 192ff.

[104] Vgl.: Rudolf M. Mainka, Die erste Auseinandersetzung der russischen Theologie mit dem Protestantismus, in: Ostkirchliche Studien, XI. Bd., Heft 2/3, September 1962, S. 131–160; Ludolf Müller, Die Kritik des Protestantismus in der russischen Theologie vom 16. bis zum 18. Jahrhundert, Wiesbaden 1951; D. Cvetaev, Protestantstvo i protestanty v Rossii do epochi preobraženija, Moskau 1890.

[105] Vgl.: Nikolaj E. Andreev, Inok Zinovij Oten'skij ob ikonopočitanii i ikonopisanii, in: Seminarium Kondakovianum, VIII. Bd., Prag 1936, S. 259–278; F. Kalugin, Zinovij inok Otenskij i ego bogoslovsko-polemičeskija i cerkovno-učitel'nyja proizvedenija, St. Petersburg 1894, S. 332ff.; Rudolf M. Mainka, Zinovij von Oten – ein russischer Polemiker und Theologe der Mitte des 16. Jahrhunderts (Reihe: Orientalia Christiana Analecta, Nr. 160), Rom 1961, S. 214–219.

[106] Vgl.: Mainka, Auseinandersetzung, a.a.O., passim; Müller, Kritik,

a.a.O., S. 13–18; vor allem aber den Text bei: Archimandrit Leonid (Hrsg.), Parfenij Urodivyj – Poslanie k neizvestnomu protiv ljutorov, in: Pamjatniki drevnej pis'mennosti i iskusstva, Bd. 66, St. Petersburg 1886.

[107] Zitiert nach: Mainka, Auseinandersetzung, a.a.O., S. 159.

[108] Ebd., S. 138.

[109] Vgl.: V. S. Ikonnikov, Maksim Grek i ego vremja, 2. Aufl., Kiew 1915; Elio Denissoff, Maxime le Grec et l'occident – Contribution à l'histoire de la pensée religieuse et philosophique de Michel Trivolis, Paris-Louvain 1943.

[110] Vgl.: Müller, Kritik, a.a.O., S. 8.

[111] Ikonnikov, Maksim, a.a.O., S. 205.

[112] Müller, Kritik, a.a.O., S. 14.

[113] Zitiert nach: Cvetaev, Protestantvo, a.a.O., S. 540.

[114] Müller, Kritik, a.a.O., S. 31; vgl. auch: Cvetaev, Protestantstvo, a.a.O., S. 523ff.

[115] Müller, Kritik, a.a.O., S. 31, berichtet zwei recht kuriose Beispiele der Einstellung Ivan IV. Groznyj zum Protestantismus: so habe der Herrscher, als er „wiewohl ungern, dem Jesuiten Possevino die Erlaubnis gab, einem orthodoxen Gottesdienst beiwohnen zu können, hinzugefügt: ‚Vide Antonie, ne Lutheranum aliquem in ecclesiam inducas!! – So ist es kein Wunder, daß der Zar vier Jahre später, bei der Eroberung Livlands, einen evangelischen Pastor, der es wagte, Luther mit dem Apostel Paulus zu vergleichen, mit der Peitsche über den Kopf schlug und ihn anschrie: „Scher dich zum Teufel mit deinem Luther' (‚Stupaj k čortu s svoim Ljuterom').“

[116] Text bei: Joannes Karmirēs, Ta dogmatika kai symbolika Mnēmeia tēs Orthodoxou Katholikēs Ekklēsias, II. Bd., 2. Auflage, Graz 1968, S. 565–570.

[117] Vgl.: A. Malvy/M. Viller, La Confession Orthodoxe de Pierre Moghila (Reihe: Orientalia Christiana Analecta, Nr. 10), Rom 1927, S. 26ff.

[118] Vgl.: Karmirēs, Mnēmeia, a.a.O., S. 566ff.

[119] Text bei: Karmirēs, Mnēmeia, a.a.O., S. 572–575.

[120] Ebd., S. 578ff.

[121] Ebd., S. 689–694.

[122] Ebd., S. 701–733.

[123] Ebd., S. 746–773; vgl.: Curt R. A. Georgi, Die Confessio Dosithei (Jerusalem 1672) – Geschichte, Inhalt und Bedeutung, München 1940.

[124] Zur Vorgeschichte dieser Synode vgl.: Johannes Karmiris/Endre von Ivánka, Repertorium der Symbole und Bekenntnisschriften der grie-

chisch-orthodoxen Kirche, in: Endre von Ivánka u. a. (Hrsg.), Handbuch der Ostkirchenkunde, Düsseldorf 1971, S. 705–710; ferner (mit reichen Literaturangaben S. 341–412): Gunnar Hering, Ökumenisches Patriarchat und europäische Politik (Reihe: Veröffentlichungen des Instituts für europäische Geschichte, Mainz, Bd. 45), Wiesbaden 1968.

[125] Vgl. Anm. 101.

[126] Nach: Karmirēs, Mnēmeia, a.a.O., S. 770ff.; vgl. auch die englische Übersetzung: J. N. B. Robertson, The Acts and Decrees of The Synod of Jerusalem sometimes called The Council of Bethlehem, London 1899 (Reprint: New York 1969), S. 156–160. – Dort findet sich neben anderen Dokumenten auch der Wortlaut der ,,Confessio" des Kyrillos: ebd., S. 185–215.

[127] nach: Karmirēs, Mnēmeia, a.a.O., S. 772 (= Robertson, Acts, a.a.O., S. 161).

[128] Ein Beispiel dafür, daß auch in unseren Tagen Theologen orthodoxer Herkunft gerade in der Bilderfrage sehr ,,protestantisch" denken können, ist der Aufsatz: Demosthenes Savramis, Der abergläubische Mißbrauch der Bilder in Byzanz, in: Ostkirchliche Studien, 9. Bd., Heft 2/3, 1960, S. 174–192, wo wir folgendes harte Schlußurteil finden: ,,Obgleich der Mißbrauch die Tatsache nicht schmälert, daß die Ikonen als Denkmäler der Kunstgeschichte einmaligen Wert besitzen, so war trotzdem der abergläubische Mißbrauch eine große Gefahr für die geistliche und geistige Existenz des Byzantinischen Reiches. Byzanz verlor durch die Verfälschung der Religion eine seiner größten Aufbaukräfte, nämlich die Kraft eines reinen, geistigen Christentums und einer dynamischen Kirche." (ebd., S. 192). Sicher hat es Mißbräuche in der Ikonenverehrung gegeben – aber kann man eine Theologie in bezug auf ihre Richtigkeit daran messen, wie sie vom einfachen Volke verstanden und praktiziert wird? Unter diesem Kriterium müßte weitgehend auch die Trinitätslehre und die Verkündigung der Auferstehung Christi ,,gestrichen" werden. Außerdem bleibt fraglich, ob die vom Savramis mit großem Fleiß gesuchten Fehlentwicklungen wirklich als so typisch dargestellt werden können; haben sie sich nicht nur einfach in den uns zur Verfügung stehenden Quellen intensiver niedergeschlagen als die Beispiele des dogmatisch richtigen Gebrauches der Ikonen, und bezeugt nicht letzteren die lebendige Liturgie der Kirche jeden Tag neu?

[129] Mainka, Zinovij, a.a.O., S. 214.

[130] Vgl.: Nikolaj E. Andreev, Mitropolit Makarij kak dejatel' religioznago iskusstva, in: Seminarium Kondakovianum, VII. Bd., Prag 1935, S. 227–244.

[131] Vgl. die Ikone dieses Typs aus der 1. Hälfte des XVII. Jahrhunderts im Ikonenmuseum Recklinghausen (Inv. Nr. 407); Abb. vgl.: Ikonen-Museum, a.a.O., Nr. 105 (Kommentar S. 164).

[132] Abb. bei: N. P. Lichačev, Materialy dlja istorii russkogo ikonopisanija, St. Petersburg 1906, Nr. 208 und 399.

[133] Vgl.: Mainka, Zinovij, a.a.O., S. 218.

[134] Ouspensky/Lossky, Sinn, a.a.O., S. 49.

[135] Erzbischof Makarios (Kykkotēs), Vorwort, in: Athanasios Papageorgiou, Ikonen aus Zypern, München - Genf - Paris 1969, S. 8; vgl. ferner: Rudt de Collenberg, Icônes méconnues – Peintures des Etats des Croisés aux XIIe et XIIIe siècle, in: Le Lien – Revue du Patriarcat Grec-Melkite Catholique, 38. Jg., Nr. 3, 5, 6, Beyrouth 1973.

[136] Papageorgiou, Ikonen, a.a.O., S. 78.

[137] Aus der Sammlung Phaneromeni (Nikosia); Abb. bei: Papageorgiou, Ikonen, a.a.O., S. 38.

[138] Aus der gleichen Sammlung; Abb. bei: ebd., S. 119.

[139] Erzbischof Makarios, Vorwort, a.a.O., S. 8.

[140] Vgl.: Johannes Madey, Kirche zwischen Ost und West – Beiträge zur Geschichte der Ukrainischen und Weißruthenischen Kirche (Reihe: Monographien der Ukrainischen Freien Universität, Bd. 15), München 1969, S. 78–90.

[141] Heinz Skrobucha, Ikonen aus der Tschechoslowakei, Hanau - Prag 1971, S. XVII; vgl. auch: Katalog der Sonderausstellung des Ikonenmuseums Recklinghausen vom 12. Juni bis 31. Juli 1966 „Ikonen aus Polen" mit der guten Einleitung von Janina Klosińska.

[142] Vgl. z. B. die Steinigung des hl. Stephan aus der Holzkirche von Krajné Čierne (Mitte des XVII. Jahrhunderts), auf der die Steiniger in der jüdischen Tracht der damaligen Zeit (also mit langem Kaftan und schwarzem Hut) dargestellt sind; Abb. bei: Skrobucha, Ikonen, a.a.O., Nr. 38. – Für die geringe Bildung des Malers spricht auch (was Skrobucha übersieht bzw. fehldeutet), daß der Erzdiakon eben nicht mit dem ihm gebührenden Orarion, sondern mit dem bischöflichen Omophorion dargestellt wird. In ähnlicher Weise wird auf einer anderen Ikone aus der Holzkirche in Semetkovce (jetzt in der Slowakischen Nationalgalerie in Bratislava) der reiche Prasser in der Tracht der galizischen Juden (sogar mit einem deutlich erkennbaren Schtrejmel) dargestellt; Abb.: ebd., Nr. 40. – Auf dieser Ikone findet sich auch die westliche Symbolfigur des Knochentodes.

[143] So die Geburt Christi aus der Festtagsreihe der Ikonostase in der Holzkirche zu Prikra (Mitte XVIII. Jahrhundert), Abb.: ebd., Nr. 60.

[144] Skrobucha, Ikonen, a.a.O., S. XXIV – Allgemein zur kirchlichen

Kunst des Karpatenraumes vgl.: ders., Ostkirchliche Kunst in der Slowakei, in: Kirche im Osten, Bd. 12, 1969, S. 78–92; ferner: Výstava zo zbierok Múzea Ukrajinskej Kultúry vo Svidníku – Ikony (Sept. 1971, Katalog), Martin 1971.

[145] Wunderle, Seele, a.a.O., S. 60.

[146] Vgl. oben: Abschn. C, Anm. 6.

[147] Ein in Novgorod vermutlich unter dem dortigen abendländischen Einfluß im XIV. Jahrhundert aufgekommener Typus, vgl. Konrad Onasch, Ikonen, Berlin 1961, Abb. 24 (Kommentar: S. 356). – Allerdings ist zu fragen, ob es sich hier wirklich ursprünglich um eine Trinitätsikone gehandelt hat, oder ob wir in dem ,,Alten der Tage" nicht eine Darstellung des präexistenten Logos sehen müssen; vgl.: W. Schöne, Die Bildgeschichte der christlichen Gottesgestalten in der abendländischen Kunst, in: Das Gottesbild im Abendland, Witten - Berlin 1957, S. 19 ff.

[148] Vgl. (mit Kommentar): Boris Rothemund u. a. (Hrsg.), Katalog des Ikonenmuseums Schloß Autenried, München-Autenried 1974, S. 100 (Bild III,16).

[149] Vgl.: H. Gerstinger, Über Herkunft und Entwicklung der anthropomorphen byzantinisch-slawischen Trinitätsdarstellungen des sog. Synthronoi- und Paternitas-Typus, in: Festschrift für W. S. Sas-Zaloziecky, Grenz 1956, S. 59–85.

[150] Vgl.: Rudolf M. Mainka, Andrej Rublevs Dreifaltigkeitsikone – Geschichte, Kunst und Sinngehalt des Bildes, Ettal 1964; Erzbischof Sergij (Golubcov), Ikona Živonačal'noj Troicy, in: Zurnal Moskovskoj Patriarchii, Nr. 7, 1972, S. 69–76; Aleksandr Vetelev, Bogoslovskoe soderžanie ikony ,,Svjataja Troica" prepodobnogo Andreja Rubleva, in: ebd., Nr. 8, 1972, S. 63–75, und Nr. 10, 1972, S. 62–65; Rudolf M. Mainka, Zur Personendeutung auf Rublevs Dreifaltigkeitsikone, in: Ostkirchliche Studien, 11. Bd., Heft 1, 1962, S. 3–12.

[151] Diese Darstellung findet sich relativ häufig in der Kirchenkuppel; vgl.: Ouspensky, Symbolik, a.a.O., S. 77; Felicetti-Liebenfels, Ikonenmalerei, a.a.O., S. 64. – Auch auf der Rückseite der bekannten Gottesmutter von Vladimir ist diese Darstellung zu finden, die auch unter dem Namen ,,Der bereitete Thron" fungiert und dann eine andere Deutung nahelegen würde, vgl.: Onasch, Ikonen, a.a.O., S. 389 (Abb. 102).

[152] Vgl. (mit weiteren Literaturangaben) zu der orthodoxen Trinitätsdarstellung bei: Thon, Himmlischer König, a.a.O., S. 16 f.

[153] Vgl.: Svetozar Dušanić, Musée de l'Eglise Orthodoxe Serbe, Belgrad 1969, Abb. I; oder: Brenske, Ikonen, a.a.O., S. 111.

[154] Vgl. die „Dreigesichtige Gestalt" (15), Lindenfigur, Fassung teilweise vergoldet, unbekannter Herkunft, im Kölner Diözesanmuseum aus dem XVII. Jahrhundert (Inv. Nr. A 149).

[155] Nach: Ouspensky/Lossky, Sinn, a.a.O., S. 50, Anm. 1.

[156] Ebd.

[157] Vgl.: A. V. Kartašev, Očerki po istorii Russkoj Cerkvi, Bd. II, Paris 1959, S. 133–230; Peter Hauptmann, Altrussischer Glaube – Der Kampf des Protopopen Avvakum gegen die Kirchenreform des 17. Jahrhunderts (Reihe: Kirche im Osten – Monographienreihe, Bd. 4), Göttingen 1963 (dort reiche Literaturangaben).

[158] „Deutscher" (nemec) bezeichnet in der damaligen russischen Terminologie jeden (westlichen) Ausländer und hat – zumindest bei den Altgläubigen – einen ausgesprochen pejorativen Charakter.

[159] Die Anschuldigung gegen Nikon ist zwar aus der allgemeinen Kampfsituation und Gegnerschaft Avvakums erklärlich, widerspricht aber m. E. den Tatsachen: der Patriarch trat tatkräftig für die alte Ikonenmalerei ein, vgl. oben Anm. 155.

[160] Zitiert nach: Trubetskoi, Icons, a.a.O., S. 20.

[161] Vgl. zwei Avvakum-Ikonen unseres Jahrhunderts, die den reinsten byzantinischen Stil bewahrt haben, in: Gerhard Hildebrandt (Übers.), Das Leben des Protopopen Avvakum von ihm selbst niedergeschrieben, Göttingen 1965; ferner: Hermann Pörzgen, Die Altgläubigen vom Friedhof Rogoschskoje – Eine Moskauer Christengemeinde und ihre große Ikonensammlung, in: Frankfurter Allgemeine Zeitung, Nr. 298, Samstag, 23.12. 1972 – Beilage „Bilder und Zeiten".

[162] Vgl.: Johannes Chrysostomos (Blaškevič) OSB, Die „Pomorskie otvety" als Denkmal der Anschauungen der russischen Altgläubigen gegen Ende des 1. Viertels des XVIII. Jahrhunderts (Reihe: Orientalia Christiana Analecta, Nr. 148), Rom 1957, S. 106; zur weiteren Geschichte des Altgläubigentums können die diversen Artikel dieses Verfassers in den „Ostkirchlichen Studien" empfohlen werden; außerdem (mit Literaturangaben): Viktoria Pleyer, Das russische Altgläubigentum – Geschichte und Darstellung in der Literatur, München 1961.

[163] Der Dichter Dmitrij S. Merežkovskij hat diesem Gefühl der russischen Altgläubigen beredten Ausdruck verliehen, wenn er in seinem Roman „Leonardo da Vinci" einen russischen Gesandten angesichts der Bilder des Renaissance-Malers poltern läßt: „Satanischer Unrat! Unerhörte Dummheit! . . . Dieser unzüchtige, nackte, unbärtige Mensch soll der Täufer sein? Wenn es ein Vorläufer sein soll, so ist es nicht der Vorläufer Christi, sondern der des Antichrist . . . verunreinige deine Augen nicht, uns Rechtgläubigen geziemt es nicht, solche schamlosen, dem

Teufel wohlgefälligen Spottbilder auch nur anzusehen – verflucht seien sie!" (zitiert nach der Übersetzung Carl von Gütschows, Berlin 1936, S. 805). In ähnlichen Worten äußerten sich gut 150 Jahre später die Altgläubigen, bei denen die Verehrung der Ikonen (wie ja überhaupt der alten Riten) dann teilweise magische Formen annahm: so ist mir bekannt, daß in einem Altgläubigenkloster in der Emigration ein mehrtägiges strenges Fasten angeordnet wurde, weil einem Mönch aus Versehen eine Ikone von der Wand gefallen war.

[164] Leonid Uspenskij, Puti iskusstva „živopisnogo" napravlenija v sinodal'nyj period Russkoj Cerkvi, in: Vestnik Russkogo Zapadno-Evropejskogo Ekzarchata, 22. Jg., Nr. 85–88 (1.–4. Trimester), Paris 1974, S. 167; vgl. auch: ders., Iskusstvo XVII v. – Rassloenie i otchod ot cerkovnogo obraza, in: ebd., Nr. 73–74, Paris 1971; Peter Hauptmann, Das russische Altgläubigentum und die Ikonenmalerei, in: Beiträge zur Kunst des christlichen Ostens (Erste Studiensammlung), Bd. 3, Recklinghausen 1965.

[165] Aleksandr Solženicyn, Pis'mo III. soboru „Zarubežnoj cerkvi"; zitiert nach: Religion und Atheismus in der UdSSR – Monatlicher Informationsdienst, Nr. 11 (85), München, Oktober 1974, S. 7.

[166] Vgl. Abb. (Detail) bei: M. V. Alpatov, Drevnerusskaja ikonopis', Moskau 1974, Abb. 201 (Ikone aus der Kirche der hll. Kosmas und Damian in Kadaši, heute in der Tret'jakov-Galerie, Moskau).

[167] Vgl.: Antonova, Iskusstvo, a.a.O., Abb. 91 u. 92.

[168] Vgl.: Skrobucha, Ikonen, a.a.O., Tafel 13 (Ikone der Geburt Christi aus dem XVII. Jahrhundert – Prag, Nationalgalerie, ehemals Institutum Kondakovianum). Diese Ikone mit ihrer Fülle ineinander geschachtelter Szenen ist typisch für den Stil der Moskauer Schule ihrer Zeit.

[169] Vgl.: Onasch, Ikonen, a.a.O., ab Abb. 135 ff.

[170] Vgl. etwa Caraveggios Madonna dei Palafrenieri (Rom, Galerie Borghese) oder G. B. Tiepolos Marter der hl. Agatha (Staatl. Museen, Berlin-Dahlem) u.a.m.; Abb. bei: Werner Hager, Barock – Skulptur und Malerei (Reihe: Kunst der Welt, Serie 7, Bd. 3), Baden-Baden 1969, S. 127 u. 133.

[171] Georgij Florovskij, Puti russkogo bogoslovija, Paris 1937, S. 49.

[172] Archimandrit Ilarion (Troickij), Bogoslovie i svoboda Cerkvi, Sergiev Posad 1916, S. 30 f. u. 39; vgl. auch zur Entwicklung der russischen Theologie seit Nikon: Hauptmann, Katechismen, a.a.O., passim; Felmy, Predigt, a.a.O., passim; Johannes Chrysostomos, Die Theologie der russisch-orthodoxen Kirche am Vorabend der Revolution von 1917, in: Una Sancta, 23. Jg., Heft 1/2, 1968, S. 98–109; Alexander

Schmemann, Russian Theology 1920–1965 – A bibliographical Survey, New York 1969, S. 1–6; Konrad Onasch, Russische Kirchengeschichte (Reihe: Die Kirche in ihrer Geschichte, Bd. 3, Lieferung M, 1. Teil), Göttingen 1967, S. 95ff. und 116ff. (dort zahlreiche weiterführende Literaturangaben); Igor Smolitsch, Geschichte der russischen Kirche 1700–1917 (Reihe: Studien zur Geschichte Osteuropas, Bd. IX), Leiden 1964, S. 538–690 (ebenfalls mit Literaturverweisen); Gerhard Simon, Konstantin Petrovič Pobedonoscev und die Kirchenpolitik des Heiligen Sinod 1880–1905 (Reihe: Kirche im Osten – Monographienreihe Bd. 7), Göttingen 1969, S. 107–138.

[173] Vgl.: Müller, Kritik, a.a.O., S. 83ff.

[174] Florovskij, Puti, a.a.O., S. 95.

[175] Vgl.: Stefan Javorskij, Vypiski iz knigi Kamnja Very o ikonach svjatych, Pskov 1884; Ioann Morev, Kamen Very mitropolita Stefana Javorskogo, St. Petersburg 1904; A. S. Archangel'skij, Duchovnoe obrazovanie i duchovnaja literatura v Rossii pri Petre Velikom, Kazan' 1883; Hans Koch, Die russische Orthodoxie im petrinischen Zeitalter, Breslau - Oppeln 1929; Chrysostomos Papadopoulos, Die äußeren Einflüsse auf die orthodoxe Theologie im XVI. und XVII. Jahrhundert, Athen 1937; Jurij F. Samarin, Stefan Javorskij i Feofan Prokopovič (Reihe: Sočinenija, Bd. V), Moskau 1880.

[176] Zitiert nach: Müller, Kritik, a.a.O., S. 74f.

[177] Vgl.: Archimandrit Nikodēmos Paulopoulos, Agios Nikodēmos o Agioreitēs (Reihe: Ekklēsiastikai Ekdoseis Ethnikēs Ekatonpentēkontaetēridos, Nr. 5), Athen 1971; Constantine Cavarnos, The Holy Mountain, Belmont/Mass. 1973, S. 32–33.

[178] Priestermönch Agapios/Mönch Nikodēmos, Pēdalion tēs noētēs enos tēs mias agias katholikēs kai apostolokēs tōn orthodoxon Ekklēsias, Athen 1970, S. 321 (Kommentar zum VII. Ökumenischen Konzil).

[179] Vgl.: Fairy v. Lilienfeld (Hrsg.), Hierarchen und Starzen der Russischen Orthodoxen Kirche, Berlin 1966, S. 59–82; Igor Smolitsch, Leben und Lehre der Starzen, 2. Aufl., Köln - Olten 1952, S. 87–113.

[180] Zitiert nach: Florovskij, Puti, a.a.O., S. 126.

[181] Nach: Uspenskij, Puti, a.a.O., S. 153.

[182] Vgl. (Abbildungen und Kommentar): A. N. Petrov u. a. (Hrsg.), Pamjatniki architektury Leningrada, Leningrad 1971, S. 29–31 (Abb. 1–3); Architecture of Russia from Old to Modern, Bd.: Churches and Monasteries, New York 1973, S. 233ff.

[183] So z. B. in den berühmten Permer Holzskulpturen, über deren eigentlichen Ursprung bis heute Unklarheit herrscht, vgl.: Nikolaj N. Serebrennikov, Permskaja derevjannaja skul'ptura, Perm 1967; oder die

immer vollplastisch in Holz gearbeiteten Darstellungen des hl. Nil Stolbenskij (ab dem XVII. Jahrhundert), Abb. bei: Rothemund, Katalog Autenried, a.a.O., S. 161 (Abb. V, 2). – Diese zumeist als Wallfahrtsandenken genutzten Schnitzereien zeigen den Heiligen meditierend auf zwei Krücken gestützt.

[184] Georg A. Sotiriou, Die Kunst in der griechisch-orthodoxen Kirche, in: Panagiotis Bratsiotis (Hrsg.), Die orthodoxe Kirche in griechischer Sicht (Reihe: Die Kirchen der Welt), 2. Aufl., Stuttgart 1970, S. 395. – Erwähnenswert als ein besonders hervorragendes Beispiel solcher geschnitzter Ikonostasen ist die kleine Kirche Sveti Spas in Skopje, vgl.: Nada Nikulsjka, L'Eglise Saint-Sauveur – Skopje (Reihe: Bibliothèque des Petits Monographies touristiques, Nr. 23), Zagreb 1975.

[185] Skrobucha, Ikonen, a.a.O., S. XVIII f.

[186] Vgl. Abb. bei: Antonova, Iskusstvo, a.a.O., Abb. 49, 51–53, 55, 56, 58, 62–64, 83, 89, 93, 95–104, 108–112, 122, 138, 141.

[187] Ebd., Abb. 110 und 111. Zu anderen frühen Beispielen der Oklad-Kunst vgl.: A. V. Bank, Vzaimnoproniknovenie motivov v prikladnom iskusstve XI – XV vekov, in: O. I. Podobedova (Hrsg.), Drevnerusskoe iskusstvo – Problemy i atribucii, Moskau 1977, S. 72–82. – Der Verfasser zeigt vor allem Beispiele des makedonischen Raumes.

[188] Vgl.: Shalva Amiranashvili/Karel Neubert, Georgian Metalwork from Antiquity to the 18th century, London - New York - Sydney - Toronto 1971, S. 60, 101, 115, 120 (Abb. 36, 65, 73, 77).

[189] Vgl.: ebd., S. 86 f. (Abb. 55 und 56).

[190] Vgl.: ebd., S. 124 f. (Abb. 80 und 81).

[191] Vgl. z. B. Die Gottesmutter von Neu Šuamta aus dem XVI. Jahrhundert; ebd., S. 151 (Abb. 99).

[192] Vgl. so etwa die Verkleidung der berühmten Dreifaltigkeitsikone Andrej Rublevs; obwohl es sich hierbei um einen in seinen ältesten Teilen schon auf Boris Gudunov zurückgehenden Oklad handelt, wird das Gesagte an ihm besonders deutlich, wenn man ihn mit der Rublev'schen Ikone vergleicht; vgl.: T. V. Nikolaeva, Sobranie drevnerusskogo iskusstva v Zagorskom Muzee, Leningrad 1968, S. 226 f. (Abb. 124). – Interessant sind auch die naturalistischen Ausgestaltungen des Sujets auf dem Oklad: die Verzierung der Tischdecke und der Sitze, die Ausgestaltung des Tafelgeschirrs etc.

[193] Vgl. z. B. die Ikone des hl. Aleksandr Nevskij im Ikonenmuseum Autenried (Inv. Nr. 281) mit einem aus Gold- und Silberfäden gestickten Oklad; Abb. bei: Rothemund, Katalog – Autenried, a.a.O., S. 124 f. (Abb. III, 27).

[194] Vgl. eine im Dom zu Freising befindliche fürbittende Gottesmutter

(deomenē) aus der 1. Hälfte des XIII. Jahrhunderts, auf deren aus vergoldetem Silber gearbeiteten Beschlag sich Randikonen in byzantinischer Emailarbeit befinden; Abb. vgl.: Heinz Skrobucha, Ikonen 13. bis 19. Jahrhundert – Ausstellungskatalog, Haus der Kunst München, 11. Oktober 1969 bis 4. Januar 1970, Farbtafel 2.

[195] Vgl.: Amiranashvili/Neubert, Metalwork, a.a.O., S. 12–32.

[196] Florovskij, Puti, a.a.O., S. 134.

[197] Vgl.: Uspenskij, Puti, a.a.O., S. 156.

[198] Sie wurde 1931 von der Sowjetregierung abgerissen, um an dieser Stelle als „Symbol der neuen Zeit" einen „Palast der Sowjets" zu errichten, zu dessen Realisierung es jedoch nie kam. So wanderte ein Großteil des kostbaren Materials der Kirche, besonders der Marmor, in die Stationen der Moskauer Metro – und an dem Platz der Kathedrale (nicht weit vom Puschkin-Museum für bildende Künste) befindet sich ein Schwimmbad!

[199] Vgl. (mit Abbildungen): Architecture of Russia, a.a.O., S. 79–81; dies gilt auch für die profanen Bauten der führenden Architekten des „russisch-byzantinischen Stils" (außer K. A. Thon noch N. I. Čičagov und P. A. Gerasimov), wie ihr wohl bekanntestes Gebäude, der Große Kreml-Palast (heute Sitz des Obersten Sowjet) zeigt; vgl. ausführliche Beschreibung bei: Feliks Kurlat/Jurij Sokolovskij, S putevoditelem po Moskve, Moskau 1975, S. 23–25.

[200] Nach: Uspenskij, Puti, a.a.O., S. 165.

[201] Krstju Mitajev, Die bulgarische Ikone, in: Kunstschätze in bulgarischen Museen und Klöstern (Ausstellungskatalog) – 24. April bis 31. Juli 1964 in Villa Hügel, Essen 1964, S. 78.

[202] Sämtliche Zahlenangaben nach: N. Tal'berg, Istorija Russkoj Cerkvi, Jordanville 1959, S. 862ff.

[203] Onasch, Ikonenmalerei, a.a.O., S. 114.

[204] Berühmte Malerdörfer.

[205] Maksim Gor'kij, Detstvo – V ljudjach – Moi universitety, Moskau 1958, S. 387ff. (deutsch unter dem Titel: Unter fremden Menschen).

[206] Vgl.: D. K. Trenev, Russkaja ikonopis' i eja želaemoe razvitie, Moskau 1902, S. 17f.

[207] Heinz Skrobucha, Von Geist und Gestalt der Ikonen (Reihe: Iconographia Ecclesiae Orientalis), 2. Aufl., Recklinghausen 1970, S. 63. – Dort wird auch eine interessante, m. E. aber entschieden zu niedrig gegriffene Berechnung wiedergegeben, welche den Bedarf an Ikonen für 1844 auf ca. 15 Millionen berechnet. Bei einer ähnlichen Berechnung (bei der wir aber auf je zwei Menschen eine Ikone rechnen, denn dies dürfte eher dem Durchschnitt entsprechen als sechs bzw. immer noch

zu niedrig geschätzt sein, wenn man bedenkt, daß reichere und fromme Leute pro Zimmer wenigstens eine und in der Gebetsecke bis zu vierzig Ikonen besaßen) ergibt sich für das Jahr 1912 ein Bedarf von etwa 50 Millionen Ikonen. Selbst wenn man einen Teil davon als durch ererbte Ikonen gedeckt abzieht, so ist der Rest noch beträchtlich genug. Interessant in diesem Zusammenhang mag auch die Tatsache sein, daß in St. Petersburg 1917 immerhin 39 kirchliche und private Ikonengeschäfte und weitere 9 Werkstätten für Einzelikonen und Ikonostasen ausgewiesen sind; vgl.: Ves' Petrograd na 1917 god – Adresnaja i spravočnaja kniga g. Petrograda, Petrograd 1917, Sp. 1313.

[208] Gerhard (= Skrobucha), Welt, a.a.O., S. 241.

[209] Brenske, Ikonen, a.a.O., S. 116. – Dieses Buch kann als Beispiel dafür gelten, wie leicht eine theologisch nicht abgesicherte Deutung von Ikonen ins Abseits geht; so häufen sich die Fehlinterpretationen: der hl. Athanasios d. Große wird mit dem athonitischen Klostergründer verwechselt (S. 7), ein Segenskreuz als Prozessionsikone gekennzeichnet (S. 10), das Omophorion der Gottesmutter als Bischofsornat gedeutet (S. 12), das Mandylion hingegen als „Gott Vater auf der Wolkenbank" (S. 13), der Sonntag der Orthodoxie auf den 19. Februar fixiert, also das zufällige Datum der erstmaligen Feier (S. 22), statt „ein Gott in drei Personen" ist unbekümmert die Rede von „in dreierlei Gestalt" (S. 29), statt vom „Schutzmantelfest" (Pokrov) vom „Schleierwunder" (S. 50 u. a.), Omophorion findet die Übersetzung Stola (S. 62), um nur einige zu nennen. (Daneben stehen auch kunstgeschichtliche Fehler wie etwa die Bezeichnung einer ausführlich kirchenslawisch beschriebenen bäuerlichen Ikone als „griechisch nach byzantinischer Schule", S. 114.)

[210] Mijatev, Ikone, a.a.O., S. 79.

[211] Vgl. die vom Hl. Synod in Sofia herausgegebenen Beschreibungen der drei stauropegialen Hauptklöster: Rilski Stavropegialen Manastir; Trojanski Stavropegialen Manastir „Uspenie Bogorodično"; Bačkovski Stavropegialen Manastir; ferner: Stefan V. Conev/Toros K. Chorisjan, Preobraženski Manastir, Sofia 1972. – Allgemein zur bulgarischen Ikonenmalerei vgl.: Petrana Toteva, Ikoni ot Plodovskija kraj, Sofia 1973; Ljuben Praškov, Ikoni ot Nacinalnata Chudožestvena Galerija, Sofia 1974; ders., Ikoni ot Rilskija Manastir, Sofia 1974; Kostadinka Paskaleva, Ikoni ot Slivenski kraj, Sofia 1975. – Natürlich sind die letztgenannten Editionen nicht frei von dem z. T. vordergründig politisch motivierten Bemühen, die Eigenständigkeit des „Volksschaffens" gegenüber der Treue zur christlichen Tradition über Gebühr hervorzuheben, vgl. z. B.: Paskaleva, Ikoni, a.a.O., Ende der Einleitung.

[212] Vgl.: Uspenskij, Puti, a.a.O., S. 149.

[213] Vgl.: John Fletcher, The Painted Churches of Romania – A Visitor's Impressions, London 1971; vor allem aber die tiefgehende theologische Deutung bei: Wilhelm Nyssen, Bildgesang der Erde – Außenfresken der Moldauklöster in Rumänien (Reihe: Sophia, Bd. 16), Trier 1977.

[214] Konrad Heinrich Wendt, Rumänische Ikonenmalerei – Eine kunstgeschichtliche Darstellung, Eisenach 1953. S. 50. – Der Autor selbst meint zwar, daß „Rumänien auf Grund seiner besonderen volkseigenartigen und politischen Situation das Stilempfinden für Ikonen verloren" habe (ebd., S. 61), doch scheint mir diese Schlußfolgerung nur insoweit berechtigt, als natürlich die künstlerische Höhe der byzantinischen Kunst verloren ging. Aber die Bauernmalerei bewahrte doch, wie das obige Zitat im Widerspruch zur sonstigen These von Wendt selbst besagt, das Essentielle der Ikonenmalerei; dies zeigen auch mehrere von Wendt abgedruckte Ikonen des XIX. Jahrhunderts, vgl.: ebd., Abb. 20, 21, 22, 23 u. 24. Mutatis mutandis gilt dies auch wohl für die rumänischen Hinterglasikonen, obwohl es inzwischen als erwiesen gelten kann, daß diese Arbeitsweise frühestens in der zweiten Hälfte des XVII. Jahrhunderts nach Transsilvanien kam – und zwar wahrscheinlich als ein Zugeständnis an die ästhetischen Wünsche der reich gewordenen Bauern. „Das Gefallen an reichgeschmückten Wohnungen verwandelte die Hinterglasikone in ein Bild mit komplexer Funktion – Ikone und Gemälde –, das gleichermaßen den Zweck hat, das Auge zu erfreuen, wie als Kultgegenstand zu dienen." (Cornel Irimie/Marcela Focsa, Rumänische Hinterglasikonen, Berlin 1970, S. 36 f.)

[215] Vgl. z. B.: David Talbot Rice, Mittelalterliche Fresken aus Serbien und Mazedonien, München 1963; Dušan Tasić, Byzantinische Malerei in Serbien und Mazedonien (Reihe: Kleine Kunstreihe – Epochen und Stile), Belgrad 1967; V. Petković, La peinture serbe du Moyen-Age, 2 Bde., Belgrad 1930 u. 1934; S. Radojčić Majstori starog srpskog slikarstva, Belgrad 1955; Vojislav J. Djurić/Svetozar Radojčić, Icônes de Yougoslavie, Belgrad 1961.

[216] Vgl.: Dušanović, Musée, a.a.O., S. 28, 30. – Daß daneben aber auch in bäuerlicher Malweise die alten Formen weiterlebten, zeigt: Dinko Davidov, Ikone srpskih zografa XVIII veka, Beograd 1977 (Katalog der Ausstellung der Galerie SANU, Belgrad, und der Galerie Matica Srpska, Novi Sad).

[217] Heute im Museum der Serbisch-Orthodoxen Kirche in Belgrad (Patrijaršija); Abb. vgl.: Lazar Mirković, Teodor Kračun, Novi Sad, S. 45–46, Abb. 10; O. Bihalji u. a., Ikonen aus Serbien und Makedoni-

en, München 1962, S. XVI und Abb. 103.

[218] Vgl. z. B. Rothemund, Katalog – Autenried, a.a.O., S. 115, 119, 121, 96, 98, 102, 104 (Abb. III, 14, 15, 17, 18, 21, 23, 25); oder: Dick Temple/Elvira Cooper, A Celebration of Saint Nicholas (Annual Exhibition of Icons 1970 – Temple Gallery), London 1970, S. 111, 112, 113, 115 (Abb. 33, 35, 34, 37).

[219] Florovskij, Puti, a.a.O., S. 92; ähnlich auch: Smolitsch, Geschichte, a.a.O., S. 118 ff; und: Nikolaj Zernov, Vselenskaja cerkov' i russkoe Pravoslavie, Paris 1952, S. 175 f.

[220] Alle Angaben nach: Hans-Joachim Härtel, Byzantinisches Erbe und Orthodoxie bei Feofan Prokopivič (Reihe: Das östliche Christentum, Neue Folge, Heft 23), Würzburg 1970, S. 186 ff.

[221] Ebd., S. 192 – Bei Härtel im kirchenslawischen Originaltext.

[222] Vgl.: Stefan Jeckel, Metallikonen aus Rußland, in: Sammler-Journal, 1. Teil: Heft 6, 6. Jg./1977, S. 336–341, 2. Teil: Heft 7, 6. Jg./1977, S. 418–421; ders., Russische Metallikonen (Katalog der Ausstellung im Akzisehaus des Kulturgeschichtlichen Museums Osnabrück), Osnabrück 1976.

[223] Härtel, Erbe, a.a.O., S. 197 f.

[224] Hauptmann, Katechismen, a.a.O., S. 234.

[226] Ebd.; die Übersetzung wurde leicht korrigiert.

[226] Vgl. auch die deutsche Gesamtausgabe: Johannes von Kronstadt, Mein Leben in Christo – Aus dem Tagebuch, Bd. I, Hochberg 1976.

[227] Zitiert nach: Grisbrooke, Counsels, a.a.O., S. 82 ff.

[228] Vgl. allgemein zum Starzentum: Igor Smolitsch, Russisches Mönchtum – Entstehung, Entwicklung und Wesen 988–1917 (Reihe: Das östliche Christentum, NF, Heft 10/11), Würzburg 1953, S. 470–529; ders., Leben und Lehre der Starzen, 2. Aufl., Köln - Olten 1952; Sergej Nilus, Na beregu Bož'ej reki, San Francisco 1969; Sergius Tschetwerikoff, Das russische Starzentum, in: Die Ostkirche (Sonderheft der Vierteljahresschrift Una Sancta), hrsg. von N. von Arseniev/A. von Martin, Stuttgart 1927, S. 63–75.

[229] Vgl.: Vera Zander, Seraphim von Sarow – Ein Heiliger der orthodoxen Christenheit (1759–1833), Düsseldorf 1965; Irina Gorainov, The Message of Saint Seraphim, Oxford o. J. (ca. 1973); Beseda Prep. Serafima Sarovskogo o celi christiankoj žizni, San Francisco 1968; Nikodēmos Gkatzipoulēs, O Serafeim tou Saröf, 2. Aufl., Athen 1973.

[230] Karl Christian Felmy, Predigt im orthodoxen Rußland – Untersuchungen zu Inhalt und Eigenart der russischen Predigt in der zweiten Hälfte des 19. Jahrhunderts (Reihe: Kirche im Osten – Monographienreihe Bd. 11), Göttingen 1972, S. 81 bzw. 129.

[231] Gemeint ist der aus Italien stammende romantische religiöse Maler Fedor Antonovič (Felice) Bruni (1799–1875), welcher seinerzeit einer der Modemaler in Rußlands Kirchen war.

[232] Alexej Hackel, Christus in der neuen russischen Malerei, in: Ein Leib / Ein Geist – Einblicke in die Welt des christlichen Ostens (hrsg. von der Abtei St. Joseph zu Gerleve), Münster o. J. (ca. 1940), S. 206 ff. – Interessanterweise hat Vasnecov diese Unterlegenheit seiner Malerei gegenüber den wiederentdeckten Ikonen in aller Offenheit stets betont, vgl.: S. Makovskaja, Ikonopiscy i chudožniki, in: Russkaja Žizn', Nr. 5940, 3. November 1965, S. 4.

[233] Vgl.: Uspenskij, Puti, a.a.O., S. 184, Anm. 120.

[234] Vgl.: Michael Turtschin, Russische Gedächtniskirche zu Leipzig, Leipzig 1975.

[235] S. S. Ol'denburg, Carstvovanie Imperatora Nikolaja II., Bd. 2, München 1949.

[236] Zitiert nach: Uspenskij, Puti, a.a.O., S. 184.

[237] Léonide Ouspensky (Uspenskij), La question de l'iconostase, in: Contacts – Revue Française de l'Orthodoxie, XVI. Jg., Nr. 46 (2. Trimester), Paris 1964, S. 121.

[238] Vgl.: Petr E. Kovalevskij, Zarubežnaja Rossija – Istorija i kul'turno-prosvetitel'naja rabota russkogo zarubež'ja za polveka 1920–1970, Paris 1971, S. 210 f.

[239] Vgl.: Ekaterina Aslanova, Inok-ikonopisec Grigorij (Krug) 1908–1969, in: Žurnal Moskovskoj Patriarchii, Heft 3, Moskau 1970, S. 13–19 (mit zahlreichen Abbildungen der Ikonen); ferner: Grigorij Krug, Mysli ob ikone, Paris 1978 (mit vollständigem Verzeichnis der Werke des Künstlers und zahlreichen Illustrationen).

[240] Bulgakov, Pravoslavie, a.a.O., S. 307.

[241] Vgl. zu Marija Nikolaevna Sokolova: Patriaršaja nagrada starejšej sotrudnice MDA, in: Žurnal Moskovskoj Patriarchii, Heft 5, Moskau 1975, S. 25 f. (mit einer Photographie der Künstlerin).

[242] Vladimir Solouchin, Pis'ma iz Russkogo Muzeja, in: Molodaja gvardija, Nr. 9, S. 236 bis 278, und Nr. 10, S. 245–287, Moskau 1966; ebenfalls in korrigierter Buchform: Moskau 1967; in deutscher Übersetzung (von Irina Jablomowskaja): Briefe aus dem Russischen Museum, München 1972, Kap. (Brief) 7.

[243] Vladimir Solouchin, Černye doski, in: Moskva (Zeitschrift des Schriftstellerverbandes der RSFSR und der Moskauer Schriftstellerorganisation), Nr. 1, Moskau 1969, S. 129 bis 197; in deutscher Übersetzung (von Galina Berkenkopf) in Buchform: Schwarze Ikonen – Ich entdecke das verborgene Rußland, München - Salzburg o. J. (ca. 1970).

[244] Solouchin, Pis'ma, a.a.O., VIII. Pis'mo; dt. Übersetzung, a.a.O., S. 99ff.

[245] Ein Bombenanschlag auf Zar Boris III. und die anläßlich einer Trauerfeier in der Kirche versammelten Minister, Abgeordneten und Militärs am 16. April 1925 forderte nicht nur über 200 Tote, sondern zerstörte auch die Kirche in ihrem Mittelteil fast völlig.

[246] Vgl.: Alexander G. Xydis, Was kam nach Byzanz?, in: Evi Melas (Hrsg.), Alte Kirchen und Klöster Griechenlands – Ein Begleiter zu den byzantinischen Stätten (Reihe: DuMont Kunst-Reiseführer, 2. Aufl., Köln 1974, S. 285f.

[247] Andreas Xyggopoulos, Schediasma istorias tēs thrēskeutikēs zōgrafikēs meta tēn alōsin (Reihe: Bibliothēkē tēs en Athēnais Archaiologikēs Etaireias, Nr. 40), Athen 1957, S. 350.

[248] Ebd., S. 352–354.

[249] Xydis, Was kam, a.a.O., S. 287.

[250] Ebd.

[251] Ebd., S. 288.

[252] Vgl.: Fotēs Kontoglou, Ekphrasis tēs Orthodoxou Eikonographias, Athen 1960. – Beispiele einiger Ikonen Kontoglous und seiner Schüler in: Chrēstos G. Gkotsēs, O mystikos kosmos tōn byzantinōn eikonōn, 1. Bd., Athen 1971.

[253] Zitiert nach: Cavarnos, Thought, a.a.O., S. 74.

[254] Eduard Beauchamp, Der Gott, der sich selbst erschafft – Michelangelo nach 500 Jahren, in: Frankfurter Allgemeine Zeitung vom Samstag, 1. März 1975, Nr. 51, Beilage.

[255] Zitiert nach: Cavarnos, Thought, a.a.O., S. 76f.

[256] Vgl. Anm. 241.

[257] Sokolova, Ikone, a.a.O., S. 56.

[258] Aus der Beschreibung des Klosters „Die orientalische Kirche von Chevetogne", vgl. auch: Jean-Baptiste van der Heijden OSB, L'Eglise Orientale de Chevetogne – Architecture, Décoration, Symbolisme, Chevetogne 1962, S. 8 und 16ff.

[259] Vgl.: Fenster zur Ewigkeit – Ikonen und Entwürfe von Adam W. Russak (Katalog der Ausstellung vom 18. November 1974 bis 3. Januar 1975 in der Schalterhalle der Frankfurter Sparkasse).

[260] Vgl.: Graf A. A. Sollogub, Russkaja Pravoslavnaja Cerkov' Zagranicej 1918–1968, Bd. 2, Jerusalem 1968, S. 886–901.

[261] Heinrich Sunder, Der Ikonenaltar in Bielefeld St. Jodokus, Bielefeld 1963, S. 14; vgl. auch: Alois Fuchs, Der neue Ikonenaltar für St. Jodokus in Bielefeld, in: Jahresgabe des Vereins für christliche Kunst im Erzbistum Paderborn, Paderborn 1962.

[262] Bei diesem Überblick mußte notwendigerweise eine ganze Reihe von Malern unberücksichtigt bleiben, vor allem solche, welche zwar eine große Anzahl von Tafelikonen geschaffen haben, aber keine Ikonostasen bzw. Kirchenausmalungen, deren Werke also nicht örtlich benannt werden konnten. Diese Auslassung besagt aber nichts über die Qualität der Maler – im Gegenteil: gerade weil die Zahl wirklich guter, in authentischer Tradition und mit persönlicher Frömmigkeit arbeitender Ikonographen in letzter Zeit stark angestiegen ist, konnte hier kein vollständiges Verzeichnis ihrer Namen gegeben werden.

[263] André Grabar, Byzanz – Die byzantinische Kunst des Mittelalters vom 8. bis zum 15. Jahrhundert (Reihe: Kunst der Welt), Baden-Baden 1964, S. 59–61.

[264] Erst in relativ später Zeit gibt es – sehr sporadische – Ausnahmen von dieser Regel: so existiert etwa im athonitischen Kloster Zographou ein Fresko, welches den Streit zwischen der Orthodoxie und dem römischen Katholizismus widerspiegelt. Auf ihm ist die klostereigene Überlieferung von der ,,Verbrennung der im rechten Glauben standhaften Mönche durch den römischen Papst" (nach der Okkupation des Heiligen Berges von seiten der Lateiner 1204) dargestellt. Hierbei handelt es sich natürlich um eine – zudem stark legendär ausgeschmückte (ein Papst war nie auf dem Athos!) – Lokaltradition, welche keinen Eingang in die kanonische Ikonographie gefunden hat; zudem dient auch dieses Bild vordringlich der Verherrlichung der wirklich von den Abendländern ermordeten Martyrer und keineswegs in erster Linie der Polemik. Ein anderes Beispiel aus einem unterschiedlichen geographischen Raum stellt etwa ein Fresko des Letzten Gerichtes in der Erlöser-Kirche ,,na Senjach" im Rostover Kreml aus dem Jahre 1675 dar, auf dem die von den Dämonen gebundenen Sünder chinesisch-buddhistische, islamische und abendländische (holländische) Tracht tragen, vgl. Abb.: F. Kudriatsev, The Golden Ring, Leningrad 1974, Abb. 24.

[265] Jean Meyendorff, Le Christ dans la théologie byzantine, Paris 1969, Kap. IX: Vision de l'Invisible – la querelle des images, S. 235–264.

[266] Sergius Bulgakoff, Die Gottesmutter und die ökumenische Bewegung, in: Friedrich Heiler, Die Gottesmutter (Sonderheft der ,,Hochkirche"), in: Hochkirche, Heft 6/7, Juni/Juli 1931, S. 244.

[267] Meyendorff, Christ, a.a.O., S. 260.

[268] Vgl. Eph. 3,6.

[269] PG XCIX, 385 B.

[270] Ebd., 416 C.

[271] Vgl.: Evgenij Trubeckoj, Umozrenie v kraskach, Moskau 1915 (Reprint: Paris 1965).

[272] Dumitru Staniloae, Einige charakteristische Merkmale der Orthodoxie, in: Kyrios, Neue Folge, X. Jg., Heft 1, Berlin 1970, S. 9ff.

[273] Zweifelsohne kann das Vorbild der Orthodoxie auch ohne eine formelle Union wirksam sein – Ziel aber für die westlichen Kirchen müßte doch diese sein, auch wenn der Weg zurück zur gemeinsamen Tradition noch weit ist, wie Gamber so schön sagt: ,,Mit einer Umarmung des griechischen Patriarchen durch den Papst ist es allein noch nicht getan." (Klaus Gamber, Erneuerung durch Neuerungen? – Zur Gegenwartslage der römischen Kirche vor allem auf liturgischem Gebiet, Regensburg 1979, S. 25)

[274] Ebd., S. 24f.

[275] Wir dürfen wohl sagen, leider keineswegs nur in Frankreich. Nach unserer Beobachtung sind die Verhältnisse in den Niederlanden und in der Bundesrepublik Deutschland unter dem dort die ökumenische Bewegung weitgehend beherrschenden protestantischen Geist zumindest den französischen zumindest gleich.

[276] Boris Bobrinskoy, Auf dem Wege zueinander – Überlegungen eines orthodoxen Theologen an die katholischen Bischöfe Frankreichs, in: Der Christliche Osten, XXXIV Jg., Heft 3–4, Würzburg 1979, S. 81ff.

Anmerkungen
zu Die kultische Bezogenheit der orthodoxen Ikone

[1] Romano Guardini, Kultbild und Andachtsbild – Brief an einen Kunsthistoriker, Würzburg o. J. (ca. 1950).

[2] Ebd., S. 8–10.

[3] Ebd., S. 12.

[4] Timiadis, Orthodoxie, a.a.O., S. 244.

[5] Vgl. dazu die Ausführungen Symeons von Thessaloniki: PG CLV, 337–340.

[6] C. Virgil Gheorghiu, Von fünfundzwanzig Uhr bis zur Ewigkeit, Freiburg/Schweiz 1967, S. 64–66.

[7] Ouspensky, Symbolik, a.a.O., S. 57.

[8] PG XCVIII, 381 f.

[9] Vgl. 1. Kor. 12,27; Kol. 1,18; Eph. 1,23.

[10] Vgl. PG XCI, 657–717.

[11] Zitiert nach: Hans Urs von Balthasar, Kosmische Liturgie – Das Weltbild Maximus' des Bekenners, 2. Aufl., Einsiedeln 1961, S. 371 ff.

[12] Hans-Joachim Schulz, Die byzantinische Liturgie – Vom Werden ihrer Symbolgestalt (Reihe: Sophia, Bd. 5), Freiburg 1964, S. 62; vgl. auch: Hans Jantzen, Die Hagia Sophia des Kaisers Justinian in Konstantinopel, Köln 1967; Heinz Kähler, Hagia Sophia, London 1967; W. R. Lethaby/Harold Swainson, The Church of Sancta Sophia, New York 1894; A. M. Schneider, Die Hagia Sophia zu Konstantinopel, Berlin 1939; W. R. Zaloziecky, Die Sophienkirche in Konstantinopel (Reihe: Studi di antichità cristiana, Nr. 12), Vatikanstadt 1936; Thomas F. Mathews, The Early Churches of Constantinople – Architecture and Liturgy, University Park – London 1971 (dort auch reiche Literaturangaben: S. 181–187).

[13] Zeitangabe nach: Schneider, Hagia Sophia, a.a.O., S. 13.

[14] PG CLV, 628 C.

[15] Zitiert nach: Schneider, Hagia Sophia, a.a.O., S. 10–13.

[16] Schneider, Hagia Sophia, a.a.O., S. 18.

[17] Schulz, Liturgie, a.a.O., S. 64.

[18] Nach: Heinz Dieter Schmid (Hrsg.), Fragen an die Geschichte, Bd. 1: Weltreiche am Mittelmeer, 3. Aufl., Frankfurt a.M. 1976, S. 151.

[19] Mathews, Churches, a.a.O., S. 177.

[20] Carl Schneider, Geistesgeschichte des antiken Christentums, Bd. II, München 1954, S. 100.

[21] Vgl. dazu: Schulz, Liturgie, a.a.O., passim.

[22] PG I, 724.

[23] Vgl. 1. Jo. 1,5.

[24] Vgl. Mal. 4,2.

[25] Vgl. Zach. 6,12 bzw. Lk. 1,78.

[26] Apg. 1,11.

[27] Mt. 24,27.

[28] PG XCIV, 1133 ff.

[29] Vgl. PG XCVIII, 392 BC.

[30] Vgl. PG XXXII, 188 f.

[31] Vgl.: Franz Joseph Dölger, Sol salutis – Gebet und Gesang im christlichen Altertum mit besonderer Rücksicht auf die Ostung in Gebet und Liturgie (Reihe: Liturgiegeschichtliche Forschungen, Heft 4/5), Münster 1925.

[32] Vgl.: Norbert M. Kühn (Übers.), Die heilige Liturgie der Koptischen Kirche, Würzburg 1973, S. 28.

[33] Vgl.: Alfons M. Mitnacht (Übers.), Die Meßliturgie der Katholiken des Äthiopischen Ritus, Würzburg 1960, S. 67.

[34] Ouspensky, Symbolik, a.a.O., S. 59.

[35] Vgl.: Dölger, Sol, a.a.O., S. 336–410.

[36] Vgl. Gen. 2,8 (nach der LXX).

[37] Zitiert nach: Philipp Haeuser (Übers.), Des hl. Cyrillus – Bischof von Jerusalem – Katechesen (BKV Bd. 41), Kempten 1922, S. 363 ff. – Weitere Belege für die Ausrichtung des Täuflings bei: Franz Joseph Dölger, Die Sonne der Gerechtigkeit und der Schwarze – Eine religionsgeschichtliche Studie zum Taufgelöbnis (Reihe: Liturgiegeschichtliche Forschungen, Heft 2), Münster 1918, bes. S. 2 ff.

[38] Vgl. u. a.: Lazar Mirković, Pravoslavna liturgika ili Nauka o bogoslu-ženju Pravoslavne Istočne Crkve, 1. Bd., 2. Aufl., Belgrad 1965, S. 312–314.

[39] Klaus Gamber, Der Altarraum in der Ost- und Westkirche in seiner geschichtlichen Entwicklung, in: Orthodoxie heute, 13. Jg., Nummer 53, Düsseldorf 1975, S. 14.

[40] Vgl. PG CLV, 704.

[41] Offenkundig übernimmt Symeon hier die Deutungen von Maximos' d. Bekenner, vgl. PG XCI, 657 ff.

[42] In dieser Aussage wird der starke hesychastische Einfluß deutlich.

[43] Bischof Veniamin (Krasnopevkov), Novaja skrižal', 17. Aufl., St. Petersburg 1908 (Nachdruck: Jordanville 1975), S. 14.

[44] Vgl. PG CLV, 704 f.

[45] Veniamin, Skrižal', a.a.O., S. 16.

[46] Vgl. zu ihm: die Biographie von Stepan Runkevič, in: A. P. Lopuchin, Pravoslavnaja Bogoslovskaja Enciklopedija, Bd. III (Vaal-Vjačeslav), Petrograd 1902, Sp. 299–302.

[47] Vgl. PG XX, 846.

[48] PG CLV, 704.

[49] PG CLV, 349.

[50] PG XXXV, 103.

[51] Franz Jockwig, Das Gottesbild der byzantinischen Liturgie, in: Der Christliche Osten, XXXII. Jg., Heft 3–4, Würzburg 1977, S. 72.

[52] Vgl. PG CXL, 417–468.

[53] Vgl. PG LXXXVII, 3839ff.

[54] Vgl. PG LXXXVII, 3984 C.

[55] Vgl. PG CLV, 707.

[56] Ouspensky, Symbolik, a.a.O., S. 61f.

[57] Obwohl der normale Standort des Diakons in der heutigen Praxis zumeist die Solea geworden ist (u. U. mit einer entsprechenden Erweiterung), hat sich im Pontifikalritus der russischen Kirche der alte Ambon erhalten: auf ihm befindet sich der Sitz des Bischofs während des ersten Teils der Katechumenenliturgie, von ihm aus auch liest der Diakon das Evangelium.

[58] Vgl. z. B. den Grundriß der alten Kirche zu Preslav, in: Archimandrit Iona, Učebnik po Liturgika, Sofia 1950, S. 49.

[59] PG CLV, 707; ähnlich äußert sich auch der hl. Germanos, vgl. PG XCVIII, 392 A.

[60] Schulz, Liturgie, a.a.O., S. 201.

[61] A. P. Kashdan (d.i. Každan), Byzanz und seine Kultur, 2. Aufl., Berlin 1973, S. 137f.

[62] Josef Casper, Weltverklärung im liturgischen Geist der Ostkirche (Reihe: Ecclesia Orans, XXII. Bd.), Freiburg i. Br. 1939, S. 6.

[63] Vgl. zu ihm: E. Panofsky, Abbot Suger, Princetown 1946.

[64] PL CLXXXVI, 1228.

[65] Vgl.: Karl Joseph Schmitz, Zur Ikonologie der nachmittelalterlichen Bildhauerkunst im Paderborner Dom, München - Paderborn - Wien 1973.

[66] Gamber, Altarraum, a.a.O., S. 18 u. 15.

[67] Vgl.: Otto Demus, Byzantine Mosaic Decoration, London 1947; vor allem aber: E. Giordani, Das mittelbyzantinische Ausschmückungssystem als Ausdruck eines hieratischen Bildprogramms, in: Jahrbuch der österreichischen byzantinischen Gesellschaft, 1. Jg., Wien 1951, S. 103–134.

[68] Schulz, Liturgie, a.a.O., S. 92f.; ebenso: Jockwig, Gottesbild, a.a.O., S. 76.

[69] Vgl. PG XCV, 309–344.

[70] Vgl.: Beck, Kirche, a.a.O., S. 488.

[71] Unschwer erkennt man hier die auch heute noch gültige Weihnachts-ikone, ebenso im Folgenden die Beschreibungen anderer uns überlie-ferter ikonographischer Typen: der Jordantaufe, des Einzugs in Jerusa-lem etc.

[72] Vgl.: S. 35 f., die Schilderung bei Eusebios (PG XX, 680).

[73] PG XCV, 313 ff. und 325 f.

[74] Zitiert nach: Schulz, Liturgie, a.a.O., S. 100 f.

[75] PG XCVIII, 382 A.

[76] Ouspensky, Symbolik, a.a.O., S. 63.

[77] Vgl.: Schulz, Liturgie, a.a.O., S. 110 ff.

[78] Ernst Chr. Suttner, Ikonen und Kult, in: Kunst der Ostkirche – Iko-nen, Handschriften, Kultgeräte (Ausstellung des Landes Niederöster-reich im Stift Herzogenburg – 7. Mai bis 30. Oktober 1977) (Reihe: Katalog des Niederösterreichischen Landesmuseums, NF, Nr. 73), Wien 1977, S. 46.

[79] Ausmalungsplan bei: Melas, Kirchen, a.a.O., S. 182 f.

[80] Ebd., S. 186 f.

[81] Vgl. ausführlich (mit zahlreichen Grundrissen): Alexej Hackel, Gestalt und Symbolik des morgenländischen Kirchenbaus, in: Paul Krüger/ Julius Tyciak, Morgenländisches Christentum – Wege zu einer öku-menischen Theologie, Paderborn 1940, S. 277–306.

[82] Natürlich gilt das hier gesagte nicht in vollem Ausmaß für die orthodo-xen Kirchen in der Diaspora bzw. Emigration, in der aus praktischen Gründen oft westliche Kirchenbauten übernommen bzw. deren Bau-pläne verwandt werden mußten. Doch sagen diese Ausnahmen nichts gegen die Regel!

[83] Vgl. Textanhang.

[84] Vgl. Jo. 1,2 f.

[85] Ein Beispiel einer solchen kompletten Ausmalung (mit den entspre-chenden Plänen) bei: van der Heijden, L'Eglise, a.a.O., S. 22–62 und Plan 1–11.

[86] Ouspensky, Symbolik, a.a.O., S. 68.

[87] PG CLV, 345.

[88] Das Wort „Ikonostase" ist allgemein gebräuchlich im Russischen (als „ikonostas") bzw. den von dort beeinflußten Sprachen der anderen slawischen orthodoxen Völker; im griechischen hingegen wird bis heute vorrangig der Ausdruck „témplon" verwandt, welcher als klarer anzusprechen ist. Denn bis in die ausgehende byzantinische Zeit be-zeichnete das Wort „eikonostásion" jeden im Raum befindlichen Iko-

nenständer, wie z. B. das Zeremonienbuch des Hofes beweist (vgl. PG XCIX, 1796), nicht jedoch die Chorschranke. Da aber über das Russische dieser Ausdruck auch in der deutschen orthodoxen Terminologie üblich geworden ist, verwenden wir ihn durchgängig, auch da, wo der (griechische) Originalautor ein anderes gleichbedeutendes Wort gesetzt hat.

[89] Das Schema einer solchen voll durchgestalteten Bilderwand (nämlich der Leipziger Gedächtniskirche des hl. Aleksij von Moskau) in: Die Göttliche Liturgie unseres heiligen Vaters Johannes Chrysostomos, Leipzig 1976, S. 118 f.

[90] Vgl.: C. Walter, Iconographie des conciles dans la tradition byzantine, Paris 1970, S. 176, Abb. 72.

[91] PG XX, 846.

[92] PG XCVIII, 392.

[93] Vgl.: Louis Bréhier, Anciennes clôtures de choeur antérieures aux iconostases dans les monastères de l'Athos, in: Studi Bizantini e Neoellenici, VI. Jg., Rom 1940, S. 49 f.

[94] Julian Walter, The Origins of the Iconostasis, in: Eastern Churches Review, Bd. III, Nr. 3, Spring 1971, S. 258.

[95] Vgl.: Walter, Origins, a.a.O., Abb. 9 ff.

[96] Ebd., S. 259.

[97] Vgl. PG C, 464 f.

[98] Léonide Ouspensky, La question de l'iconostase, in: Contacts – Revue française de l'Orthodoxie, XVI. Jg., Nr. 46, Paris 1964, S. 83.

[99] PG XX, 1097.

[100] Vgl. PG XXXVII, 1234 und bes. 1255.

[101] Aleksandr Šmeman, Vvedenie v liturgičeskoe bogoslovie, Paris 1961, S. 118 f.

[102] Nach: Ouspensky, Question, a.a.O., S. 121, Anm. 1.

[103] Zu den Details der Entwicklung vgl.: ebd., S. 94–97.

[104] Ebd., S. 99 f.

[105] Vgl. PG XCVIII, 389 D.

[106] Ouspensky, Symbolik, a.a.O., S. 64.

[107] Gemäß Is. 7,14.

[108] Ouspensky, Symbolik, a.a.O., S. 64.

[109] V. D. Saryčev, O počitanii Božiej Materi, in: Bogoslovskie Trudy, Bd. 11, Moskau 1973, S. 86.

[110] Ouspensky, Symbolik, a.a.O., S. 65.

[111] Boris Gruzdev, Ikonostas, in: A. P. Lopuchin (Hrsg.), Pravoslavnaja Bogoslovskaja Enciklopedija, Bd. V (Donskaja eparchija – Ifika), Pe-

trograd 1904, Sp. 838 – Der Artikel gibt wertvolle Aufschlüsse zur Entwicklung der Ikonostase in Rußland, vgl. Sp. 835 ff.

[112] Gamber, Altarraum, a.a.O., S. 18.

[113] Ouspensky, Question, a.a.O., S. 120.

[114] Vgl. auch: D. Konstantinov, Ikonopočitanie i ikonopis' v bogoslužebnoj žizni cerkvi, in: Žurnal Moskovskoj Patriarchii, Nr. 2, Moskau 1957, S. 40–50; und: Antoine Hebby, L'Icône et la liturgie, in: Le Lien, 37. Jg., Nr. 6, Beyrouth 1972, S. 54–58.

[115] Vgl. eine ausführliche Beschreibung der Verwendung des Epitaphios in der heutigen Liturgie bei: Demetrios I. Pallas, Die Passion und die Bestattung Christi in Byzanz: Der Ritus – Das Bild (Reihe: Miscellanea Byzantina Monacensia, Heft 2), München 1965, S. 1–10.

[116] Vgl.: Hélène Pétré/Karl Vrestka, Die Pilgerreise der Aetheria (Peregrinatio Aetheriae), Klosterneuburg 1958, S. 228 ff.

[117] Pallas, Passion, a.a.O., S. 22.

[118] Vgl.: Vladimir Troickij, Istorija plaščanicy, in: Bogoslovskij Vestnik, Moskau 1912, S. 150 ff.

[119] Hans-Joachim Schulz, Zum geschichtlichen Werden der byzantinischen Liturgie, in: Myron Hornykiewitsch/Herbert Vorgrimler, Die Eucharistiefeier der Ostkirche im byzantinischen Ritus, Graz - Wien - Köln 1962, S. XXIX.

[120] PG XXXV, 397 ff.

[121] Vgl. etwa: Adolf von Harnack, Das Wesen des Christentums, 2. Aufl., Leipzig 1900, S. 135 ff.: ,,Nichts ist trauriger zu sehen als diese Umwandlung der christlichen Religion aus einem Gottesdienst im Geist und in der Wahrheit zu einem Gottesdienst der Zeichen, Formeln und Idole ... Um diese Art von Religion aufzulösen, hat sich Jesus Christus ans Kreuz schlagen lassen!"

[122] Nikolaus von Arseniew, Ostkirche und Mystik, 2. Aufl., München 1943, S. 123.

[123] Huber, Athos, a.a.O., S. 296.

[124] Zitiert nach: BKV Bd. 27, München - Kempten 1916, S. 147 (1177).

[125] Paul Evdokimov, L'Esprit Saint dans la Tradition Orthodoxe, Paris 1969, S. 102 – vgl. auch ausführlich bei: Johannes Madey, Die Rolle des Hl. Geistes in der Eucharistiefeier im Anschluß an die Göttliche Liturgie des hl. Johannes Chrysostomos, in: Catholica – Vierteljahresschrift für ökumenische Theologie, XXVIII. Jg., Nr. 3, Paderborn, 1974, S. 227–234, insbes. S. 230.

[126] Ildefons Herwegen, Zur Einführung, in: Casper, Weltverklärung, a.a.O., S. IX f.

[127] Vgl.: Marie Bernard de Soos, Le Mystère liturgique d'après Saint Léon

le Grand (Reihe: Liturgiewissenschaftliche Quellen und Forschungen, Heft 34), Münster 1958.

[128] Walter Birnbaum, Die deutsche katholische liturgische Bewegung (Das Kultusproblem und die liturgischen Bewegungen des 20. Jahrhunderts, Bd. I), Tübingen 1966, S. 47.

[129] Ebd., S. 56.

[130] Odo Casel, Das christliche Kultmysterium, 3. Aufl., Regensburg 1948, S. 93.

[131] Nicht aber die Realität!

[132] Panagiotis Trembelas, Der orthodoxe christliche Gottesdienst, in: Bratsiotis, Kirche, a.a.O., S. 165.

[133] Vgl. z. B.: Karl Dietrich, Hofleben in Byzanz (Reihe: Voigtländers Quellenbücher, Bd. 19), Leipzig 1912, S. 64 f.

[134] Phaidon, 111 a.

[135] Peeter Hendrix, Die Ikon als Mysterium, in: Anton Meyer u. a. (Hrsg.), Vom christlichen Mysterium – Gesammelte Arbeiten zum Gedächtnis von Odo Casel, Düsseldorf 1951, S. 190.

[136] Papadopoulos-Kerameus, a.a.O., S. 224 ff.

Anmerkungen zum Textanhang:

[1] Übersetzt nach: Mansi XIII, a.a.O., Sp. 728–740.

[2] Konstantinos VI. (780–797).

[3] Irene war zu dieser Zeit nur Regentin für ihren Sohn; sie selber regierte erst nach der Ablösung Konstantinos VI. von 797–802; vgl.: Ostrogorsky, Geschichte, a.a.O., S. 150 ff.

[4] Mt. 28,20.

[5] Das Sprichwort zu verifizieren war mir leider nicht möglich; die hier gegebene Übersetzung ist ein Versuch, es in eine sinngemäßere Form zu bringen. Der Text der Definition lautet (in der lateinischen Ausgabe): „Axes propriae agricolationis errare fecerunt et manibus congregaverunt sterilitatem."

[6] Is. 12,10.

[7] Ez. 22,26.

[8] Gemeint sind das I. und II. Ökumenische Konzil, die 325 in Nikaia bzw. 387 in Konstantinopel tagten und das nach ihnen benannte Symbolum erarbeiteten, welches im Folgenden zitiert wird.

[9] Gemeint sind die Anhänger einer im IV. Jahrhundert entstandenen Sekte, an deren Spitze der damalige Patriarch von Konstantinopel Makedonios (342–346 und 351–360) stand. Diese Irrlehrer erklärten den Hl. Geist zu einem den Engeln ähnlichen „Diener" des Vaters und des Sohnes. Nachdem bereits eine Synode zu Alexandria 362 (vgl. PL XXI, 499) und eine große illyrische Synode 375 (vgl. PG LXXXII, 1138) sie verurteilt hatten, erfolgte ihre endgültige Exkommunikation durch das II. Ökumenische Konzil.

[10] Das III. Ökumenische Konzil zu Ephesos 431 verurteilte den Nestorianismus.

[11] Auf dem IV. Ökumenischen Konzil in Chalkedon 451 wurden die genannten Personen wegen Monophysitismus gebannt.

[12] Evagrios „Pontikos", ein bedeutender asketischer Schriftsteller des IV. Jahrhunderts (345–394), wird hier zusammen mit Didymos „dem Blinden" (310–395) als Vertreter der origenistischen Irrlehre und des Monotheletismus benannt.

[13] Hier wird unter den monotheletischen Irrlehrern auch ein römischer Papst, nämlich Honorius I. (626–636), genannt. Inwieweit er selber aktiver Häretiker war oder nur dem Monotheletismus wohlwollend gegenüberstand bzw. nicht genug entgegentrat, darüber gehen die Meinungen auseinander: auf jeden Fall hielt es das Ökumenische Konzil für angebracht, ihn unter die Verurteilten einzureihen.

[13a] In der bei Mansi, a.a.O., stehenden lateinischen Übersetzung ist der Unterschied zwischen „Verehrung" (time) und „Anbetung" (latria) nur unvollkommen wiedergegeben, da für beide mehrfach unterschiedslos die Bezeichnung „adoratio" verwandt ist.

[14] 1. Thess. 2,14.

[15] Soph. 3,14 f.

[16] Den Unterschriften der Patriarchen bzw. ihrer Vertreter folgen diejenigen von 326 weiteren Bischöfen.

[17] Es folgen weitere Anathema-Rufe für verschiedene Ikonoklasten.

[18] Übersetzt nach: Trebnik, 2. Teil, Moskau 1902, Bogen 109–122.

[19] Also in der Mitte der Kirche.

[20] Entspricht in der römischen Kirche der Stola und dem obersten Gewand, also dem Meßgewand bzw. dem Chormantel.

[21] Bis zum Psalm handelt es sich hierbei um die im byzantinischen Ritus üblichen Einleitungsgebete eines jeden Gottesdienstes.

[22] Vgl. Ex. 25,10ff. und 37f.

[23] Vgl. 2. Chron. 3,10–14.

[24] Vgl. Ex. 40,15ff.

[25] Vgl. Gen. 18.

[26] Vgl. Mt. 3,16ff.; Mk. 1,10ff.; Lk. 3,21ff., und Joh. 1,32ff.

[27] Vgl. Apg. 2,1–13.

[28] Vgl. Mt. 17,5 und Lk. 14,27.

[29] Der folgende, dem Kaiser Leon d. Weisen zugeschriebene Gesang wird als Dogmatikon der großen Pfingstvesper verwandt.

[30] D.h. Adam.

[31] Vgl. Phil. 2,7.

[32] Übersetzt nach: Papadopoulos-Kerameus, a.a.O., S. 215–224. – Die deutsche Übersetzung bei Trenkle, Malerhandbuch, a.a.O., ist leicht fehlerhaft. Das hier von Dionysios wiedergegebene Schema der Kirchenausmalung entspricht der klassischen Form der mittelbyzantinischen Ikonographie, vgl.: Otto Demus, Byzantine Mosaic Decoration, London 1948, S. 3–37.

[33] Deut. 32,39.

[34] Is. 45,12.

[35] Die einleitenden Worte eines im Januar gebrauchten Irmos.

[36] Jenes Bild, das der Überlieferung nach entstand, als das wunderbare Abgar-Bild vor Verfolgern in einem Ziegelhaufen verborgen wurde, wo es sich in dem nächsten Ziegel abprägte, vgl.: André Grabar, La Sainte Face de Laon, le Mandylion, dans l'art orthodoxe, Prag 1931, S. 22ff.

[37] Jo. 15,5.

[38] Lk. 4,18.

[39] Genauer gesagt in die Konche der Hauptapsis.

[40] Die Engel werden hier normalerweise in diakonaler Gewandung dargestellt, um so den liturgischen Bezug zu betonen.

[41] Die Bilder sind also von der südöstlichen Ecke des Raumes beginnend entgegen dem Uhrzeigersinn angeordnet.

[42] Dies sind (in der chronologischen Reihenfolge des Lebens Christi): die Verkündigung (Festfeier 25. 3.), Geburt des Herrn (25. 12.), Darstellung im Tempel (2. 2), Taufe im Jordan (d. h. Theophanie, 6. 1.), Verklärung auf Tabor (6. 8.), Auferweckung des Lazarus, Einzug in Jerusalem, Kreuzigung, Himmelfahrt, Pfingsten (alle nach wechselndem Kalender) und Entschlafen der Gottesmutter (15. 8.) sowie Kreuzerhöhung (14. 9.). Ostern, das „Fest der Feste" steht eigentlich über allen anderen Festfeiern und damit nicht in der Reihe der Zwölf, wird ikonographisch jedoch manchmal hier eingefügt (zwischen Kreuzigung und Himmelfahrt) und verdrängt dann entweder die Auferweckung des Lazarus oder – häufiger – Kreuzerhöhung.

[43] Damit sind z. B. folgende Szenen gemeint: Fußwaschung und letztes Abendmahl, Geißelung und Dornenkrönung, Grablegung, der Unglaube des Thomas, der wunderbare Fischfang etc.

[44] Die Heilige Liturgie schildert Dionysios an anderer Stelle (Papadopoulos-Kerameus, a.a.O., S. 127) folgendermaßen: „Ein Kuppelbau (genauer: ein Ziborium), darunter ein Altar, auf dem das Evangelienbuch liegt. Darüber schwebt der Heilige Geist und man sieht den Ewigen Vater auf dem Throne sitzen und seine heiligen Hände zum Segen erheben. Auf einer Schriftrolle sagt er: „Vor dem Morgentau habe ich dich gezeugt!" Auf der rechten Seite des Altares steht Christus in bischöflichen Gewändern und segnet, dahinter aber die anderen Chöre der Engel in Priesterornaten, welche die linke Seite des Altares umstehen. Christus erscheint noch einmal auf der anderen, linken Seite und nimmt gerade einen Diskos entgegen, den ihm ein als Diakon gewandeter Engel reicht. Vier weitere Engel inzensieren Christus und zwei andere halten Leuchten. Dahinter steht ein weiterer Engel im priesterlichen Ornat, der den Kelche trägt, und dann noch weitere mit dem liturgischen Schwamm, der Lanze und dem Löffel, dem heiligen Kreuz und einige mit Lampen." – Man erkennt hier unschwer den Großen Einzug der pontifikalen Liturgie.

[45] Das ist die nördliche Seitenapsis, in der die Zurüstung der Gaben stattfindet.

[46] Jo. 10,11.

[47] Ringsum bezieht sich natürlich nur auf die Kuppel der Seitenapsiden.

[48] Dieser südlich gelegene Raum wird auch als Diakonikon bezeichnet und stellt eine Art Sakristei dar.

[49] Also in der Form der Orantin.

[50] Anspielung auf den Hymnus zur Gottesmutter in der Liturgie des hl. Basilios d. Großen (sowie einige andere liturgische Texte gleicher Aussage); vgl. zu diesem „Platytera" genannten Ikonentypus: G. A. Wellen, Theotokos, Utrecht - Antwerpen 1961, S. 147 ff.

[51] Vgl. Ex 3,1–12.

[52] Vgl. Dan. 3,19–27.

[53] Vgl. Dan. 6,10–24.

[54] Vgl. Gen. 18.

[55] Die architektonischen Bezeichnungen sind leider nicht immer eindeutig, so daß wir gelegentliche Wiederholungen in Kauf nehmen müssen.

[56] Dieses Motiv geht auf Is. 9,6 in der Fassung der LXX zurück; die hebräische Bibel differiert hier relativ stark vom griechischen Text.

[57] Ps. 44,9 in der Fassung der LXX.

[58] Nämlich: den Engel (Matthäus), den Löwen (Markus), den Stier (Lukas) und den Adler (Johannes).

[59] Mt. 3,2 und 4,17.

[60] Wir umschreiben hier die Angaben des Dionysios, der sich wieder mit dem mehrdeutigen Wort „kamára" begnügt.

[61] Gedacht ist allerdings hier wohl nicht an die hohenpriesterlichen Gewänder des Neuen, sondern jene des Alten Bundes, also die doppelhörnige Mitra etc.

[62] Job 1,21 b.

[63] Ps. 44,11.

[64] Is. 7,14 bzw. Mt. 1,23.

[65] Diese Szene wird detailliert an anderer Stelle beschrieben, bei: Papadopoulos-Kerameus, a.a.O., S. 127 f.

[66] Von all den hier genannten ikonographischen Typen finden sich genaue Beschreibungen bereits an anderen Stellen der „Hermeneia", so daß Dionysios sie nun als bekannt voraussetzt. Wir geben hier nur die Schilderung der Verherrlichung der Ikonen als ein Beispiel wieder (vgl. Papadopoulos-Kerameus, a.a.O., S. 173): „Eine Kirche: davor der heilige Patriarch Methodios mit seinem Hirtenstab, andere Bischöfe um ihn herum mit Ikonen in den Händen. Vor ihm zwei Diakone, welche eine Ikone Christi, und etliche andere, die eine der Jungfrau halten, und zwar vom Typ der Hodegetria mit goldenen Schuhen. Hinter dem Patriarchen die Kaiserin Theodora und ihr Sohn, Kaiser Michael, ein kleiner Junge, beide ebenfalls mit Ikonen. Dahinter Priester mit Weihrauchgefäßen und Lampen, sowie die Mönche Johannes (von Damas-

kus), Arsakios und Isaias und eine Menge anderer Mönche. Auch eine Gruppe weiblicher Einsiedlerinnen mit der heiligen Kassia an der Spitze und eine große Schar von Laien, Frauen und Kindern, die Kreuze und Leuchter tragen."

[67] Auch diese Bischofstypen sind bereits anderweitig von Dionysios beschrieben worden, vgl. Papadopoulos-Kerameus, a.a.O., S. 154–157.

[68] Gemeint ist der Tisch der Prothesis, auf dem die Gaben bereitet werden.

[69] Dieses ikonographische Motiv geht auf eine Vision des hl. Petrus, Patriarchen von Alexandrien (300–311), zurück, die er kurz vor dem Beginn der Predigten des Arius hatte; vgl. zu den literarischen Quellen und der Darstellung dieser Vision genauer: G. Millet, La vision de Pierre d'Alexandrie, in: Mélanges pour Ch. Diehl, Paris 1930, II. Bd., S. 101–115.

[70] D.h. außerhalb des Altarraumes.

[71] Dieser Titel bezeichnet jene Heiligen – vor allem Ärzte – die durch ihre kostenlose sanitäre Fürsorge das körperliche Leid der Menschen ebenso linderten, wie sie ihnen geistlichen Beistand leisteten. Die wohl bekanntesten Anargyren sind Kosmas und Damian, Ermolaos und Panteleimon sowie Tryphon.

[72] Alle diese ikonographischen Typen sind bereits vorher beschrieben worden.

[73] Die Versstrophen auf die Erzengel dürften auf den sardischen Metropoliten Nikephoros Chrysoberges (12./13. Jahrhundert) zurückgehen, vgl.: S. G. Mercati, Poesie giambiche di Niceporo Chrysoberges mitropolita di Sardi, in: Miscellanea Giovanni Galbiati (Reihe: Fontes Ambrosiani, Bd. 29), Mailand 1951, II. Teil, S. 253–268, vor allem S. 257 ff.